JN059072

エリア・スタディーズ
75
スウェーデンを知るための64章
【第2版】
村井誠人（編著）
明石書店

はじめに

『スウェーデンを知るための64章【第2版】』をお届けいたします。本書は、『スウェーデンを知るための60章』が２００９年に刊行されて以来十数年の時間の経過を経て、スウェーデンという国をあらためて見てみようという意図から企画されました。初版に掲載された6章のみを再録し、それらを「いま」が語られるべくアップデートしたうえで、新たに58章が執筆され、総勢38名の執筆者によって本書が編まれました。また、重要なことですが、第2版が出たことで、初版の内容が「賞味期限が切れた」のではまったくありません。編者としては、スウェーデン情報の分量をこの「第2版」の刊行によってさらに充実させたという自負がありますが、本来ならば「初版」――「初版」と表現せざるを得ないことが重大な手続上の「過失」ということになるのでしょうが、すなわち、それは「第2版」が出たことで、「初版」と形容されることになってしまうということ――を本書とは別の体裁の出版物として存続させるべきものであったということです。

本書は、２００９年に『スウェーデンを知るための60章』と『デンマークを知るための68章』が1か月のずれを持ちながらもほぼ同時に刊行され、両書の編者としてはそれらが「北欧」を語るうえでの「双子」という関係性を意識し、共通すること・相違すること、そしてそれらが「北欧」全体に通ずるもの・またそれぞれが特殊であるといったことを峻別（しゅんべつ）することを念頭に置いて筆者はその任に当たりました。今回も1か月の刊行のずれを前提に昨年の4月『スウェーデンを……』の編集作業を先行させたものの、原稿集積段階で『デンマークを……』に追い抜かれ、本年1月20日に後者が刊行され、本書の上梓にはこの段階でも至っておりません。

その理由は、表向きには、２０２２年2月24日に始まるロシアによるウクライナ侵攻を受けて、スウェーデンとフィンランドがそれまでの「中立政策」をやめて、ＮＡＴＯ（北大西洋条約機構）への参加へと大きく舵を取ったことによります（同年5月18日、加盟申請）。しかし、フィンランドが翌23年4月4日にＮＡＴＯ加盟を果たしても、スウェーデンの加盟がトルコ、さらにハンガリーの未承認状態が続きました。ようやくトルコが本年の1月23日の議会で承認、2月26日、ハンガリー議会が承認決議をして、3月7日、スウェーデンはＮＡＴＯの32番目の加盟国となりました。「はじめに」を書こうとする筆者同様に、何人かの執筆者にとっては、このスウェーデンのＮＡＴＯ加盟問題の流れが、一段落を迎えるまで、刻々と変わる情報に書き掛けの原稿に何度も手を入れざるを得ず、ようやく、今、筆をおくことができた次第です。

編者である筆者には、専門の歴史学は「史料批判」を前提に行う学問であり、大学院生時代には、歴史学では、事象が起きてから50年ほど経って当事者的な関係者がいなくなって史料の「生乾（なまがわ）き」状態を終えたものを扱うべきと指導教授から言われ、同時代進行事象を扱う「国際関係論」的分野への対応は不慣れであり――それでも、２０２２年8月刊行の『YAMAKAWA Selection 北欧史』の新章（第十章「二十一世紀に入っての北欧の動向」）では、「同時代史」を担当執筆――、執筆行為そのものが最新の情報にこだわらざるを得ないという現実に振り回されてしまいました。しかし、結果として、清水謙氏によるＮＡＴＯ加盟に至るまでの顛末の解説（第36章）、スウェーデン政界における移民である国外に出自のある政治家が、五月女律子氏が指摘するように己の政治感覚をもってスウェーデン内の複数の政党に居場所を見つけていること（第31章）、そして彼らが活躍できる政治風土の中で、具体的に大島美穂氏によって、トルコとスウェーデン政府とのやり取りの中にもそれが如実に現れていることが語られており（第37章）、それらは本書の時間即応的な妙味ともなっています。

そして、前述の「表向き」の理由に対して、「内向き」の理由を語ると、本書の執筆者として原稿の依頼まで済ませていた大阪大学のスウェーデン語教室の當野能之氏が急逝され、古谷大輔氏をはじめ教室関係者らのショックの大きさは想像以上であり、新学期の教員の配置等を含め相当な混乱を呈し、関係者の方々の本書への寄稿も大幅に遅れる結果となりました。この書面をお借りして、哀悼の意を表します。また、初版後の執筆者の動向としては、筆者の10年間に及ぶ大阪外国語大学への非常勤講師出向以来、公私にわたってお世話になりました菅原邦城先生が昇天されており、執筆を依頼することができませんでした。

主にデンマーク史の研究に携わってきた筆者がスウェーデンを扱う本書の編者となっている意味は、第Ⅳ部「外から見たスウェーデン」の設定に見るようにスウェーデンを囲む周囲からの視点にこだわってスウェーデンを客観化することが重要だと考えることです。「初版」出版当時、筆者が気になっていた我が国のスウェーデン紹介の風潮には、スウェーデンの「優れた」社会福祉制度をメインにスウェーデン事情が語られることが、北欧全体を知ることになるといったようなところがありました。ところがスウェーデン以外の北欧を研究対象とする研究者から見ると、むしろ地理的に北欧の真ん中に位置するスウェーデンの北欧内での「異質性」に気付かないと北欧の〝地域的な全体像〟が見えにくいという事実が存在していました。「初版」の「はじめに」でも紹介しましたように、フィンランド人にとっては数百年に及ぶスウェーデン国家内での民族的被支配構造への歴史的回想、デンマークを打ち負かしたナポレオン戦争の勝利者としてのスウェーデン、ノルウェーにとっての〝宗主国〟的な同君連合の相手、そして第二次世界大戦下での北欧唯一の中立維持国といった、歴史の道程上の〝幸運児〟スウェーデン人に対する周辺諸国民内の「やっかみ」のような感情がどこかに見え隠れしていました。そういった中でのスウェーデンという存在は、スウェーデンに光を当てただけでは見えてきません。一方、スウェーデン人の側でも、自らが周辺諸国民に対する〝ビッグ・ブラザー〟として北欧を代表しているといった自負が存在していました。たとえば、1830年代以来続けられてきた「中立」国家スウェーデンのイメージです。冷戦期の1977年に東京渋谷のデパートで行われた「ヴァイキング展」では、デンマーク、ノルウェーからその展示協力が得られたものの、スウェーデンからはそれが得られなかったとその準備作業にかかわった人物が述べていました。1世紀以上に及ぶ「伝統的な中立国」のイメージを平時においても損なうことを避けるために「好戦的」イメージのある〝ヴァイキング〟を自らの過去を語るものとすることを避けたということでした。ところが、その中立政策の起源は、1834年に黒海周辺をめぐる英国・ロシア間の緊張状態にカール14世ヨーハン王が両国に宛てた覚書の中で記した「中立」の表明でした。ナポレオン戦争の北欧内での勝利者としての地位を確保した後の「中立」は、当然、現代の「中立」とは異なります。クリミア戦争時（1853〜56）にスウェーデンは「中立」を実行しますが、その「中立」の意味は中立国の港が交戦国双方にとって武装を解除した艦船には中立国の港が自動的に「寄港」できるということで、バルト海に港を持つロシアに対しては意味がないものの、バルト海沿岸に港湾を持たない英・仏艦船がバルト海に入れば意味が異なります。１８５５年スウェーデンはロシアがスウェーデンを攻撃した場合には英・仏が援助するという「一一月協定」を英・仏と結びますが、翌年3月に、交戦国間で停戦（パリ条約）がなり、条約締結の報が英・仏の背後に「隠れて」ロシアに対峙していたスウェーデンに届いたとき、スウェーデン王オスカル1世の髪が一夜にして白髪になったと王子が日記に記していたと言われています。また、時代は前後するものの、１８４８年に勃発したデンマークの内戦「第一次スリースヴィ戦争」には、結果的に戦闘に加わらなかったものの、デンマーク軍を支援するため、フューン島までスウェーデン軍が派遣されていました。すなわち、スウェーデンの「伝統的中立」も、戦争の質自体が変わって「中立」の意味も変わります。第一次世界大戦・第二次世界大戦。そして守るべき「中立」の意味が平時においてこそ国家的行動様式として求められる東西冷戦の時代になっての対応が、歴史上の自らの過去の実態をも否定したのでした。

一方、２０２０年当時のＣＯＶＩＤ－19が欧州に蔓延（まんえん）した際、スウェーデン以外の北欧各国がコロナウイルス感染症対策として社会的活動をロックダウンすることで対応したのに対し、大島美穂氏が第56章で紹介しているように「にぎやかな人の流れを保つスウェーデンの繁華街」の様子に象徴される穏やかな規制でやり過ごそうとしたスウェーデンの突出した対応が興味深いものでもありました。筆者の記憶ではデンマークの国営テレビ（ＤＲ）のニュースで、まさに当時、そのロックダウン状況のコペンハーゲンを訪れたスウェーデン人観光客が街頭インタヴューに答えた言葉が印象深く残っています。「上からのロックダウン指令に従う社会と、人々の意思を尊重して感染症対策をするスウェーデンのそれとのどちらが〝北欧的〟なのでしょうね？」と、「北欧らしさ」を持ち出して議論していました。

また、21世紀への世紀転換期に寛大な移民・難民の受け入れ政策を「北欧的な」民主主義の在り方としてスウェーデンがその「北欧らしさ」と強調していました。欧州で一番厳しい移民政策にのちに舵を取っていったデンマーク政府が難民・移民の入国に対し厳格化に向かおうとした際、スウェーデン政府に同様の政策をとって歩調を合わせるように秋波を送っていたものの、当時のスウェーデン外相アンナ・リンド（Anna Lindh １９５７〜２００３、在職１９９８〜２００３）に一蹴されたというＤＲのニュースを筆者は記憶しています。２０１１年に始まるシリア内戦で多くの難民が発生し、欧米内ではスウェーデンはドイツに次いで２番目に多くの難民を受け入れました。最も内戦が激化した２０１５年には、シリアからの難民がデンマークを素通りしてスウェーデンへと殺到し、今やスウェーデンの南の玄関口ともいうべきデンマークのカストロプ空港地下駅から、マルムー市へと向かう列車内でのスウェーデンへの入国を管理する当事者の対応の大混乱ぶりを、デンマークのテレビが半ば呆れながら、そして同情しながら伝えていました。こうしたスウェーデンへの移民の増加は、スウェーデン内の社会的、政治的状況に変化をもたらしました。政治的事象にかかわることは第Ｖ部を通してご覧いただきたいと思います。また、社会的事象の変化を日常生活における「体感」から兼松麻紀子氏が第42章の後半部で、良識あるスウェーデン在住者の立場から移民の増加という表現を一言も使わずに抑制の効いた文章でスウェーデン社会の変化を表現しております。本書の編集段階でのやり取りで、兼松氏からご自身の担当章に記した内容が一般のこれまでのスウェーデンイメージとは異なって「暗すぎる」ことを心配されていましたが、近年スウェーデンを訪れて帰国された日本人研究者たちによって異口同音に都市交通機関にかかわるストックホルム周辺の治安の悪化が言及されることとそれは通底しています。

第二次世界大戦以降の冷戦期の北欧内における防衛政策上の各国それぞれの対応が、前述のように、ロシアのウクライナ侵攻によって画期的に変化しました。フィンランド・スウェーデンがNATOに加盟し、1992年の「エディンバラ合意」によって欧州の防衛・安全保障にかかわらないという「特権」を2022年6月の国民投票によって敢えて返上したデンマークが、今年の3月13日に女性も徴兵の対象となることを発表しました。これはノルウェー（2015）、スウェーデン（2018）に次ぐ欧州3番目の制度化であり、「男女間の完全な平等」と、「戦争を避けたいという」国民の意志の表明だとしています。注目すべきは、対ロシア政策において「北欧」が〝初めて〟共通の意志を持って「並んだ」ということです。「北欧」がその内側において各国が〝違い〟を主張し、互いに違いのあること自体を尊重しつつ、それでも世界のいかなる地域よりも「まとまっている」空間を作り出していたという北欧的伝統が変化し、防衛上の観点から一列に並んだことは、歴史上きわめて例外的な事態がここにおいて成立したのでした。

本書カナ表記原則について

一方、執筆者が38名に及ぶことで、本書では、地名等固有名詞のカナ表記が執筆者によって異なるという事態を避けるために、表記上の共通の原則を設けました。大阪大学の名誉教授である清水育男氏にスウェーデン語カナ表記の原則を示していただきました。かつて、清水さんから教えていただきましたことを参考にして、わかりやすく、実例から申し上げます。

日本語には母音がアイウエオの５つです。この５つの母音表現を使って、外国語の「音」を表記しなくてはなりません。当然限界がありますが、クリアできるケースもあります。たとえば、スウェーデン語のöです。厳密に言えば、日本語にぴったり相当する母音はありません。しかし、短母音öの場合にはスウェーデン人でさえスウェーデン語の短母音のu（「ウ」）と混同します。例を挙げますと、söndag〈日曜日〉をsündagと誤って表記したり、その逆にuをöで発音したりする混乱が見られます。スウェーデン語に馴染んでいる方ならこの現象をきっとご存じだろうと思われます。この事実から、スウェーデン語のöは日本語「ウ」表記が適切であろうとなったわけです。一方で、フランス語のカナ表記でも近代細菌学の父、パスツール（パストゥール）（Louis Pasteur １８２２～９５）のeu、フランス各地にあるサクレクール寺院（Basilique du Sacré-Cœur）のœuはスウェーデン語のöとほぼ同じ発音で、フランス語のこの母音を日本語母音の中ではカナ表記の「ウ」に一番近いと判断したのが日本におけるフランス語学者でした。これを「ウ」表記としたのは炯眼（けいがん）でした。ところがスウェーデン語のöを、ドイツ語の通常の日本語カナ表記にならってか「エ」などにしたりして「ウ」と表記されないことが多くあります。日本人がスウェーデンでスウェーデン語固有名詞内のöをもし「エ」で発音したらまずスウェーデン人にはわかってもらえないでしょう。「ウ」で発音すると、スウェーデン語のö音（デンマーク語のø音と同じ）に近いので、スウェーデン人に理解してもらえる可能性は高まり、またそれはスウェーデン語のö綴りへの復元にも容易につながります。そういった観点から、原綴りへの復元力、カナ表記の統一性・一貫性、平易さにも配慮した、清水育男氏のカナ表記原則を、本書では全体を通して採用しました（この表記を詳しく知りたい方は氏の「スウェーデン語発音の日本語へのカナ表記提案」（*IDUN* vol. 19. p.51-72. ２０１０年。大阪大学世界言語研究センター デンマーク語・スウェーデン語研究室）を参照してください）。ここで問題にしているのは、発音体系がまったく異なる言語（つまり日本語）の中でカナ表記されたときに、そのカナ表記が「正しい」「正しくない」という問題ではなく、原音を分析しながら原音にできるだけ近い音をカナ表記体系の中で統一性を保ちながら表記するという原則に尽きるのです。したがって、各章の執筆者が校正の段階で、すでに慣用化されているスウェーデン語固有名詞のカナ表記を示している場合には、その語の後に括弧を付けその中に、本書の原則に倣ったカナ表記を付けて示しました。

（例）「ノーベル（ノベッル）」、「カール・フォン・リンネ（リネー）」など。

また、Göteborg などは、「ユーテボリ」と読まれたく、従来、往々にして見出す「イエーテボリ」や「ヨーテボリ」は初めから「ユーテボリ」のみに絞って使用しました。本書におけるカナ表記原則のうち一番混乱が生じたのは、母音の長母音・短母音表記の区別で、日常的に研究等においてスウェーデン語を扱っている方々でも相当戸惑うもので、「目から鱗（うろこ）」のような感じを筆者も受けました。たとえば、スウェーデン人らしい姓で「……ストレーム（...ström）」がありますが、本書の原則では「……ストゥルム」となります。

本書を通してのカナ表記原則を、執筆者によっては、ご自分の担当章内には持ち込まれたくないという例もあります。たとえば『デンマークを知るための70章【第2版】』においても、第3章内で執筆者（オールセン八千代氏）が自らの「クリスチャニア（Christiania）」表現への愛着から、書全体を通してのカナ表記原則に則った「クリスチェーニャ」を拒否した例があります。本書では全体の統一に編者としてはこだわりつつも、第46章、第52章内には、原則を持ち込んでいないことをお伝えしておきます。横山悦生氏ご担当の第46章では、横山氏が表現する「スロイド（slöjd）」は「スロイド（スルイド）」とし、「オットー・サロモン（Otto Salomon）」は「オットー・サロモン（オット・サーロモン）」とそれぞれ初出のみに表現されることになるはずでした。そのようにはなりませんでした。また、小松弘氏ご担当の第52章では、スウェーデンでの研究上の恩師「イェスタ・ヴェルネル（Gösta Werner）」を編者としては「イェスタ・ヴェルネル（ユスタ・ヴァーネル）」と初出にのみこだわって表記を試みたのですが、自ら慣れ親しんだ恩師への呼称に違和感を与えるものとして拒否されました。

本書の刊行に至る執筆者各位とのご連絡、原稿の集積、編集に関しては、明石書店編集部の富澤晃さんに多大なご尽力をいただきました。また、カナ表記の統一などでは清水育男先生のご協力に御礼申し上げます。それにかかわる細かい執筆者とのやり取りなど、特別な注意が必要でしたので、相当な心配りをしていただいたことなど、編者としましては改めて富澤晃さんに対しては感謝の意を表させていただきます。

２０２４年３月26日

村井誠人

スウェーデンを知るための64章【第2版】

Ⅲ スウェーデンの歴史から

Ⅳ 外から見たスウェーデン

Ⅴ スウェーデンの政治

Ⅵ スウェーデンの社会

Ⅶ　スウェーデンの文学・芸術

Ⅷ　スウェーデンの暮らし

I

スウェーデンの地理

1

北欧内のスウェーデンの地理的位置

★氷床によって創られた大地★

スウェーデンの地理的状況を考えるとき、北欧地域全体の中でスウェーデンがどこに位置しているかを、当然、論じなければならない。隣国ノルウェー、フィンランドとの境界を示す国境線と海岸線の線によってのみに囲まれただけの、よく見かけるようなスウェーデン地図を掲げて、スウェーデンの地理を表現しようとしても、それは不自然なものになってしまう。

地質学的にはフェノ・スカンディア楯状地と呼ばれる古い安定した大陸性の地殻が楯を伏せたような形で広がっていたところに、その西側の縁に約四億年前の古生代の激しいプレート運動が続いた結果、現在スカンディナヴィア山脈と呼ばれる古い山地が現出した。スウェーデンの鉄鉱は、その楯状地の岩石である。そして、地質学的には新生代第四紀の、今から200万年から約1万1000年前の氷河期に、4回にわたって（北欧では、4回すべての痕跡は確認できないが）右記の地殻の上に「氷」が広く覆ったのである。この氷とは、これらの地域の西に横たわる海から蒸発した水が西風に運ばれて山脈に出会って雪として降り続き、山脈の東山麓に厚く降り積もって自らの重さからその圧力で氷となったものだ。その「氷の原」は最大で

３０００メートルの厚みとなり、フェノ・スカンディア楯状地の上に「氷床」と呼ばれる大陸氷河として広がった。そして、その重みの中心が山麓を下りて東側にずれたところで、その重さのために地殻が地球の内側のマントル側に大きく沈み、そこの地表は現在の海抜０メートルよりはるかに沈降し、そのくぼみが今はスウェーデンとフィンランドの間に横たわるボスニア湾となっている。氷河期が終わってから今に至るまで、刻一刻と元に戻ろうとして地殻は上昇しており、あと１万年ほど経つと、この大きな湾は、消滅して陸地となるといわれる（アイソスタシー現象）。したがって、ボスニア湾

氷河の後退

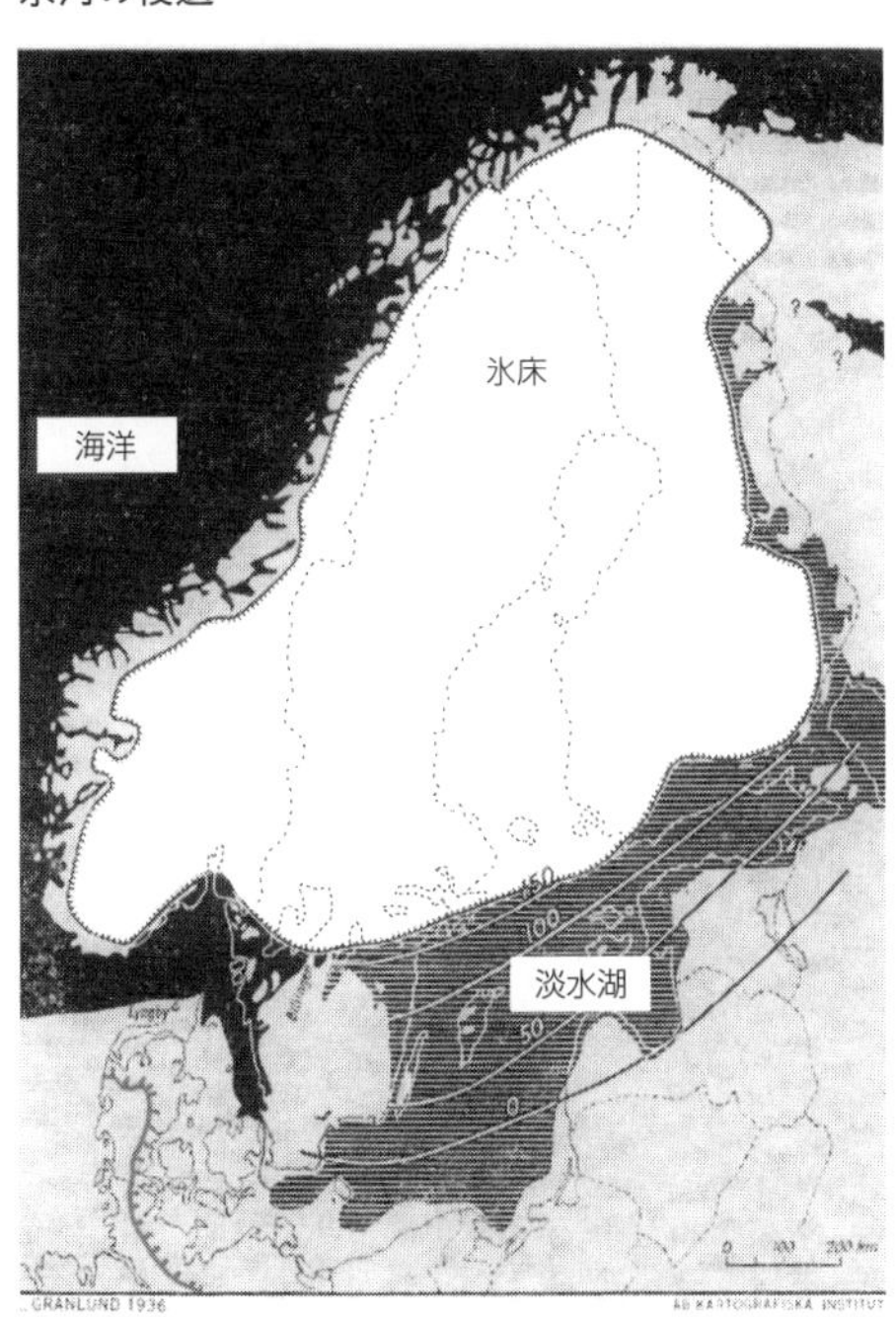

紀元前8000年紀頃の北欧。氷床が後退して行く途中で、バルト海の原形が淡水湖として現れており、デンマークのユトランド半島上に記した線が南西方向への氷床の最大拡大範囲を印す氷堆石（端モレーン／終モレーン）線。地図中の数字は、氷床後退後の地表面の隆起量（m）。

出典：Axel Somme red., *A Geography of Norden*, Oslo 1960, p. 33.

奥のリューレオ周辺では、すでに250メートルほどの隆起を記録しており、スカンディナヴィア半島南端近くでは50メートルほどの隆起があり、バルト海南岸やデンマークあたりではその上昇はほとんどみとめられない。

現在の北欧の地形は、デンマークをも含めて古い原地形の上にこの200万年の間に移動した「氷」によって地表に形付けられたものとして説明がつく。すなわち、「侵食」「運搬」「堆積」の三作用の結果である。まず、中央に雪が降り続くことによって生ずる、氷床の周囲への拡張による地表の侵食作用があり、高山には露岩が露呈し、山麓斜面にはその礫を主体とする堆石（モレーン）が多く、さらに氷床は削り取った礫や土壌を運搬する。また気温上昇などが原因で氷床の収縮（融解）によって氷床最大拡張線を示す置き残された列状の丘（先端モレーン）と、氷床の拡大に際して運搬されてきた堆積物の丘陵状のゆるやかな起伏のある平野（モレーン丘陵）が残存し、それらは氷床の下部に堆積していた氷成粘土や礫からなる。これらモレーンの平野は、デンマークとスウェーデンの南端、スコーネ地方に存在する。そして、融水の流れによって自然堤防や洲（す）ができ、デンマークのユトランド半島にはきわめて低平な融水平野が形成されている。土地隆起による浅い海底のそれら堆積物による平野が、メーラレン湖周辺のように現在はスウェーデン内の耕作地となっている。また、スモーランドと呼ばれる南部の地方をかつて列車で抜けた際に見た、その景色は、針葉樹の森林の中に点在する耕作地が大小の岩による石垣でみごとに囲まれていたことが非常に印象的だったが、その理由ははじめに岩の塊を取り除き、畑の境に積み上げなければ、耕作地は作れなかったためである。土地が狭いことを表す「スモーランド（小さな土地）」とその地が呼ばれたことも、字義上はそういうことなのかと、変に納得したことを今思い出す。

また、この地の空き家となった農家をデンマーク人などがサマーハウスとして借りる観光保養地ともなっているが、かつてこの地から多くの貧しいスウェーデン農民が移民としてアメリカに渡っていったのもむべなるかなである。スウェーデンやフィンランドでは、こうした礫の堆積物が多い。また、ストックホルム周辺の海上に浮かぶ、表面がつるつるした岩肌の無数の島々には、緑の針葉樹が直立して生えていて、その群島を抜けてフィンランドとを結ぶ大きなフェリーが進んでいくさまは、感動的である。それらの島々は、氷床が移動する際に硬い地表が残ったものであり、陸地では逆に氷床によって削られたところに水が溜まり、モレーンや融水の流れが作り出した自然堤防などがそれらを塞ぎ堰をなし、そこに湖沼ができた。このように、北欧のいたるところに氷床による傷跡が見うけられる。

山岳地帯を移動した氷（名のごとく氷河）が、原地形のV字谷を下りる際、面としての侵食を続け、（谷の横断図を描くとU字形となるために）U字谷が形成され、氷河時代が終わって海水面が上昇する際に、海抜0メートル以下の谷の部分が海水で覆われて、いわゆるフィヨルド（峡湾）が現れるのである。このフィヨルドは、スカンディナヴィア山脈が海側に迫っているノルウェー側にのみ存在する。したがって、スウェーデンにはそれは存在しない。しかしスウェーデン側のスカンディナヴィア山脈の斜面では、ボスニア湾に向かうU字谷の川底を流れる多くの川に、それを堰き止める礫によってモレーンの堤防が形成され、「谷中湖」ができており、地図を眺めると北西から南東方向に谷の中に横たわる細長い湖がいくつも平行に並んでいる。その湖から発する河流は古来木材の運搬と水力発電に利用され、その河口にはパルプ工場が存在する。

降雪が続くことにより中央部から同心円的に外へと広がっていった氷床の動きを理解するとき、「いまから1万年ほど前、大氷河がフィンランドあたりから溶けて、じりじりと西へ移動し、ノールウェーから海へ落ち込んでいった」（武田龍夫）などとする説明を見ることがあるが、その見解にはかなりの無理があることがわかる。

また、ちなみに現在のスウェーデンの最高点は、スウェーデン最北部に位置するスカンディナヴィア山脈内のケブネカイセ山の北峰で、海抜２１０３メートルである。

北極圏の南端を示す北緯66度33分の緯度線がラップランド・ノルボッテン両県を貫通し、まさにこの線以北の地は、夏には「真夜中の太陽」、冬には「極夜」の夜だけの日が存在する。首都のストックホルムの緯度は北緯60度のわずか南に位置しているだけであるので、ノルウェーの西岸を暖流の北大西洋海流が洗い、その上空の空気が北欧全体に大きく影響することによって、スウェーデンを含めた北欧全体の地が、地球上の同緯度の地と比較すれば、いかに「温暖」であるのかということを示している。しかし、ボスニア湾奥では海が12月から4月までは完全に凍結し、首都の海域でさえ砕氷船が稼動され、流氷が冬季３ヵ月間は存在する。もちろん、地球温暖化が進みつつある現在、これらの状況が変化していくことはいうまでもない。

植生に関しては、ユーテボリ市のあるスウェーデンの西海岸地方とスコーネ地方はデンマークと同じブナを中心とする落葉樹林帯に属し、その北側ストックホルムを含むスウェーデンの南半分が広葉樹ではハンノキ、カバ、ポプラを含む混合樹林帯であり、さらに北へ行くとダーラナの北部から北、およびボスニア湾を囲む形でトウヒ、モミを中心とした針葉樹の単一樹林帯が分布し、それがフィンランドへと続いていく。また、北部内陸の高原には、カバの疎林からツンドラの景観へと連なる。この国土（日本の国土の1・2倍）に人々（人口約１０４５万人）は住んでおり、南半分では、平野部には首都および中小都市が分布し、周辺には穀物栽培と牧畜が行われ、そこでは全欧州基準で言うところの平均的な人口密度を保っており、人口の過疎な森林地帯と国土の北半分とを合わせた場合に、人口密度は25人毎平方キロメートルとなる。

歴史的な国家的発展の中心軸は、メーラレン湖を中心とした地域であり、そこを中心にして東にフィンランド湾の両岸への進出がスウェーデン史の重要なファクターであり――すなわち、フィンランドはスウェーデンにとっては12世紀以来、「内なる」領土であり――、14世紀にユータ川河口にエルフスボリの要塞が築かれて、西への出口の拠点が確保された。そして、17世紀半ばに、デンマークの固有の領土スコーネ地方を「併合」して、現在の国土の形態を作り上げてきたのである――もちろん、フィンランドは、１８０９年以来外国となったのは言わずもがなである。

（村井誠人）

2

東西スウェーデン論

★スウェーデン歴史学研究における「東部」と「西部」★

スウェーデン歴史学界において、1980年代以降に大きな研究テーマの一つとなっているのが、スウェーデンの「東部」と「西部」の比較考察である。本章では、これを「東西スウェーデン論」とよぶことにする。東西スウェーデン論は、首都ストックホルムおよびメーラレン湖周辺地域を中心とした「東部」地域と、ユーテボリおよびヴェステルユートランド地方を中心とした「西部」地域に大別して、18～19世紀における両地域での政治的・社会経済的・文化的な相違点を明らかにすることを目的としたもので、近現代スウェーデン史研究における重要な理論的枠組みの一つとなっている。この研究動向については、邦語文献でも、石原俊時の優れた論考がある（石原俊時「スウェーデン近代と信仰復興運動――身分制社会解体の一局面」）。本章では、同氏の先駆的な研究をふまえつつ、近年の研究成果も取り入れて、東西スウェーデン論の概略をまとめることにしたい。

東西スウェーデン論の出発点は、1910年に刊行された『移民調査報告別冊V：地域統計』のなかでグスタヴ・スンドバリ（Gustaf Sundbärg）によって提示された、「東スウェーデ

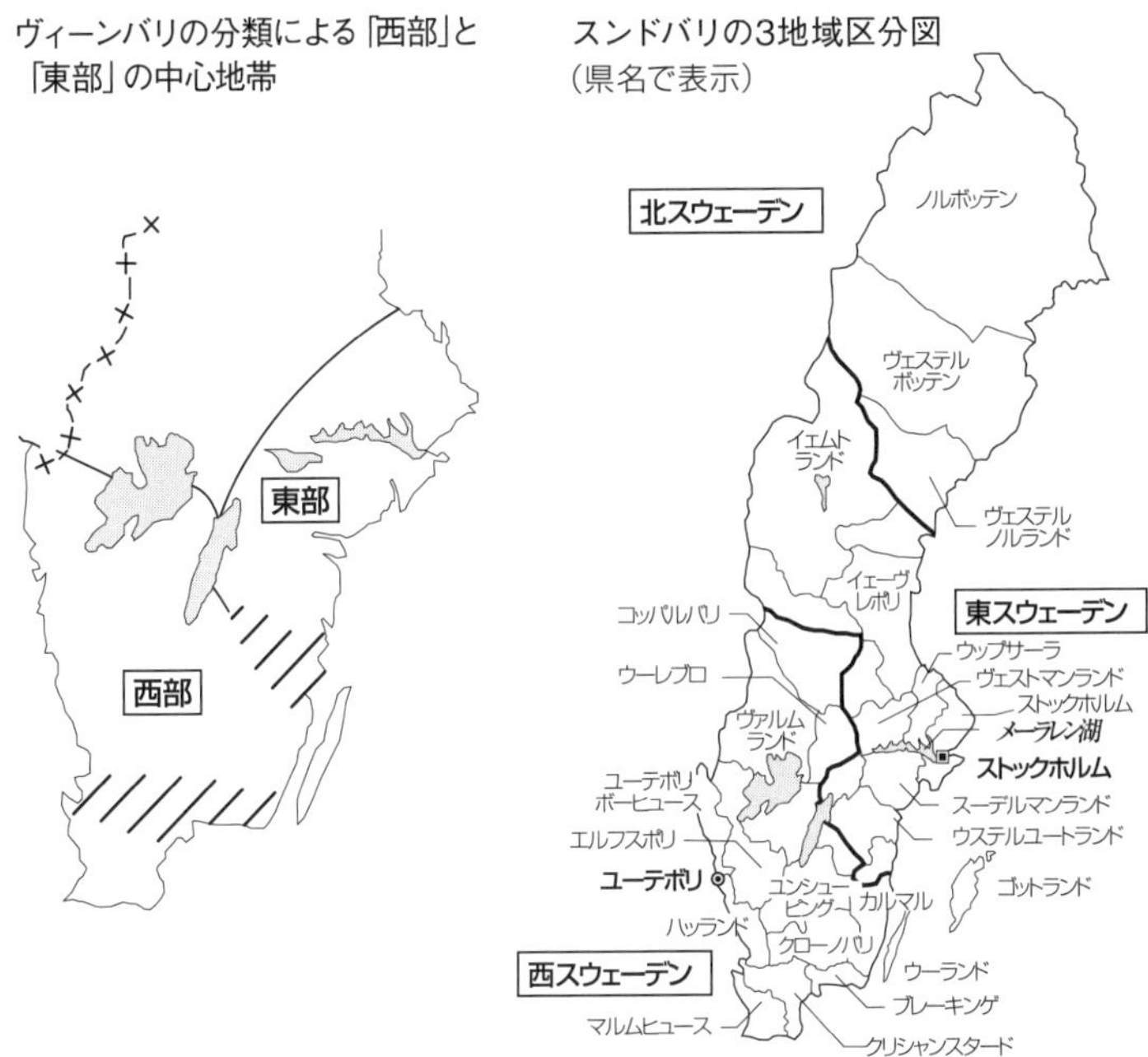

出典［左図］：C. Winberg, *Hur Västsverige blev västsvenskt*, Göteborg 2001, p. 20.
［右図］：*Emigrationsutredningen, bilaga V*, Stockholm 1910, p. 5.

ン」「西スウェーデン」「北スウェーデン」の三地域区分である。この区分は、19世紀における郡単位での出生率や婚姻率などのデータに基づいたもので、東スウェーデンでは、結婚率や婚外出生率が全国平均よりも高いにもかかわらず、人口増加は緩やかであったのに対して、西スウェーデンではその逆の傾向がみられた。

この人口学的な地域区分を、社会経済史や教会史、あるいは民俗学などの研究成果と関連付けて、18～20世紀の東西スウェーデンに関する地域比較論に発展させたのが、クリステル・ヴィーンバリ（Christer Winberg）である。ヴィーンバリは、ダールスランド、ボーヒュース

スンドバリによるスウェーデン三地域区分

	婚姻率	婚姻年齢	出生率	婚外子の割合	死亡率	人口の自然増加
東スウェーデン	高い	低い	低い	高い	高い	小さい
西スウェーデン	低い	高い	高い	低い	低い	大きい
北スウェーデン	低い		非常に高い	低い	非常に低い	大きい

出典：*Emigrationsutredningen, bilagaV*, Stockholm 1910, pp. 6–7; U. Helritz, *Restadtegen i världsekonomin,* Göteborg 1988, p. 74. より作成。

レーン、ヴェステルユートランド、スモーランドの各地方、およびハッランド地方北部とウーランド島を「西部」に、またメーラレン湖周辺の四地方およびウステルユートランド地方を「東部」に、それぞれ大まかに区分したうえで、「西部」の特徴として、「高い出生率、婚外出産の少なさ、比較的均質な社会階層構造、低い自殺率、世俗化（民衆のルター派国教会離れ）の遅れ、ブルジョワ的な政治文化（社会民主主義勢力の浸透の弱さ）」などを挙げている。これらの特徴を網羅的にふれることは紙面の制約からできないため、ここでは社会階層構造の特徴とブルジョワ的な政治文化の2点に絞って説明をすることにしたい。

まず、社会階層構造について。19世紀のスウェーデンでは、東西で異なる土地制度史上の特徴がみられ、西部は「自営農民地帯」であったのに対して、東部では貴族や爵位をもたない上層中間層などが所有する「地主大農場」(gods) が広範に存在していた。この点は、20世紀初頭にニルス・ヴォリーン (Nils Wohlin) によって指摘されて以来、スウェーデン歴史学において通説となっているのであるが、ヴィーンバリは、このような差異は17世紀以降に形成されたものであると指摘する。すなわち、17世紀にストックホルムが首都として機能を始めると、官職をもつ貴族層が東部に集まるようになったことから、地主大農場が東部に偏在する状況が生じた。

この地主大農場では、19世紀には既婚の年季奉公人であるスタータレ（statare）が雇用されたことから、東部において、上層の地主層から下層の完全に土地から切り離された「プロレタリアート」まで高度に分化した階層構造が形成された。これに対して、西部では17世紀以降に貴族支配が弱体化したことに加え、農民層による王領地や貴族領地の購入が進展したことから、自営農民層が広範に存在していた。しかも、スタータレの人数は少なく、農村下層民の中心は自営農民から土地を借りるトルパレ（小作人）や間借人といった「半プロレタリアート」（完全な土地なしではない下層民）であった。このため、東部ほど社会層分化は進展しておらず、比較的均質な社会階層構造となっていたのである。

次に、ブルジョワ的な政治文化について。東スウェーデンでは、19世紀後半に「自由教会運動」が勃興してルター派国教会離れが進んだのに対して、西部では19世紀前半に国教会の枠内での「信仰復興運動」が起こったにもかかわらず、自由教会運動の展開は低調であったことから、国教会の民衆への影響力は東部に比べて遅くまで残った。また、世紀転換期における「自由教会運動－禁酒運動－労働組合運動」の三大国民運動の連関と、それに伴う自由主義勢力と労働組合運動との連携（石原俊時『市民社会と労働者文化――スウェーデン福祉国家の社会的起源』参照）は、東部では顕著であったものの、西部ではそれほど進展しなかった。このため西部では、19世紀前半には経済発展によって恩恵を受けた市民層や農民層を中心に非常に自由主義的であったにもかかわらず、世紀半ば以降は政治的に保守化する傾向が顕著になり、20世紀初めには労働組合運動の低調さや選挙における社会民主党の得票率の低さといったブルジョワ的な政治文化の特徴が前面に現れてくることになったのである。

ヴィーンバリによって指摘された、18～19世紀の西スウェーデンに関する特徴を簡単にまとめる

スウェーデンの「地方」

出典：筆者作成

と、以下のようになろう。西部では、農民層の自立性が早期に確立されていたために、東部に先駆けて18世紀半ばから19世紀半ばにかけて農業・牧畜および農村工業が発達した。その過程で経済力だけでなく自営農民の意識も強めた農民層は、19世紀前半に農村下層民の増加をはじめとする社会経済秩序の動揺を受けて、自立した自営農民の理念に合致する信仰の個人化や敬虔主義を説く「信仰復興運動」に積極的に参加したのである。その段階では、一定の世俗化や社会改革を志向する点で自由主義的な性格が顕著であったが、19世紀半ば以降に国際的な競争の激化によって西部の農業・牧畜や農村工業の発展に陰りがみえはじめると、政治的・文化的に保守化していったのである。

こうしたヴィーンバリ学説とは別に、社会経済史研究の視点からの東西スウェーデン論を展開しているのが、ヨーハン・スーデルバリ (Johan Söderberg) である。彼は、ストックホルムを中心とした「東部」（この東部にはウステルユートランド地方の南部やウーレブロ県の西部などが含まれており、スンドバリの人口学的な区分とは必ずしも一致していない）では、ストックホルムの首都化と市場向けの穀物生産を行う地

東西スウェーデン論の概要

	「西部」	「東部」
人口動態	高い出生率、低い婚外子の割合	全般的に低い出生率
経済構造	世帯に依拠した均質な自営農民の経済。専業の手工業者の少なさ（未登録の手工業者の存在：農村下層民が従事）	地主大農場を基盤とした経済。1750～1850年を除いて、経済を主導した地域
社会組織	小規模で比較的平等主義的な世帯を基盤	地主大農場とスタータレの間にみられる、階層分化した社会関係
都市構造	小規模で（「東部」に比べて）少ない数の都市	（「西部」よりも）多い都市、都市的な産業構造。ストックホルムの存在
政治文化	平等主義的、保守的、ブルジョア的	階層分化的
文化	国教会内の「信仰復興運動」。高い頻度での聖餐式の実施。自営農民の理念	（国教会から距離をおいた）組織・団体（自発的結社）の分立。比較的早期の世俗化
文明化	旧態の暴力的な気質。他者への配慮の少なさ	比較的早期の暴力行為の減少と自殺件数の増加

出典：P. Aronsson, *Regionernas roll i Sveriges historia,* Stockholm 1995, p. 107; P. Aronsson, "Academic space. A not so innocent story of oblivion, culturalisation and instrumentalisation of regions by division of labour", in P. Aronsson (ed.), *The Making of Regions in Sweden and Germany. Culture and Identity, Religion and Economy in a Comparative Perspective,* Växjö 1998, p. 24.

注1　1995年に発行されたスウェーデン語版には誤植があるため、98年の英語版で補った。

注2　一部で意訳や補足説明の追加を行った。

主大農場の拡大によって、17世紀から18世紀半ばにかけて、西部に比べて早期に商業化が進行したと指摘する。また、18世紀半ばから19世紀半ばには西部の経済が発達したものの、それ以降はストックホルムを中心に東部がスウェーデン経済の発展を主導したとする視点から、「商業化と社会的分業の展開が早期に進んだ東部」と「相対的に遅れた西部」という構図を提示する。そのうえで、商業化と社会的分業が進展していた東部では「文明化」が進み、暴力行為の減少、世俗化、社会的分業、親族や共同体などといった旧来のものとは異なる新しい社会的関係の形成、他者への配慮の高まりなどにおいて、西部よりも早期に進行したとする持論を展開している。

このスーデルバリの学説には、西部が商業化において後進地域であったとする点や、地主大農場が市場取引を拡大したとしている点など、ヴィーンバリの見解とは異なる部分が少なくない。だがその一方で、東西の社会経済構造や政治文化の差異に関する部分では、二つの学説には共通する部分もみられる。こうした共通点を前頁の表に整理した。この表に示されている諸特徴は、検証すべき点もまだ多く残されており、依然として仮説の段階にあるといえる。とはいえ、１９９０年代後半から、この仮説に基づいた実証研究が蓄積されており、史実との整合性をふまえた理論の深化が進んでいる。これにより、スウェーデンの東部と西部の特徴がより明確になるとともに、19世紀スウェーデンにおける地域の多様性に関する解明が進むことになろう。

（佐藤睦朗）

ウステルユートランド地方

コラム1

佐藤睦朗

スウェーデン歴史学において東部ないしは東中部に分類されるウステルユートランド（Östergötland）地方は、その農業景観の多様性から、農業・農村史研究において考察対象として取り上げられることが多い地域のつとなっている。ここでいう農業景観の多様性とは、同地方の中央部分には東西にわたって平野部が広がっているのに対して、北部と南部は森林地帯となっており、さらに東部沿岸沖には群島（skärgård）も存在していることをさす。こうしたウステルユートランド地方を対象とした研究の蓄積により、18～19世紀の農業革命や階層分化において平野部と森林地帯との間で相違点がみられたことや、農民層が自然環境に適応するかたちで主体的に農業・農村改良を行ったことが明らかになっている。

このように多様性が強調される一方で、同地方の村レベルの微視的な研究では、平野部を中心に土地整理（囲い込み・エンクロージャー）前まで存在した太陽分割制（太陽制地割）村落のみに焦点があてられ、それ以外の形態の村は看過される傾向にある。図1は典型的な太陽分割制村落として知られる、同地方中部のスラーカ教区にあるストーラ・オービ村の村落図（1698年）であるが、村の中央部分右側に屋敷が7軒集まっており、各屋敷に属する細長い耕地（地条）が耕区ごとに混在していることを示している（地条が太陽の動き・方位に従って存在していたことから、この地割に太陽の名が冠せられたと考えられる）。こうした規則的な形状の開放耕地制（混在耕地制）については、中世ヨーロッパにおける農村形態の事例として、わが国の高校世界史（『世界史探求』）教科書でもふれられているのであるが、スウェーデンでも同様にヨー

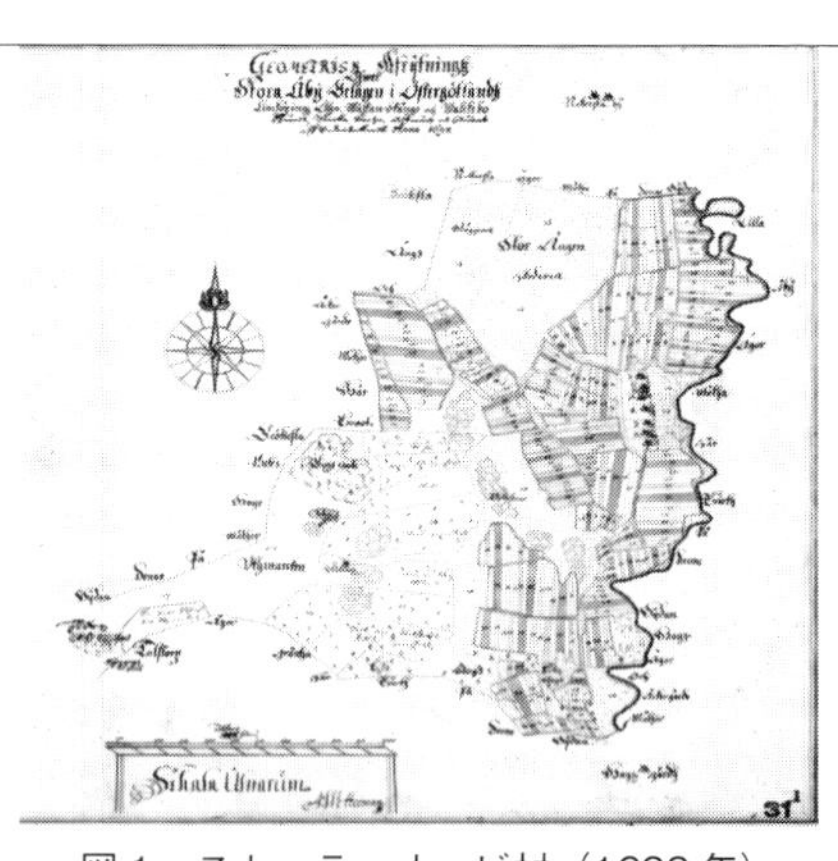

図１　ストーラ・オービ村（1698年）
出典：Geometrisk avmätning (1698) Slaka socken Åby nr 1-12 Lantmäteristyrelsens arkiv, Historiska kartor.

ロッパでかつて広範に存在した典型的な村落形態という理解から、村落研究の中心に位置付けられてきたのである。

　だが、これとは大きく様相の異なる村も多く存在したのである。図２－ａ、図２－ｂは、スラーカ教区の南側に隣接するシェーダ教区のアーラルプ村の村落図であるが、１７０４年の段階では村の中央部分に不規則な形状の耕地が存在するだけの原初的な村であり、約90年後の１７９７年でも、地条の部分はわずかに形成されているものの、図１のような複雑な混在耕地制は形成されていないことを示している。このように太陽分割制が定着しなかった村については、スウェーデン西部を対象とした研究では１９８０年代以降に本格的に取り上げられるようになったものの、ウステルユートランド地方の村を対象とした研究はほとんど進んでいないのが実情である。

　教科書的な図式では、共同体規制の厳しい太陽分割制村落が土地整理によって解体された結果、個人主義的な農業形態や農民層が形成され、スウェーデン農村社会の近代化が進行したとされている。だが、図２－ａ、図２－ｂのような原初的な村では、耕作強制などの共同体規制が強化される前に土地整理が実施されていることから、そのような単純な図式は当てはまらない。このため、多様な形態の村の存在を前提として、スウェーデン農村社会の変容に関する新たな理論的枠組みを考察していく必要があると考えられる。

なお、本コラムで利用した村落図は、かつては現地の史料館でしか閲覧できなかったが、現在では「歴史地図」（Historiska kartor）という名称のウェブサイトで無料公開されており、日本からいつでもアクセスして調査することが可能となっている。

図２－a　アーラルプ村（1704 年）

図２－b　アーラルプ村（1797 年）

出典：Ägomätning （1704, 1797） Skeda socken Alarp nr.1 Lantmäteristyrelsens arkiv, Historiska kartor.

コラム2

ユータ運河

佐藤睦朗

ユータ運河は、ヴェステルユートランド地方のシュートルプ（Sjötorp）からウステルユートランド地方のメム（Mem）に至る全長約190キロメートルの運河で、このうち約87キロメートルが人工的に開削された部分である。1810年に着工され、1822年までにヴェッテン湖から西側の部分が完成したが、ウステルユートランド地方側の完成は1832年のことであった。これにより、ユータ川と1800年に開通したトロルヘッテ運河を合わせて約390キロメートルにも及ぶ水路が開通し、バルト海からカッテガット海峡まで船でスウェーデンを横断することが可能となったのである。それまでは、南廻りのウーレスンド（ウーアソン）海峡経由の航路しかなく、しかもデンマーク側に通行税を支払う必要があったことから、東西を結ぶ新たな運河航路の開通はスウェーデンにとって長年の悲願であった。

ユータ運河の建設事業を推進したのは、バルツァル・フォン・プラーテン（Baltzar von Platen 1766~1829）である。彼は海軍退役後に、ヴェステルユートランド地方で地主として大農場経営を行っていたが、1801年にトロルヘッタン運河の経営に参画したことをきっかけに、ユータ運河建設の構想を抱くようになった。1808年に時の王グスタヴ4世に建設案を提示し、王から更に詳細な計画案を作成する命を受けた。その報告書をフォン・プラーテンが書き上げたのは、1809年3月の政変でグスタヴ4世が退位させられたのとほぼ同時期であった。結局、この建設案は新政権に提出され、新たな基本法や議会法を制定した王国議会（1809年5月召集・翌年5月閉会）で承認されている。啓蒙絶対王政の崩壊と新たな立

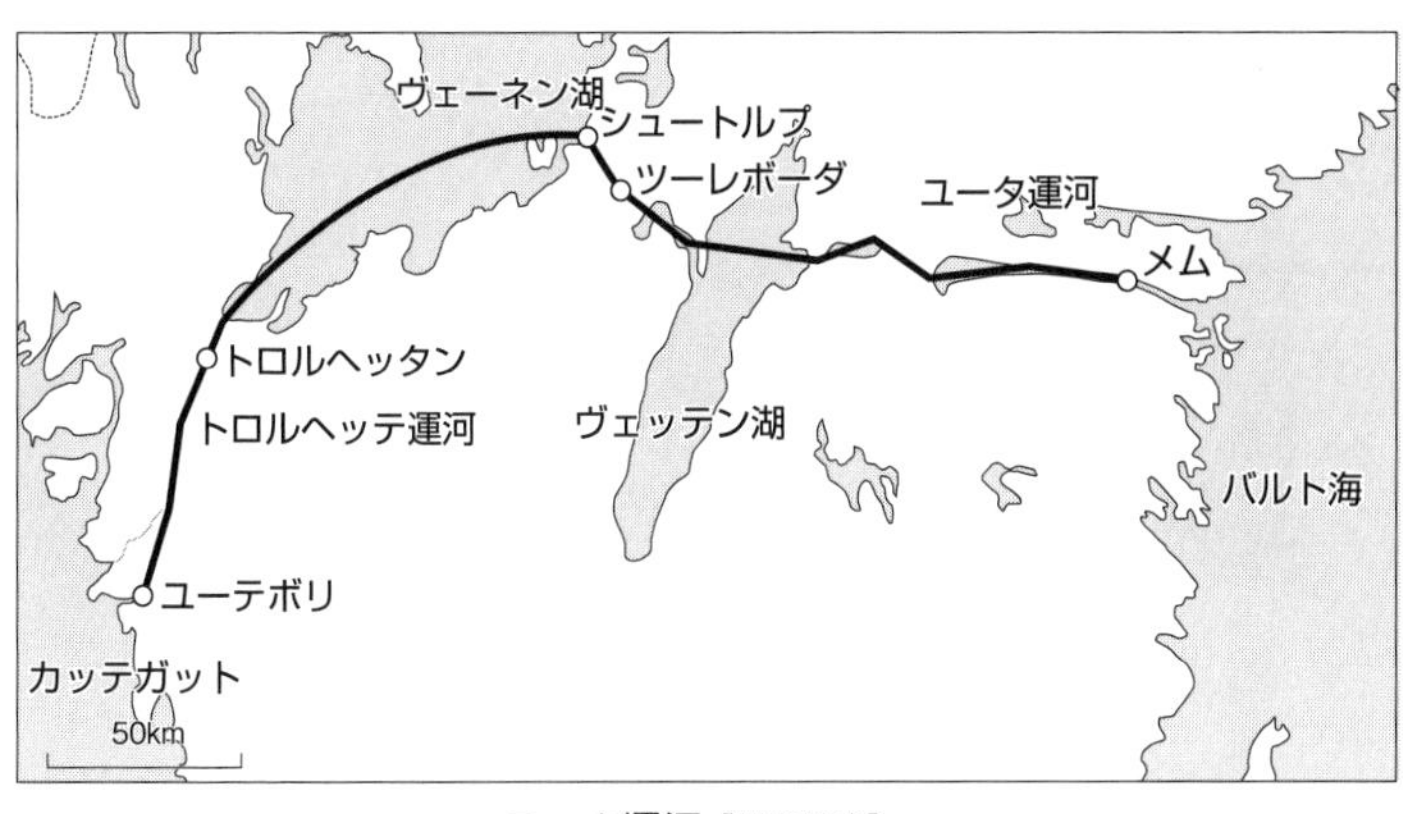

ユータ運河［筆者作成］

憲体制の成立という、政治史上の激動期に運河建設案が承認された背景として、運河建設による経済効果への期待のほかに、ロシア軍による制圧によって失われたフィンランドの代替としてノルウェーの獲得を志向するスウェーデンの「大国意識」があったと考えられる。

ユータ運河の建設は、１８１０年に設立された民間のユータ運河株式会社に対して国が財政支援を行う、官民協力のプロジェクトとして進められた。株式発行などで集められた民間の資金が全体の費用の約30％を賄ったが、残りは国による財政支援に頼ることになった。当初計画の見積りの甘さから、国からの支援拡大が再三必要となったため、運河への国費投入に批判的な意見も出されるようになった。運河建設の代表を務めたフォン・プラーテンは、そうした批判に対して王国議会において弁明や反論を行い、予算措置の継続に腐心しなければならなかった。もっとも、彼自身は運河の完成をみることなく、1829年に赴任先のクリスティアニア（現在のオスロ）で生涯を終えている。結局、1832年の完成時の建設総額は当初の計画のおよそ12倍にも膨れ上がり、多額の国税が投じられる結果となったが、ユータ運河株式会社はその後も民間企業として存続した。この株式会社は、1978年国有化され、現在に至っている。

　ユータ運河の物流ルートとしての重要性は、19世紀後半以降に鉄道建設が進むなかで徐々に失われていった。代わって、1970年代頃から観光資源としての価値が高まった。長らく建設時のままの状態であったが、およそ2世紀ぶりに2016年から、当時の技法を用いて部分的な改築工事が着手された（2025年に完了予定）。ただし、追加工事を行うには膨大な資金が必要となることから、ユータ運河を全面的に改築・改修する見通しは、現時点ではたっていない。

写真1　上空（ロープウェー）から見た運河の景観（トロルヘッタン）［撮影：本間晴樹］

写真2　幹線鉄道にかかる架線ごと開く跳開式鉄橋（ツーレボーダ）［撮影：本間晴樹］

3

「礫岩のような国家」スウェーデン

★変幻する国のかたち★

今日のスウェーデンの版図はスカンディナヴィア半島を縦断するように南北に広がり、それに属する地域はイギリスのような連合王国ではなく、立憲君主制の王国としてひとつに統合されている。しかし20世紀初頭まではノルウェー王国と連合王国を築き、フィンランドの統治権がロシア皇帝に譲られた19世紀初頭以前にはスウェーデン王の統治権がバルト海東岸や南岸に広がり、16世紀初頭以前にはスウェーデン王を兼ねるデンマーク王の統治権のもとでカルマル連合が築かれてもいた。個々に異なる法や制度を有した地域を地質学用語で言う「礫(れき)」と見なすならば、スウェーデン王の統治権のもとで複数の地域があたかも「礫岩」のようにまとまる歴史がスウェーデンにはあったのである。

14世紀半ばに成文化されたスウェーデン国法によれば、王国は半島の各々の地域に存在する法域の集合体とされていた。法域とはヴァイキング時代以来の法慣習を地方法として認められた地方社会のことである。スウェーデン王は法域から選ばれた選挙人たちによって選ばれ、住民の代表たちと契約を結び、統治権の行使を認められねばならなかった。各法域の有力者たち

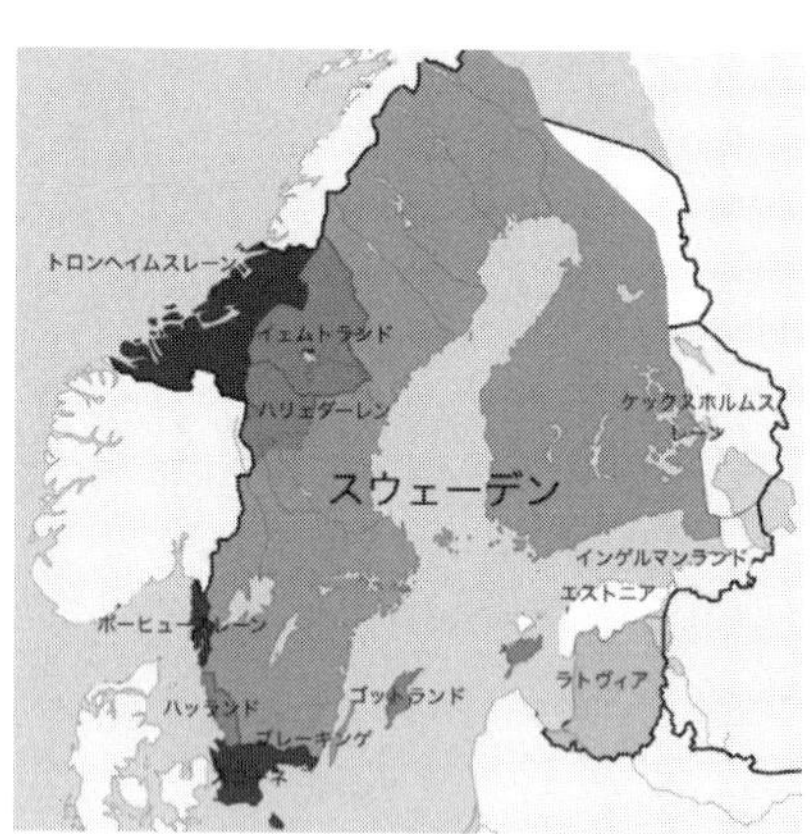

17世紀半ばの「バルト海帝国」の版図（筆者作成）。現在のスウェーデン、フィンランドに跨がる「スウェーデン王国」をはじめ、かつては他の君主政に属していた地域が「礫岩」のようにまとまっている。［筆者作成］

は王国参事会（王国国務院）などに集って王権の濫用を掣肘する一方、農民を含む各地域の代表者が参加した王国議会は、王による統治権の行使に合意を与えた。王国は王が世襲統治する秩序ではなく、王国に集う様々な地方で生きた人びとが王と交渉しながら、生きるために必要な権利を認めさせることでできあがる秩序だった。

王の務めは、法として承認された住民の権利保護である。王はそのための最高の執行権者であり、法の維持を通じて住民の安寧を保証することを約束するならば海外の出身者から選ばれることもある。14世紀半ばの黒死病以来、スウェーデン王位にドイツやデンマークの出身者が就く例があったが、彼らもスウェーデン住民の法を遵守する立場に変わりはない。そうした王は法の保護者として各々の地域の法と制度を受け入れる。14世紀末に成立したカルマル連合は、ノルウェーとスウェーデンの王位を同一のデンマーク王が兼務することで実現された人的連合であり、三王国を束ねる連邦政府や連邦議会のような制度を持たない。それは、右記のような発想に基づきつつ、スウェーデン王に就いたデンマーク王はデンマーク王国の法や制度でスウェーデン王国を塗り替えることをせず、それを構成した地域に固有の法や制度を温存したためである。

中世国家と近代国家をつなぐ「失われた鎖の輪」として「礫岩のような国家」の考えを提唱したスウェーデンの歴史学者グスタフソンは、その存在を明確に16世紀以降の歴史に限定している。16世紀以降のバルト海世界では、ローマ・カトリックからルター派への宗教改革を経て、それまでドイツ騎士団が統治していたバルト海東岸の保護を巡り、スウェーデン王、ポーランド王、モスクワ大公（後のロシア皇帝）による三つ巴の抗争が続いた。この抗争を通じてスウェーデン王は、エストニアやリヴォニア、ポンメルン、スコーネなど、戦災に苛まれる住民と交渉し、各々の地域で育まれていた法や制度を維持しながら、住民の安寧を保護することを名目に広域支配圏を築いた。法の維持を通じて住民の安寧を保証する任を帯びた同一の王が個々に異なる背景をもった地域を統べるという点で、16世紀以降の広域支配圏はカルマル連合と似てはいるが、古代ローマ由来の発想とルター派教会の制度を利用しながら、広域圏を統べる王の執行権を君主主権という発想で強めた点で異なる。

16世紀以降の「礫岩のような国家」は、広域支配圏の全体を呼び表す国名や全体を包括する法、議会や政府のような制度を持たない。それはローマ由来の発想に基づきながら、スウェーデン王に最高の執行権（ラテン語で“imperium”）を認めた複数の地域で公共の福祉が実現される政治共同体（ラテン語で“res publica”）である。王の執行権が認められた範囲はラテン語で“dominium”と呼ばれたため、バルト海域に広がったスウェーデン王の勢力圏はラテン語で“dominium maris baltici”と通称された。この範囲を表現するために、後世のスウェーデンの歴史学者たちは、ラテン語の“imperium”に相当するスウェーデン語の“välde”を用いて“Östersjöväldet”と呼んだ。あえて日本語に訳すならば「バルト海帝国」である。この「帝国」は最高の執行権者としてスウェーデン王が位置するものの皇帝は存在せず、この「帝国」のなかでスウェーデン王国はそれを構成するひとつの法域に過ぎなかった。

「礫岩のような国家」を統べる王は、ルター派の宗教改革を通じて国家教会制度の頂きを占め、法の維持と住民の安寧を実現すべく中央・地方の行政機構を整え、広域支配を実現する人的・物的資源の動員を実現させた。16世紀前半以来、王はヴァーサ家の血統に属する者から選ばれたが、「帝国」に属する各地域の住民との交渉が求められ、その執行権のあり方については住民代表の監督を受ける立場にあった。例えば、戦争はこの「帝国」に集った住民の生命と財産を保護する点で王に課せられた重要な任務だったが、隣り合う国家との境界は、境域に生活する住民の権利保障を巡る交渉の結果に定められるものだった。「礫岩のような国家」としてのスウェーデンの姿は、19世紀初頭にフィンランド住民が、20世紀初頭にノルウェー住民がスウェーデン王の統治権を拒否したことで失われたように見える。それらは人民主権の考えが醸成されつつあった時代の住民選択の結果だったことを思えば、王国は、住民の間で個々に異なる幸福実現の求めに応じて変貌する可能性を孕(はら)むものとも言える。

（古谷大輔）

コラム3

画家フリードリヒとフォアポンメルン

長谷川美子

ドイツロマン派の画家カスパー・ダーヴィト・フリードリヒ（1774～1840）は、バルト海に面したグライフスヴァルトに生まれ育った。かつてはハンザ同盟のもとで栄えた、この小さな大学のある都市を含むフォアポンメルンは、三十年戦争の結果、1648年以降スウェーデン領となり、スウェーデン王をドイツでは神聖ローマ帝国（1806年に消滅）に属するポンメルン公国の君主として、その統治は1815年にプロイセン王国に譲渡されるまで続いた。その間、フォアポンメルンはスウェーデンの国家連合に統合されず、都市権も干渉を受けなかったので、人々の間ではルター派信仰を通じてスウェーデンとの親和性が高まっていた。フォアポンメルンの「スウェーデン時代」がフリードリヒの40歳を過ぎるまでの生に重なり、自身を「半分スウェーデン人」だと思っていたというのも不思議ではない。

コペンハーゲンの美術アカデミーでの4年間の修行の後、フリードリヒは1798年以降ザクセン公国の都ドレスデンに定住し拠点としたが、生涯を通じて北ドイツの故郷とは強く結びついていた。以後も、故郷を訪れることは6回に及び、家族や親類縁者、友人知人との交流は続き、1810年にベルリン美術アカデミー展に出品された「海辺の修道士」と「オークの森の修道院」のように、リューゲン島やグライフスヴァルトの風景をモティーフとした作品が繰り返し描かれた。また、実現はしなかったが、リューゲン島の牧師で詩人のコーゼガルテンのためにアルコーナ岬に近い漁村フィットのチャペルの設計図を制作し、1817年にはシュトラールズント市からの委託を受けて聖マリア教会の聖堂内陣の装飾のための建築素描を制作し

フリードリヒ 「人生の諸段階」 油彩 1835年頃
ライプツィヒ造形美術館

た。

ナポレオン戦争の時代には、ナポレオンにドイツの国土のほとんどが占領される中で、「愛国的」な心情を表した作品が制作された。1808年にフリードリヒのアトリエで公開された「山上の十字架」（テッチェン祭壇画）は、当初スウェーデン王グスタヴ4世アードルフに捧げるために構想されたともいわれている。三十年戦争で新教側について戦い「殉教者」となったグスタヴ2世アードルフと同じ名をもつ王は、自身をその後継者と自覚し、反ナポレオン闘争を主唱し、プロテスタント信仰と国民主義が結びついたドイツの愛国者の心をつかんでいた。グスタヴ4世アードルフは、1805年にフランスに宣戦したもののフォアポンメルンをフランスに占領されることとなり、ロシアにはフィンランドを奪われ、1809年に退位を余儀なくされたが、それでもフリードリヒにとって彼は「英雄」であり、その忠誠心は変わらず、1824年に生まれた長男に同じ名前をつけることになる。

ナポレオン戦争後のウィーン会議でザクセンは王国となり、ドレスデンでも復古主義のもと自由主義運動への弾圧が行われた。フリードリヒの絵に大きなベレー帽を被りドイツの古装束をまとった人物がしばしば登場するが、このような服装は同郷の詩人エルンスト・モーリッツ・アルントが1814年にドイツの男女がまとうべき国民的衣装として提唱し、愛国者や民主主義者が身に着けていたものだったが、1819年にはデマゴーグの衣装であるとして着用を禁じられた。検閲や「デマゴーグ狩り」が行われる状況下で、フリードリヒにとって自由の地としての北方がますます重要な意味をもつようになる。1835年頃に制作された「人生の諸段階」では、夕暮れ時のグライフスヴァルトの海岸に世代の異なる5人の人物が登場し、それぞれに対応する5隻の船が人生行路を表している。一番手前の後ろ姿の老人はフリードリヒ自身の姿であり、大きなベレー帽を被り杖をついて歩いていく先には、3人の子供たちがいる。実年齢より幼く描かれた長男グスタフ・アードルフが高く掲げているのは、青地に金のスカンディナヴィア十字を描いたスウェーデンの旗で、船のマストとともに絵の中心軸をなす。そこから、画家の幼年時代にも重なるスウェーデン領ポンメルンの記憶、自由な農民の国スウェーデン、グスタヴ4世アードルフを擁した自由主義の国、ドイツでのその理想の実現を子供たちの世代に託す、フリードリヒの希望を読み取ることができるのである。

4

北部スウェーデン

★サーミが暮らすところ★

スウェーデンの国土は、その7分の1が北緯66度33分以北の北極圏に入り、そこでは夏に「真夜中の太陽」、いわゆる白夜の時期が、そして冬には太陽が昇らない時期があることは知られている。この北極圏を中心にスカンディナヴィア半島中北部からロシアのコラ半島までの広大な地域、「サーミ地域」に先住民族サーミ人が、国家による支配が及ぶはるか以前より自然と共存して持続可能な特有の生業文化を営んできた。民族名サーミとは彼らの自称「Sápmi（サーミ人、サーミの地）」に由来する。国境線が引かれてからは、現在のスウェーデン、ノルウェー、フィンランドの北欧３国とロシアをあわせた４国にサーミ地域は跨がる形になっている。

サーミ人は、スウェーデン議会により１９７７年に先住民族として認められた。２０１１年以降はスウェーデン憲法で〝国民〟とされている。現在少なくとも2万人がスウェーデンに居住するという。スウェーデンでは民族的背景による国勢調査を行わないため、誰がサーミ人と認識しているか明確でなく、実状は数倍いるとの見解もある。居住エリアもサーミ地域以外にストックホルム広域圏など都市部に広がっている。彼らの言語

「サーミ語」には現在、９つの異なるサーミ諸語に分けられ、それぞれに話者がいる。

19世紀中盤から20世紀中盤にかけて、北欧国家による同化政策が推し進められ、サーミ特有の生活、精神文化、言葉を失うサーミも多かった。かつてスウェーデンでは「ラップはラップのままにあれ（lapp skall vara lapp）」という、伝統的なトナカイ放牧の生活様式を続けることが彼らに最良との考えのもと、分離隔離政策がとられた。またこのことがトナカイ放牧者だけがサーミ人とみなされ、現在でも存在するトナカイ飼育に従事しないサーミとの内部的軋轢を引き起こした。第二次世界大戦以降になってようやく、段階的に今日に至るまでサーミの民族としての立場が復権していった。スウェーデンは他国に遅れていたが１９９３年にはサーミ議会が設立（本部はキルナ所在）、「サーミ語」については２０００年に初めてサーミ語の公的な使用が保障された。２００９年には「言語法」でサーミ語がスウェーデンの民族的少数言語の一つと規定された。サーミ語によるサービス適用の行政区は、初めて規定された１９９９年当初の４地域から、現在はストックホルム（２０１９年２月１日認定）を含めた25地域に拡大している。

キルナ中心部［筆者撮影］

スウェーデン北部は、最北端のノルボッテン県（人口

24万9177人、2022年12月31日付スウェーデン統計局）に位置するイエリッヴァーレ（1万7千420人）、ヨックモック（4670人）、アリエプローグ（2667人）をあわせた9400平方キロメートルの広大な範囲が、1996年に「ラポニア地域（複合遺産）」としてユネスコ世界遺産に登録されたことで注目され、世界中の訪問者を魅了する人気の観光地域となっている。このラポニア地域はサーミ地域の一部であり、サーミ人の豊かな文化は自然遺産とともにスウェーデンの重要な文化遺産として位置づけられている。一方、トナカイ飼育を含む伝統産業（漁猟、狩猟採集、手工芸）を活かしたビジネスに従事するサーミ人も増え、現在ではサーミ地域での観光業関連も、生活の糧（かて）として彼らの産業形態の一つになっている。

北極圏のラインから10キロ北に位置するヨックモックでは、1605年から毎年2月の第1週に開催されてきたウィンター・マーケットが有名だ。2024年は419回目を数えた。マーケットは時のスウェーデン王カール9世（位1604～11）が、サーミ人の冬の固定住居近くに定期的な市場を設けたことが始まりとされている。凍てつく冬期に市場を設けたのは、サーミ人たちが森林地帯の冬の定住地に集合すること、そして冬には河川が凍りつき国の役人や商人、教会の人間たちがその上を往来できるからだったという。ここで税を徴収し、裁判を行い、また布教するなどサーミ人を含めた北部地域の住人への支配を強める狙いがあった。

かつてサーミ社会には「シータ」という、一定の区分地域を共有して季節移動しながら狩猟や漁労、トナカイ飼育・管理を助け合う複数家族からなる社会組織があった。スカンディナヴィア山脈の東側山麓でボスニア湾までの渓谷に沿って複数の共同体シータが構成されていたという。そしてシータは居住環境から区分される「森林サーミ」にその形態が一番よく残されてきたらしい。現在スウェーデンのトナカイ飼育は51の「サーミ村（Sameby）」という、地理的に行政区分された経済団体に所属するサーミ人がその権利を持っている。

かつてのシータの中心は、冬の間サーミ人が集合して交流や共同作業を行う固定住居がある冬の村であった。その例は、ヨックモックの地に見ることができる。そこは、冬の定住地として使用された森林サーミ村であった。ヨックモックの名前の由来を見てみよう。スウェーデン語名のヨックモック（Jokkmokk）はサーミ語由来の地名だ。ヨックは川、モックは「何かが直線に進まないために出来る曲がり、迂回路、川または湖の入り江」などを意味し、二つあわせて「川の曲がり、うねるところ」だろうか。理由は、そこがリッラ・リューレ川とその西側の湖との間に広がる地域だからだという。このことからも冬の村である固定住居や市場が古くからこの地域に存在していたことがうかがえる。現在は市中にサーミ学校、サーミ工芸学校、サーミの素晴らしい手工芸品や文化遺産を紹介する「山岳とサーミ博物館（Ájtte）」などがあり、ヨックモックは昔も今もサーミ地域の中心の一つである。

一方、北部地域では鉱物資源が豊富な土地がサーミ地域と重複していることから、鉱山開発が彼らの生活に影響を与えているという問題がある。世界有数の鉱山都市として知られ、北緯68度に位置する人口2万2423人のスウェーデン最北の町キルナも、町の名前がサーミ語由来であるように（サーミ語でGiron〈雷鳥〉）古くからからサーミ人が居住し、狩猟・漁労に加えて、1200年以上にわたって小規模のトナカイ飼育が行われ、そして16世紀以降には大規模なトナカイ放牧も定着し行われてきた地域であった。しかし19世紀後半の鉱山開発により影響をうけた。キルナは現在、採掘の影響

ヨックモックのウィンター・マーケット（2023年2月）［出典：AleWi, CC BY-SA 4.0, via Wikimedia Commons］

で地盤沈下のおそれのために東へ3キロメートルの距離に町ごと大移転中だ。さらに2023年1月、国営の鉱業会社LKABの発表によると、ヨーロッパ最大のレアアースを含む鉱床がキルナ地域で発見されたという。今後も土地利用の断片化に伴ってトナカイ移動が困難になるという問題もあり、北部地域の資源を活かした持続可能な社会への取り組みは、長期的な思考でサーミ文化への理解と敬意が不可欠である。

近年、北欧3国では過去の不当な差別や同化政策に関して真実を見直し、サーミ人が受けてきた影響を明らかにする政府・サーミ議会協力による「真実と和解委員会」が設置された。スウェーデンの「サーミ人のための真実委員会（Sanningskommissionen för det samiska folket）」では2025年12月1日までに報告書を作成する予定という。今後の動向を注視したい。

（山川亜古）

II

スウェーデン語とは

5

北欧語のなかのスウェーデン語の位置

★スウェーデン語とはどんな言葉？★

あまりにも素朴で、あえて問われることのない基本的な問いからはじめたい。「スウェーデン語はどこで話されているだろうか」。それは当然スウェーデン（人口約1100万）に決まっているという答えしか返ってこなければ、それは正解ではない。実は、東隣のフィンランドでもスウェーデン語が母語として用いられている地域が存在する。ボスニア湾を挟んでスウェーデンの対岸にある町ヴァーサ（Vasa）を中心にした南北の海岸地帯、スウェーデンとフィンランドの中間に浮かぶオーランド諸島（Åland）、そして首都ヘルシンキを含む東西に広がる海岸地帯がそうである。これらの地域はスウェーデン語のみを使用する地域（オーランド諸島など）とスウェーデン語話者とフィンランド語話者両方が存在している二言語併存地域があり、後者の地域はさらにスウェーデン語話者のほうが多数居住している地域と、その逆にフィンランド語話者のほうが多数を占める地域とがある。これらの地域に住むスウェーデン語を母語とするフィンランド人は、合わせるとほぼ30万人（フィンランドの人口は約554万）いると言われている。つまり、国籍はフィンランドでも、母語はスウェーデン語ということになる。このため、フィンランドではフィンランド語とともにスウェーデン語も公用語として認められている。日本でもテレビ番組を通じて馴染みの深いキャラクターになった『ムーミン』(Mumin, そのグッズには英語読みであろうか Moomin と書かれているが、これは原典に合致していない)について聞いたことがあるだろう。これはトーヴェ・ヤーンソン(Tove Jansson, ヘルシンキ生まれ、1914〜2001)の著作で、彼女はまさにスウェーデン語を母語とするフィンランド人の作家である。したがって、『ムーミン』の原典はフィンランド語ではなく、スウェーデン語で書かれていることは心得ておくべきであろう。ちなみに、フィンランド語はエストニア語や遠くはハンガリー語などとともにフィン・ウゴル語族に属しており、隣国の言語でありながらもスウェーデン語とはまったく別系統の言語である。

スウェーデン、フィンランド以外にも、現在では話し手がごく少数に落ち込み、消えつつあると言われているが、一昔前までは北米でも、とりわけ五大湖周辺の州にスウェーデンから移住した移民世代、数十万人が実際にスウェーデン語を使用し、半世紀ほど前までは理解をすることもできた。現在でもスウェーデン系アメリカ人の子孫たちの多くは、母語のように話すことはできなくとも、スウェーデン語は認識できるものと思われる。

さらに、かつてエストニアのダーグウー島(Dagö)に住んでいたスウェーデン語を母語とする住民たちが18世紀末にエカチェリーナ2世の指令によりウクライナ南部に移住させられて、ヘルソン市近くの村ガンマルスヴェンスクビー(Gammalsvenskby「古きスウェーデン人村」の意味、ウクライナ語名 Starosjevdske)に定住したが、その後も時代ごとに苛酷な運命に翻弄された。1994年の資料では300人弱とあるが、今では高齢化も進み、なおかつウクライナ侵攻の戦時下ではその話者は極端に減少しているのではないかと危ぶまれる。

さて、スウェーデン語とは言語学的に別の語族に分類されるが、他の北欧諸語すなわちデンマーク語、ノルウェー語、アイスランド語、フェーロー語とは同じゲルマン語派に属し、その中の北ゲルマン語（＝ノルド語）に属している。英語もゲルマン語だが、ドイツ語やオランダ語と同じグループの西ゲルマン語に属している。ゲルマン語にはさらに東ゲルマン語もあり、これは今では死滅してしまったゴート語がここに分類される。これらの言語はいわば親戚同士の関係にあり、相互に多数の類似点が見出されるが、スウェーデン語は北ゲルマン語であるということから、デンマーク語やノルウェー語などと、より一層近い関係にある。歴史的な見方をとれば、スカンディナヴィア半島をおよそ縦に割り、その東側に位置するスウェーデン語とデンマーク語は東ノルド語に、西側にあるノルウェー語、アイスランド語、フェーロー語は西ノルド語に分類される。この二分類の設定は、およそ西暦400年頃から800年頃に生じた、今日の北欧諸語を形作る主要な言語変化が東西で異なった展開をしたことに由来している。言語変化によっては、たとえば西側を中心に生じた変化が東側まで十分浸透しなかったり、たとえ到達したにせよ再度押し戻されたり、またその逆に東側を重心に新たに生じた変化が西側まで波及しなかったりと、結果的にみると言語変化が複雑かつ重層的に入り組んでおり、今日の北欧諸語はそうした様相の総合体といってもよいであろう。

そのような例を少し挙げてみよう。西ノルド語では多少音質を変えながらもゲルマン祖語から受け継いできた二重母音を保持しているが、東ノルド語では単母音へと移行してしまった。ちなみに現代のスウェーデン語でも外来語を除けば、二重母音が存在しないのはこのためである。現代デンマーク語やスウェーデン南部のスコーネ方言に二重母音がみられるのは、いったん単母音化した後に生じた二重母音化のためで、これはいわば新しい二重母音である。ただ、バルト海に浮かぶゴットランド島のゴットランド方言やこの変化の外縁に位置するいくつかの方言などでは、東に位置しながらも単母音化の変化を被ることなく、古い二重母音を維持している。以下に二重母音を保持している例と単母音化した例（それぞれの例語の意味は〈石〉、〈島〉）を示すが、西ノルド語からは現代アイスランド語を、東ノルド語からはスウェーデン語を挙げ、参考にノルウェー語やデンマーク語を掲げることにする。

西ノルド語……現代アイスランド語 steinn, ey; ノルウェー語 stein, øy
東ノルド語……スウェーデン語 sten, ö; デンマーク語 sten, ø

こう述べると西ノルド語に古い特徴が残り、東ノルド語はイノベーションばかりという印象を与えてしまいがちだが、そうではない。西ノルド語では強勢のある母音に続く子音連続の最初の鼻子音が後続の子音に同化する音変化（mp > pp, nt > tt, nk > kk）が生じ、すぐには認識できない形になっているが、東ノルド語では変化せずに古い特徴をそのまま維持している（それぞれの例語の意味は〈キノコ〉、〈冬〉、〈沈む〉）。

西ノルド語……現代アイスランド語 sveppur, vetur, sökkva
東ノルド語……スウェーデン語 svamp, vinter, sjunka

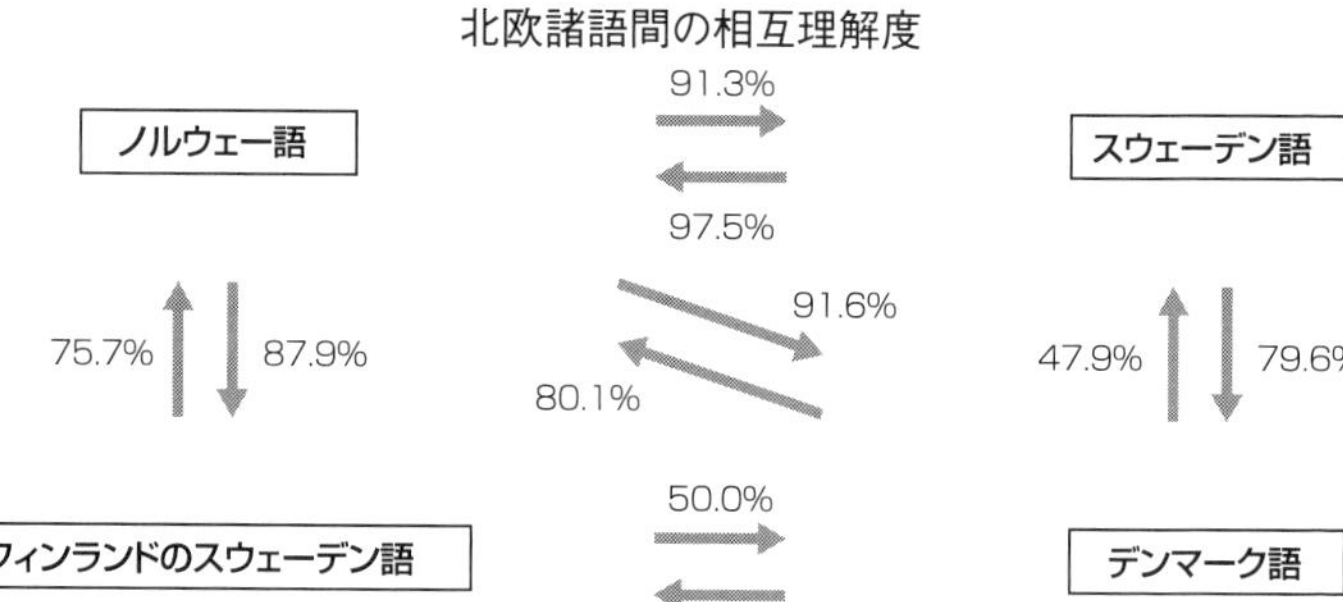

英語のwinter/sinkやドイツ語のWinter/sinkenもnt, nkを残していることから、西ノルド語が新しい音変化を被ったことが見て取れよう。東・西ノルド語でどちらが古い特徴を維持しているのかをチェックするときには、このように英語やドイツ語など他のゲルマン諸語の知識もしばしば役に立つ。ただ、すべての言語変化は必ず例外を伴う。これとはまた別に、その後のさらなる言語変化も重なって不透明になっている場合が多くあり、すべてが右に挙げた法則どおりにはならないことも心得ておかねばならないであろう。

さて、これらを踏まえると、スウェーデン語は同じ東ノルド語に属すデンマーク語に近いことから、スウェーデン語の知識を持っていればノルウェー語よりもデンマーク語のほうがより理解しやすいのではないかと考えてしまうのはごく当然である。しかし、上に挙げる、1991年にユールマン（Uhlmann）が発表した北欧諸語間の相互理解度・相互コミュニケーション度の調査結果をみていただきたい。これは現代のデンマーク語、ノルウェー語、スウェーデン本国のスウェーデン語、フィンランドにおけるスウェーデン語を母語とする各自の言語を使用した場合の北欧人同士の相互の意思疎通度をパーセンテージで表したものである。これは次のように読む。ノルウェー語はスウェーデン語を母語とする人にとって91・3％理解でき、スウェーデン語はノルウェー語を母語とする人にとって97・5％理解できる。なお、この図の出典はVikør（1995: 123ff.）である。

この図からいろいろと面白いことが読み取れるが、まずはスウェーデン語を母語とする人にとってデンマーク語がもっともわかりにくいことが判明しよう。これは1991年以前にも別の研究者によって二度の異なった時期に実施された独自の調査においても、デンマーク語とりわけその話し言葉の難解度は、パーセンテージに多少の違いはあるにせよ、共通して同じような傾向がみられる。このことは先に述べた歴史的分類とは食い違っている。その原因の一端は、東西の言語変化以後、今度はスウェーデン語とノルウェー語が軌を一にして同様の音変化（たとえば、前舌母音の前のg, k, skがそれぞれ[j][ɕ][ɧ/ʃ]へ。なお、[ ]で囲まれた文字は発音記号を示す）を遂げたり、二種類の「語アクセント」（各単語がそれぞれ固有に持っているイントネーション）を共通に有していたりする一方で、デンマーク語は「声門封鎖」（stød）をはじめとして独自の音変化を遂げたり、またノルウェー語のボークモール（Bokmål）は、東ノルド語であるデンマーク語の、とりわけ書き言葉において大きな影響を受けたりして、今日ではもう歴史的な東西による分類はあまり実感できなくなっている。むしろ、相互理解度の尺度から言えば、〝北側のスウェーデン語・ノルウェー語〟対〝南側のデンマーク語〟という分類のほうが現代の私たちにはより説得的に響く。

いずれにせよ、屈折語尾（語根や語幹のあとに付加され、その語の文法的特性を表示する）では古風な特徴を維持する一方で、音変化では大陸スカンディナヴィア諸語もしのぐほどの変遷を遂げたアイスランド語は別として、スウェーデン語はノルウェーでも、また聞き取りにおいて多少難しい点はあるにせよデンマークにおいても、そしてまたフィンランドでも理解してもらえる言語であることは了解していただけるであろう。スウェーデンの人口は約1100万、デンマークはおよそ580万、ノルウェーは540万、そしてフィンランドのスウェーデン語を母語とする人たちが30万、さらにフィンランド語を母語とするフィンランド人もやや年配の人たちは学校教育でスウェーデン語の授業を受けており、一方勉学や仕事でスウェーデン滞在を経験しているフィンランド人もままいることなどを見積もるとフィンランドの人口の少なくとも5分の1ぐらいはスウェーデン語がある程度理解できると推測するならばおよそ100万、これらすべてを単純に足し算すると、およそ2千数百万の人たちによって理解される。とすれば、スウェーデン語は決してマイナーな言語とはいえないであろう。

なお、スウェーデン語を含めて個々の言語を世界の諸言語全体の中で観察しようとする試みには以下の二点がある。千野栄一・石井米雄編『世界のことば100語辞典ヨーロッパ編』（三省堂、1996年）、ならびに千野栄一・石井米雄編『世界のことば・出会いの表現辞典』（三省堂、2004年）である。それぞれのスウェーデン語関係（清水育男担当）の箇所を参照されたい。また、スウェーデン語に直接挑戦してみたい人には清水育男、ウルフ・ラーション、當野能之著『世界の言語シリーズ12 スウェーデン語』（第3刷）（大阪大学出版会、2023年）を薦める。

（清水育男）

参考文献

Lars Vikør: *The Nordic Languages. Their Status and Interrelations.* Oslo: Novus, 1995.

6

英語 Farewell の語源は「良き旅を!」か?

★スウェーデン語からみえてくる「運」★

"A Farewell to Arms"（1929）と言えば、誰もが知っているE・ヘミングウェイの小説『武器よさらば』である。この題名のスウェーデン語訳は"Farväl till vapnen"で、farväl（ファルヴェール）が farewell に相当することは容易に推測できよう。両言語は同じゲルマン系の言語で、語彙や語句、文法、語順など共に祖語から綿々と受け継いできたため、当然ながら共通点も多く見出せる。両言語をつぶさに観察するとその奥にこれまで気づかなかった事象が垣間見え、それが時には語源の解明にもつながってゆく。ちなみに、スウェーデン語の vapnen は語源も意味も英語の the weapons に対応している。

さて、英語の farewell（初出14世紀後半）もスウェーデン語の farväl（初出13世紀前半）も今では〈さらば〉という重厚な別れの表現で共通しているが、この表現自体はゲルマン語全体（デンマーク語・ノルウェー語 farvel、古・現代アイスランド語 far vel、ドイツ語 Fahr wohl、オランダ語 vaarwel）に分布し、古くから用いられていた。しかし、別れの挨拶に定着する前の背後にある、いわば本来の意味は一体何だったのかということを北ゲルマン語（=ノルド語）の一派で、英語と言語的に共通点が多いスウェーデン語からみると何が見えてくるであろうか。

まずは英語 farewell の語源を、いくつかの著名な英和辞典ではどう説明しているであろうか。①は fare〈旅をせよ〉＋ well〈よき〉とするもの、②は説明や表現に疑問が残るが、〈ものごとがうまく進みますように〉とするもの、③は何度読み返しても①なのか②なのかそれとも別の何なのかが曖昧のままでよくわからない、に分かれる。ただ、いずれも納得できる根拠が示されていない。①は Partridge の語源辞典の説明をそのまま踏襲してしまったのか、それとも仏語の Bon voyage! からヒントを得たのかわからない。②は説明や表現にもっと明快さがあればと思うのだが、残念ながらそのためかこの説はいまだに主流にはなっていないようである。③は態度不明なのでコメントのしようもない。

英語の farewell は "fare well" という動詞句が根本にあることは即理解できる。fare はその場合、命令形であることはどの辞典でも一致している。ここで英語だけで解決にあぐねている語源ならば、右でも述べたようにゲルマン語派の中でも英語に近いスウェーデン語を参考にするのもあながち的外れとは言えないであろう。スウェーデン語の farväl も動詞句 "fara väl" が原点で、far はやはりその命令形である。これで両句の関連性は語源も含めて一目瞭然であろう。そこで、まずはこの動詞句の意味から探ってみよう。

スウェーデン語の farväl〈さらば〉の意味が成立するよりも以前の13世紀の文献に、動詞句 "fara väl" の出典が認められ、その意味は〈うまくいく、順調に事が運ぶ〉とあり、他にも〈ある種の運を受け入れる〉という意味も見出せる。その対義語ともいえる "fara illa" は〈まずくいく、窮地に陥る〉もある（ちなみに、英語のillはこのillaの古ノルド語illrからの借用語）。これと符合した表現が英語の“fare well”/“fare badly”であり、その意味もスウェーデン語の句とほぼ同じである。一方で英語fareもスウェーデン語faraも「旅をする」はあくまでも二次的な意味であって、この動詞の原義は抽象的な意味も含めて〝移動〟であった。これは古英語・中英語のfareでも同じであった。fare/fara＝（移動）「行く」、well/väl＝「うまく」であれば、まさに日本語の表現「うまくいく」とそのまま一致する。さて問題は「事がうまく／まずくいく」とは一体どういうことなのか。移動の「行く」において「うまく」／「まずく」となるのは当人の努力／努力不足によるのであろうか。うまくいくかどうかは、その人の努力よりはむしろ好条件に恵まれたのか、幸運な環境にあって良い結果となったのかどうかにかかっている。すると“fara väl/illa”や“fare well/badly”はむしろその人が運に恵まれたのかどうかということになる。運とは主語の意志外からやってくるもので、自分ではどうすることもできない。せいぜい願う、祈るしかできない。farvälやfarewellは元来動詞fara, fareの命令形であり、この命令形が意図しているのはむしろ「あなたは良き運に恵まれますように」という祈願に帰着する。farewellの語源についてはSkeatの語源辞典に“may you speed well”とあり、mayを用いて命令というよりは希求に近い心情を示している。すると、farewellの本来の意味は「良き旅をせよ」などではなく、「良き運に恵まれますように」ということを強く支持してくる。この意味であれば、永の別れに際して発すれば、別れの挨拶（あいさつ）「さらば」に移行していっても不自然さはない。ちなみに、スウェーデン語“få”や独語“bekommen”の動詞は目的語が主語の意志外から主語にもたらされることを意味し、主語にとっていいものであれば「もらう」、嫌なものであれば「くらう」となる。これもとどのつまり、運の良し悪しに左右される。英語にこうした動詞はあるだろうか。

ところで、英和辞典の中には farewell の語源説明の中に「welfare を参照せよ」と記しているものがある。fare と well を逆転させて作られた合成名詞 welfare に語源のヒントがあるかのように示唆しているが、その関連性の説明はまったくされていない。welfare をみると〈幸福、安寧、健康、繁栄、福祉（well-being）〉など多くの訳語が充てられているが、そこには「旅」を匂わす意味など何一つない。スウェーデン語にも welfare に相当する名詞 välfärd（färd は fara の名詞形）があるが、ここにも「旅」の意味などない（ちなみに、welfare や välfärd に〈社会福祉〉の意味が加わったのは、社会が福祉や厚生に目覚めた、今からわずか１２０年前のこと）。この点からも「良き旅をせよ」という語源はもはや放棄すべき段階にきているだろう。

ちなみに Farväl は出立する人に向けられ、出立する人が残る人に発する言葉は Adjö（語源的に adios に相当）である。Farväl による運の祈願は、何か大事なことを成就させる前に、現在もスウェーデンで頻繁に使われる表現 Lycka till!（リッカティル）〈幸運を祈る！〉に通じるものがある。北欧は今も「運」が日常生活で意味を持つ世界なのである。

最後に、日本の道祖神はいろいろな局面を持つが、そのうちの一つである「旅人の安全を祈願する」という機能は、時空こそ異なるが、farewell の語源的意味に通底するものが感じられる。

（清水育男）

7

スウェーデン語からフィンランド語への借用語

★借用語が示す古くからの密接な関係★

もう何十年も前、ストックホルム（Stockholm）をフィンランド語ではトゥクホルマ（Tukholma）と知ったとき何とも言えぬ違和感に襲われた。疑問に思って身近の単語を調べてみるとフィンランド語は語頭の子音連続を嫌うのではないかと気づいた。事実スウェーデン語で「学校」は skola だが、フィンランド語では koulu、「鉛」bly は lyijy なのである。あまりに変形しすぎて容易に借用とは特定できない。それればかりか、フィンランド語の辞書をめくると子音b、d、g、fや母音öで始まる語も極端に少ない。特にこうした子音を語頭に持つスウェーデン語の単語を借入するときフィンランド語は一体どう対処しているのかをみてみると、b、d、gはそれに対応する無声子音p、t、kに置き換えたり、fはp／vで代用している。

b→p：bank〈銀行〉→**panki**, bomb〈爆弾〉→**pommi**

d→t：dans〈ダンス〉→**tanssi**, domare〈裁判官〉→**tuomari**

g→k：gata〈通り〉→**katu**, guld〈黄金〉→**kulta**（フィンランドのビールの銘柄 Lapin Kulta は「ラップランドの黄

金」の意味）

f↓p：fält〈野原〉→**pelto**, förstuga〈入り口の間〉→**porstua**

f↓v：fara〈危険〉→**vaara**, färg〈色、カラー〉→**väri**

fの代用はともかく、p、t、kを有しながら、対応する有声音のb、d、gがほとんど使われない言語が存在するというのは衝撃的だった。他にも語頭の子音連続の最後の子音のみを残して他の子音を脱落させるという原則もあるとしているが、それが古ノルド語期（8〜14世紀にかけてスカンディナヴィアで用いられた北ゲルマン諸語の総称）でも有効であったのかどうかを見てみよう。そうであれば、借用元の原形を突き止めることができる。たとえば、フィンランド語の**ruhtinas**〈指導者〉は古アイスランド語のdróttinn〈主、王〉（動詞draga "draw" からの派生名詞で、スウェーデン語ではdrottning〈女王〉という形で残っている）や**rouva**〈夫人〉の語頭の原形はスウェーデン語fru（独語Frau）に関連付けられる。**rengas**〈指輪〉は古アイスランド語hringr（スウェーデン語・英語ring）と比較すると、原則通り語頭のhが落ちている。**rauma**〈瀬戸〉も古アイスランド語／スウェーデン語／英語straumr/ström/stream〈流れ〉と同語源で、子音連続st-が消えている。以上から、古ノルド語の時代からも原則通り語頭の子音連続の最後の子音（fr↓r、dr↓r、hr↓r、str↓r）のみを残していたことがわかる。

次に二重母音に注目すると、東ノルド語（5章参照）のスウェーデン語では11世紀頃にöに単母音化されてしまう前の二重母音auが**rauma**にそのまま残っている。さらに**ruhtinas**の-ht-は、すべての古ノルド語で-tt-に同化される以前の結合を示している（スウェーデン語のnatt〈夜〉やåtta〈8〉は

ttに同化されてしまったが、独語はNacht, achtでch[x]として残し、英語は音では残らずnight, eightの綴りghに残る）。また**rengas**や**kuningas**〈王〉（古英語cyning > kingと同語源、古アイスランド語konungr、スウェーデン語konung/kungに相当）の語末-asにも注目すると、そこにある母音aはゲルマン語歴史文法で言うa－語幹の母音と認識できる。5世紀の一部のルーン碑文（ノルド祖語）ではかろうじてaを保持しているが、ゲルマン語の中でも4世紀の文献を残すゴート語ではa－語幹のaは失われている。語幹母音というのは語根と語尾の間に入って、多くの語を産出する役割りがあった。語幹母音を、同じインド・ヨーロッパ語族に属すラテン語で言えば、たとえばdominus〈主〉の-usのuに相当する。ラテン語の-usはさらにさかのぼればインド・ヨーロッパ祖語の-*osに相当し、これがoであったことからインド・ヨーロッパ語比較文法ではo－語幹と言われ、ゲルマン語では早くにo > aへと変化してしまったのでゲルマン語歴史文法ではa－語幹と呼ばれている。-sは男性・単数・主格を表す語尾で、この-sはゲルマン語で*s > *z > R > rという音変化をたどるが、右記の借用語にみられる-sはインド・ヨーロッパ祖語の-*sをそのまま反映しているように思われる。

清水謙氏がヘルシンキの空港で撮影したLapin Kultaのビール瓶

古ノルド語期よりもさらに古い借用語に**kaunis**〈美しい〉（<ゲルマン祖語*skauniz,

ゴート語 skauns〈美しい〉、スウェーデン語 skön〈美しい、心地よい〉、独語 schön〈美しい〉、英語 sheen〈美しい〉）や **äiti**〈母〉（＜ゴート語 aiþei〈母〉）などもある。さらに、**joulu**〈クリスマス〉の借入元にスウェーデン語 jul（英語 yule と同語源）が関係することは一目瞭然だが、jul のゲルマン祖語形は *jeh^{w}la と再建され、この語形をほぼそのままとどめて借用されていたのが **juhla**〈祝祭日〉である。joulu と juhla は大きな年代差の姉妹語である。ちなみに jul はキリスト教以前の意味「冬至の祝祭日」から「クリスマス」へと変化したと解釈されるが、**juhla** は形ばかりでなく原義も変えることなく２０００年近く保持されてきたといえよう。こうしてきわめて古い形態や意味を現在まで崩さずに保存しているため、フィンランド語はいみじくも「冷蔵庫」と呼ばれている。それだけでなく、これらの語が今なおフィンランドで普通に使われているのは驚き以外の何ものでもない。

ところで、北部スウェーデンの、フィンランドとの国境に Haparanda〈ハパランダ〉という町がある。町名の前半はフィンランド語で haapa〈ポプラの一種ヤマナラシ〉を表し、randa はフィンランド語の ranta に相当するが、もとはと言えばスウェーデン語の strand〈岸辺〉である。二つの言語が合体した地名である。首都名 Helsinki もスウェーデン語の **Helsingfors**〈ヘルシンキ〉の前半部のみを拝借し、kaupunki〈都市〉はスウェーデンの都市名の後半部によく現れる köping〈市場〉からの借用が根底にある。

フィンランド語の語彙や地名の背後に潜んでいるスウェーデン語を見出すたびに両民族の長く、深い繋がりを実感する。フィンランド語を始める方には、どこかの時点でスウェーデン語も習得されると間違いなく二重の楽しみを何度も味わうことができるだろう。

（清水育男）

8

スウェーデン語とロシア語との言語接触

★国名「ロシア」はスウェーデン語？★

ヴァイキングと言えば、どちらかと言えばノルウェーやデンマークから英国、アイスランド、北米、フランスなどといった西方へ向かうルートに関心が集まり、スウェーデンから東方に向かったヴァイキングは注目度が低いように思える。東方のルートを行けばまずはフィンランドに到達するであろう。そこで思い浮かべてしまうのは、現在のフィンランドの一部でスウェーデン語が話されていることであるが（本書第5章）、その植民は11、12世紀に始まるにしても、その発端は東方ヴァイキングにあったと言ってもいいであろう。フィンランドで話されているスウェーデン語はフィンランド語独特のイントネーションの影響を大きく受けたため、第三者には一瞬フィンランド語のように聞こえ、本国のスウェーデン語とはとてつもなく離れた方言のように思えてしまう。しかし、イントネーションを別にすればフィンランドのスウェーデン語はスウェーデン本国の東部方言（ウップランド地方が重心）の言語的特徴を共有していると指摘されている。東方ヴァイキングたちの出身地を考える際に一つのヒントになる。

さて、その東方ヴァイキングたちが、最初に接触したのはおそらくフィンランド人であったろう（第7章参照）。西方から船に乗ってやって来た見知らぬ、言葉も通じぬ集団を地元民が見たらまず「君らは何者か」と尋ねるだろう。国などという明確な概念もない時代に、答えに国名を入れたり、それを期待することなどはまずありえないだろう。おそらく上陸者が発する言葉を地元民はほぼそのまま受け入れて使うか、地元民が勝手に名付けるかに違いない。このような時代に異民族同士が接触したら、おそらくどこも同じような状況が発生したであろう。さて、彼らが答えた言葉が何であったかのヒントは今のフィンランド語 Ruotsi ルオツィ〈スウェーデン〉にある。今でこそ国名であるが、この語のルーツは、フィンランド語からでは解明できない。その語源は、古ノルド語（8〜14世紀にかけてスカンディナヴィアで用いられた北ゲルマン諸語の総称）の *rōzkarlar〈船を漕ぐ男たち、漕ぎ手〉などの前半部の属格 *rōz-（<*rōþ(r)s〈漕ぎの〜〉）からとし（スウェーデン語の合成語の前半部を利用する地域名に Helsinki がある（第7章参照））、そこから *rōtsi（現代エストニア語の Rootsi ローツィ〈スウェーデン〉と比較参照）が再現され、今の Ruotsi に繋がるとされている。

話を戻すと、上陸したばかりの彼らに地元民が彼らの出自を問えば、*rōz[karlar]〈漕ぎ［手］〉と答えても嘘はなく見ての通りで違和感はないであろう。この *rōz を *rōtsi と聞き取り（panki〈銀行〉にも見られるように、フィンランド語への借用語はしばしば語末に -i が付加される。第7章参照）、地元民はおそらく正確な意味をつかめぬままに、そのまま西方からの人々を表す名称として用い、これが現在より広い範囲に居住していた各種のバルト・フィン民族の間へと伝播していったものと思われる。

先に少し示唆したが、フィンランドのスウェーデン語を話す人たちのルーツは言語的に対岸のウップランド地域の方言と共通点があると指摘されるが、その地域に今も東方ヴァイキングの出身地の一つを示すような地名がある。ストックホルム北東約7キロの沿岸の地域名 Roslagen ロースラーゲン（前半部は *rōþ(r)s- で、後半部 lag は〈チーム、組〉。まさに「漕ぎ手仲間」）である。しかし、*rōtsi と呼ばれた、いわゆる〝スウェーデン人〟たちはフィンランドに留まらずに、さらに南下し今のロシア北西部に渡り、その一部がこの地にノヴゴロド公国を創建するに至る。その最初の首長とされる Ryurik（?～879年）の名は古アイスランド語の Hroerekr に相当し、そのスウェーデン語名 Rurik リューリックは今のスウェーデンでも男性名として使われている。ちなみに Hrœ-〈名声〉は現代スウェーデン語の ros〈賞賛〉と同語源で、後半部 rekr は古アイスランド語 rikr〈権力のある〉（英語 rich と同語源）に同定される。その息子たち Igor や Truvor, Igor の妃 Olga、Igor の後見人 Oleg なども古ノルド語から解明でき、Igor, Oleg, Olga はそれぞれ現在のスウェーデンでもよく聞かれる Ingvar イングヴァル、Helge ヘルゲ、Helga ヘルガ（後者二つは helig "holy"〈神聖なる〉の意味）から、Truvor は古アイスランド語 Þórvarðr（Þór は北欧の神トール、varðr は英語 ward〈護衛〉と同語源）からの借用である。彼らは結婚や定住などにより2、3世代以降にはスラヴ民族と融合してしまった。当初はフィンランド人によって名付けられた *rōtsi たちが当地では Rus' ルーシと呼ばれ、次第に Rus' は東スラヴ人を表すようになり、この名称がスラヴ民族にも広まった。Rus' という名称はその後ギリシア語などの影響を受けながらやがて Rossia となり、現在の国名ロシアになっていったものと思われる。途中フィンランド語を経由したとはいえ、国名「ロシア」の語源はスウェーデン語であり、英語の rudder〈舵〉row〈漕ぐ〉とも同じ語源なのである。民族名や国名はしばしば、外部から名付けられることがよくあることを知れば、特に驚くに当たらない。ちなみに、スウェーデン語でフィンランド人を finne フィンネというが、これはスウェーデン語 finna〈見つけ出す〉（英語 find と同語源）の名詞形（「狩猟・漁労で探し求める人」）に由来し、これも他民族（すなわち、スウェーデン人）が勝手に名付けた一例である。

これ以後のスウェーデン語からロシア語への借用も多くはなく stol→stul〈椅子〉、ask→yasshik〈箱〉、ankare→yakop'〈錨〉などで、他方ロシア語からスウェーデン語も少なく、男性名 Vladimir からはスウェーデンでもよく耳にする Valdemar ヴァルデマルが取り入れられた。vladi- は「権力、支配」（スウェーデン語 våld〈暴力〉、独語 Gewalt〈権力、暴力〉、英語 wield〈権力を行使する〉と同語源）、後半部 mir は「偉大な」であるが、今では「平和、世界」の意味に後付けされている。さらにスウェーデン語の torg〈広場〉もロシア語 torg トルク〈取引、［廃］市場〉からの借用語である。ちなみにフィンランド第2の都市、フィンランド語名 Turku トゥルク（スウェーデン語名 Åbo）も、同様にこのロシア語からの借用であるが、フィンランド語の tori〈広場〉はスウェーデン語 torg トリからの借用語である。経路の異なる姉妹語である。

最後にスウェーデン語には「山」に対して berg/fjäll の2語がある。後者は特にスカンディナヴィア北部にある、樹木境界線を越える山を意味する。実はフィンランド語の「山」にも vuori/tunturi と2語あり、fjäll に相当するのが tunturi で、サーミ語では tuntar, これがロシア語に入って tundra〈ツンドラ〉となった。fjäll には「樹木も生えない」というスカンディナヴィアの人たちが抱いてきた語感が、まさかツンドラの特徴に繋がるとは誰が想像できたであろうか。

（清水育男）

コラム4

国名が常に自国語とは限らない！

清水育男

第8章で国名「ロシア」の語源が9世紀頃のスウェーデン語にあると紹介したが、ウップサーラ大学院ノルド語学科での私のかつての先生によると、この語源説をソ連時代にロシアの研究者たちの前で披露した際（正確な場所などは私の記憶が薄れて不明だが）、その場は一様に不愉快そうな雰囲気に覆われたそうだ。この語源説を認めるということは、彼ら祖国ロシアの究極の創設者が外国人であったということにもなりかねず、政治的イデオロギーから受け入れ難かったのではないかと斟酌されていた。とはいえ、「ロシア」の語源となったrus'、ルーシ自体は、今もそのままの形を残しながら国名「ベラルーシ」（Belarus 白いルーシ）の後半部に引き継がれている。

「ロシア」に限らず、国名の語源が現在の自分たちの母語で常に説明できるとは限らない。たとえば、France フランスの意味は近隣の独語 Frankreich やスウェーデン語 Frankrike の名称から読み取れる。Frank は「ゲルマンの一部族であるフランク族」、Reich/rike は「王国」であることから「フランク族」、「フランク族の王国」と判明する。部族名 Frank は部族固有の武器「投げ槍」に由来する語源説もあるが、それとは別に Gaul ガリア地域で抑圧されたケルト人などに対して「自由な」民を表し、さらに「勇気のある」の意味もあったとされ、英語 frank「率直な」とも同語源である。フランス語にはフランク族がもたらしたゲルマン語由来の借用語が日常語（東西南北 est, ouest, sud, nord など）にも深く浸透している。今のフランス人は自分たちをゲルマン民族の末裔と思っているのかどうか尋ねてみたいものである。

北欧に戻って Finland フィンランド（自国語

名はSuomi）のfinne「フィン人」はスウェーデン語からの命名（第8章参照）、当のスウェーデンの国名Sverigeスヴァリエも100%自国語といえるかどうか疑問の余地がある。その直接の源はSvearike（前半Sveaはスヴェーア族、後半rikeは王国）と思われるかもしれない。Sve(a)はよしとしても、後半部のri**k**eがri**g**eとなるkからgの音変化の条件がスウェーデン語内ではなかなか見出せない。一方デンマーク語では1300年頃に強勢のある母音の直後のp、t、kがそれぞれb、d、gへと変化し、1400年頃からスウェーデン側がデンマーク語の影響（danism）のもと自国名をSveri**g**eとして官庁文書で使い始め、そこからさらにスウェーデン語内の音変化[ge]>[je]を経て広まっていったとされる。古デンマーク語ではスウェーデンをSverrigとしていたが、その後デンマーク側もスウェーデンが取り入れたSverigeを採用して現在に至っている。したがって、国名Sverigeも外国語の影響を部分的に被っていると言わざるをえない。

翻（ひるがえ）って国名「日本」はどうであろうか。もともとは和語の「ひのもと、日の本」であった「日本」の後半は漢音・呉音ともに「ホン」だが、前半の「日」は呉音でニチと読み「ニホン」、漢音で読めばジツでZipangu, Japanへと繋がっていく（小学館『大辞泉』に拠る）。ニホンが音読みで定着したとなれば、スウェーデンの国名Sverigeの成立過程と大差ないように思える。どの国名の語源も時には自国語のみでは説明できないこともあることを改めて認識する。

9

ジェンダーニュートラルな代名詞hen

★400年ぶりの新しい代名詞★

新たに言語を学ぶ際にまず覚えたい語彙と言えば、hej〈こんにちは〉やtack〈ありがとう〉などの挨拶はもちろん、日常的によく使う名詞（äpple〈りんご〉、tåg〈電車〉など）や動詞（äter〈食べる〉、åker〈（乗り物で）行く〉など）を思い浮かべる人は多いだろう。名詞や動詞に加え形容詞や副詞などの実質的な内容を表す語を言語学では「内容語」という。内容語は新しい語を作りやすく、新たに生まれる語や意味が変化する語もあれば流行り廃りもあり、時代とともに変化する。一方で代名詞、前置詞、接続詞、助動詞などの主に文法機能を担う語を「機能語」という。数が多く変化に富む内容語とは異なり、機能語は新語の追加などの変動が稀なことから「閉じた類」と呼ばれ、使用頻度は高いがその数は限られている。そんな機能語の中でも言語学習の初級段階で必須なのは「私」、「あなた」、「彼」、「彼女」などの人称代名詞だ。その人称代名詞に２０００年代に入ってから複数の言語で変化が観察される。それは彼（男性）でも彼女（女性）でもない３人称単数の代名詞の登場だ。英語では『ウェブスター辞書』で知られるアメリカの出版社メリアム・ウェブスター社が２０１９年の「今年の言葉」に「３人称単数のジェンダーニュートラルな代名詞 they」を選んだことが日本のメディアでも取り上げられた。フランスでも2021年に権威ある辞書『ロベール』のオンライン版に3人称単数のジェンダーニュートラルな代名詞として、彼を表す il と彼女を表す elle を組み合わせた新語 iel が掲載されて話題となった。

スウェーデン語ではジェンダーニュートラルな3人称単数の代名詞は hen という。これは hon〈彼女〉と han〈彼〉の子音部分を残しつつ、母音のみ e に置き変えた新語である。hen がスウェーデンで大々的に注目され論議を呼んだのは2012年のことだが、この語が新しい代名詞として人々の目に初めて触れたのはその46年も前の1966年のことで、スウェーデン語の人称代名詞に改変が起こったのは約400年ぶりであった。

スウェーデンでは女性の社会進出が進む1960年代頃に伝統的な性別役割分業に異議を唱える声が強まり、その影響は言語にも及んだ。それまでは例えば Varje elev väljer en bok som **han** vill läsa.〈生徒は各々、読みたい本を1冊選ぶ。〉(varje elev〈各々の生徒〉を han で受けている) のように han が性別に言及しない総称の3人称代名詞としても使われていたが、「男性を表す han を総称に使うと社会だけでなく言語の面でも女性が男性の影に隠れてしまう」として代わりに han eller hon〈彼または彼女〉や han/hon〈彼/彼女〉が使われるようになっていった。1966年、言語学者ロルフ・デューンオース (Rolf Dunås) はこれについて地方紙のコラムで「han eller hon や han/hon は不恰好でくどく、個人的には男女共に使える新しい代名詞 "hen" の導入を夢見ている」と述べた。また彼は hen を提案した理由として既存の3人称単数代名詞 han と hon に綴りが近いこと、一方で hin は既にスウェーデン語に存在するため使えないこと、そしてフィンランド語の3人称単数代名詞

hän（男女共に使用される）との類似性を挙げている。このようにhan eller honに代わるジェンダーニュートラルな代名詞として提案されたhenだが、スウェーデン国語審議会（Språkrådet）などの有識者は機能語（閉じた類）である代名詞に新語を加えることに懐疑的で、普及することはないだろうという意見が多かった。また、その後もジェンダーニュートラルな言語についての議論でhenが話題に挙がることはあったものの、一般に広まるには至らなかった。

２０００年代初頭、自身の性認識を男女の枠組みに当てはめないノンバイナリーの人々が自身を指す３人称代名詞としてhanやhonでなくhenを使い始めた。「ノンバイナリーの人を指す３人称単数代名詞」としても使われ始めたことでhenはメディアで注目されるようになった。２０１０年前後には一部の雑誌や団体、ジャーナリストの間で３人称単数の代名詞をhenに統一する動きもあった。さらに２０１２年、主人公のジェンダーを一切特定せず代名詞にhenを使った絵本が出版されて話題になったことで、henはメディアで大々的に取り上げられ大きな議論を巻き起こした。スウェーデン社会でのhenの認知度は増々上がり、文学作品や論文、公の文書や新聞記事でも使われることも増えていった。「henは英語で女性の蔑称として使われる語なので代名詞として使うのは不適切だ」、「henはポリティカル・コレクトネスや男女平等が行き過ぎた結果だ」などの理由で反対する人が多い一方で、「その人の性別を明らかにする必要がない、できない、したくない場合に使うことができる」、「han eller hon〈彼または彼女〉よりも短くて便利だ」という肯定的な意見も多い。２０１５年にはスウェーデン・アカデミーによるスウェーデン語の語彙リストSvenska Akademiens ordlista（通称SAOL）の第14版に、２０２１年にはスウェーデン・アカデミーによるスウェーデン語辞典 Svensk ordbok の第2版に hen が追加されたことにより、hen は新たな代名詞としての地位を確立しつつあると言えるであろう。

最後に蛇足で恐縮だが、本章筆者は初級スウェーデン語の授業を担当することが多いため、本章で言及した内容語と機能語に関連してスウェーデン語学習者へのささやかなアドバイスで締めくくりたい。英語と同様にスウェーデン語の話し言葉でも内容語を強く、機能語を弱く発音する傾向がある。また機能語は短い語が多く、聞き取りに苦戦する初級学習者が多いように思う。例えば Talar hon svenska?〈彼女はスウェーデン語を話しますか？〉では機能語である代名詞 hon が内容語の動詞 talar〈話す〉と名詞 svenska〈スウェーデン語〉に挟まれて聞き取りにくい。しかし talar と svenska さえ聞き取れたら、動詞から始まることから疑問文だと分かり次の語の発音が弱いことから主語は代名詞だと推測できる。ここまできたら、聞き直した際に聞き取りやすくなるだろう。このようにリスニングには語彙力や文法の知識を強化することはもちろん、文中の発音の強弱を意識することも大切である。

なお、本書がきっかけでスウェーデン語に興味を持たれた方には、清水育男・當野能之・ヨハンナ・カールソン・梅谷綾『スウェーデン語初級eラーニング』（２０１０年、http://el.minoh.osaka-u.ac.jp/wl/sv/）、清水育男・ウルフ ラーション・當野能之『世界の言語シリーズ12 スウェーデン語』（大阪大学出版会、２０１２）、當野能之『スウェーデン語トレーニングブック』（白水社、２０２１年）をぜひお勧めする。

（梅谷　綾）

10

スウェーデン人の名前

★流行の変遷と命名方法★

人名（姓は除く）という意味で、スウェーデンにはどれくらいの数の名前があるか、皆さんはご存じだろうか。答えは、15万ほど。ただし、男性名のKarlとCarl（カール）など、発音が同じでも綴りが異なる場合を別の名前として数えると、女性名は約23万８０００、男性名は約20万３０００という統計もある（以下、主に女性名として使われる名前は「女」、主に男性名として使われる名前は「男」と表記する）。本章では、そんなスウェーデン人の名前について紹介していきたい。

スウェーデンでは、ビューン（Björn, 男）など、その後の時代の流行に拘わらず、ヴァイキング時代から現代まで一定の人気を有し使われ続けている名前がある一方で、時代によって流行する名前もある。ここからは時代ごとの流行をみていきたい（表1）。

まず、ヴァイキング時代までは前述のビューンなどの北欧語起源の名前が主であったが、１１００〜１２００年代からキリスト教の影響が次第に出始める。北欧語起源の名前も依然使われてはいたが、カタリーナ（Katarina, 女）など、聖書に出てくる名前や聖人の名前が一般に使われるようになっていった。

表1　時代ごとの名前の流行の変遷

時代	流行した名前の特徴	例
ヴァイキング時代	北欧語起源の名前	ビューン（Björn、男）、シーグリッド（Sigrid、女）、スヴェン（Sven、男）、ウルフ（Ulf、男）
1100～1200年代	キリスト教と共に入ってきた名前	カタリーナ（Katarina、女）、クリスティーナ（Kristina、女）、マルガレータ（Margareta、女）、ニコラーウス（Nikolaus、男）
1600年代	ドイツ語由来の名前	イーダ（Ida、女）、ルドヴィッグ（Ludvig、男）、マティルダ（Matilda、女）、ヴィルヘルム（Vilhelm、男）
1700年代	フランス語由来の名前	エーミル（Emil、男）、シャーン（Jean、男）、ルイース（Louise、女）、マリー（Marie、女）
1800年代	イギリスからの英語由来の名前	アッリス（Alice、女）、ファンニ（Fanny、女）、ヘンリ（Henry、男）、リッリ（Lilly、女）
1900年代	アメリカで流行していた英語由来の名前	ベンニ（Benny、男）、ビル（Bill、男）、イェッシカ（Jessica、女）、ナンシ（Nancy、女）
1930年代	ダブルネーム	アン＝マリー（Ann-Marie、女）、アンナ＝リーサ（Anna-Lisa、女）、カール＝アクセル（Karl-Axel、男）、スヴェン＝オーロフ（Sven-Olof、男）
1950年代	農村地域でよくみられた名前	アンナ（Anna、女）、ブリッタ（Britta、女）、エーリック（Erik、男）、パール（Per、男）
1930年代～現在	流行した映画やドラマの登場人物の名前、俳優や歌手、スポーツ選手などの有名人の名前	ソンニ（Sonny、映画の登場人物名、男）、グンデル（Gunder、スポーツ選手名、男）、マーリン（Malin、ドラマの登場人物名、女）、ロニア（Ronja、小説の登場人物名、女）

女：主に女性名として使われる名前、男：主に男性名として使われる名前［筆者作成］

１５００年代には聖母と同じマリーア（Maria, 女）が頻繁に使われるようになる。

その後は外国語由来の名前が流行する時代が続く。まず１６００年代にはヴィルヘルム（Vilhelm, 男）など、ドイツ語由来の名前が流行した。１７００年代には、スウェーデンの上流階級がフランス語を使っていたことから、上流階級でマリー(Marie, 女）などのフランス語由来の名前がつけられるようになり、上流階級以外にも広がっていった。１８００年代からはイギリスより英語由来の名前が広がり、ファンニ（Fanny, 女）などの名前が流行した。１９００年代には、ビル（Bill, 男）など、アメリカで流行している英語由来の名前が広がった。

また、1930年代には、スヴェン＝オーロフ（Sven-Olof, 男）などのダブルネームが流行する。1950年代には農村地域から都市部へ人々が移動した反動から、エーリック（Erik, 男）など、農村地域でよくみられた名前が流行した。

一方、王族の名前や、その時代の有名人の名前が流行することもある。特に1930年代以降はメディアの発展も影響し、映画やドラマの登場人物の名前や、芸能人やスポーツ選手などの名前が急に人気になることも多くなった。例えば、1929年のアメリカ映画『坊や』の登場人物から、ソンニ（Sonny, 男）という名前が1930年代に流行した。1940年代にはグンデル・ヘッグというスウェーデンの陸上選手から、グンデル（Gunder, 男）という名前も流行した。1960年代にはベンヤミン（Benjamin, 男）という名前が人気となるが、これはディズニー映画のキャラクター、ジミニー・クリケットのスウェーデン語名 Benjamin Syrsa に由来している。また1970年代以降は、アストリッド・リンドグレーンの作品の影響でマーリン（Malin、女）などの名前が人気となった。

ところで、リンドグレーンの名前はアストリッド・アンナ・エミーリアといい、三つある。このように今では二つ以上の名前を持つ人が多いが、実は、1500年代ごろまで名前は一つのみというのが一般的だった。その流れが変わったのは1600年代初めで、国王カール9世が自分の子どもにカール・フィーリップ（Karl Filip, 男）やマリーア・エリーサベット（Maria Elisabet, 女）などと名づけたことにより、貴族の間で名前を二つつけることが広がっていった。その後、貴族以外でも名前を二つつけることが広がり、1700年代にはスウェーデン人の半数以上が名前を二つ持つようになった。それ以降もこの傾向は続き、現在では四つの名前を持つ人もいるほどで、逆に一つしか名前を持たない方が珍しくなっている。

ここまで名前の変遷を見てきたが、それでは、スウェーデンでは実際にどんな名前でもつけることができるのだろうか。スウェーデン国税庁ではどのような名前が受理されるか定められており、1．本人の不利益にならないような名前、2．他人に不快感を与えない名前、3．姓と混合されないような名前、となっている。一つ目についてては、例えばディスクベンク（diskbänk「台所の流し台」の意）など名前として認識されにくい名詞や、ドクトル（doktor 医師や博士に使われるタイトル名）といった職能や資格を表す名称ではないことが求められる。二つ目についてては、例えばスラングや、ギュード（Gud「神」の意）やアッラー（Allah）などだと受理されない。

実際、ハロー（hallå 挨拶の「こんにちは」）やデューレックス（Durex コンドームの商品名）は過去に受理されなかった例もある。一方、リューレオ（Luleå スウェーデン北部の都市名）やノキア（Nokia フィンランドの会社名）は過去に受理されたこともある。また、ファーン（fan「悪魔」の意）は二つ目の原則から考えると受理されなさそうだが、スウェーデン統計庁によれば、ファーンという名前を持つ人は2023年4月時点で男女合わせて91名いる。スウェーデン語の意味からすれば驚きかもしれないが、中国ではよくある名前（表記は「凡」「帆」など）のため、中国系の人だと考えられる。

では、皆さんがスウェーデン人なら、子どもにどんな名前をつけるだろうか？　その時流行している名前や有名人の名前、好きな小説や映画の登場人物の名前など、様々な選択肢があるだろう。だが中には、「周りと同じような名前をつけるのは避けたいけれど、目立つほど特殊な名前も嫌」と考え迷う人もいるかもしれない。そんな時には、自分の親世代によくある名前（50〜70年前に人気のあった名前）をつけるのもひとつの手かもしれない。そのような名前であれば、風変りというわけでもないし、一方で当時と比べれば人気はなくなっているため、取り立てて平凡というわけでもないからだ。

本章ではスウェーデン人の名前についてみてきたが、個々の名前の意味や姓については分量の関係で取り上げることができなかった。スウェーデン人の名前はさておき、世界の人々の名前について日本語で書かれている本はたくさんあるので、名前についてもっと知りたいという方はぜひ、巻末のブックリストに挙げた本（★印）を読んでみていただきたい。

なお、本章で紹介した名前のカナ表記は現代スウェーデン語の発音を基にしたものである（例えばヴァイキング時代の当時の発音を反映したものではない）という点、その名前が流行した時代に考案された名前とは限らない（例えばエーリックは1998〜2004年まで新生児名数の10位以内に入っていたが、ヴァイキング時代から存在している名前であり、現在流行しているからといって現代に作成された名前であるという意味ではない）という点をご理解いただきたい。

（西澤清華）

11

スウェーデン語と日本語の類似点

★ öga〈目〉に関する比喩表現の観点から★

スウェーデン語に限った話ではないが、新しい言語の学習を始めると、たいてい最初は単語や文法の規則を覚えるのに苦労する。特に話者の少ないいわゆるマイナー言語は英語と比べて教材の数が少なく、解説も十分でない場合が少なくない（ただしスウェーデン語については近年少しずつ学習環境が整えられてきていることも併せて付記しておきたい）。スウェーデン語を含め、何か外国語を学習したことのある方なら一度は考えたことがあるのではないか、「日本語と○○語がもっと似ていたらいいのに」と。

例えば日本語とスウェーデン語の名詞を比べてみよう。スウェーデン語の名詞には共性・中性という性の区別があり、その性にしたがって異なる不定冠詞が用いられる。また単数と複数が区別されるほか、話し手と聞き手との間にその対象に関して共通認識がある（と想定される）かどうかで未知形と既知形が使い分けられる。翻って日本語の名詞をみると「たち・ら」のような接尾辞はあるにせよ、基本的に名詞に単数・複数や未知・既知の区別はなく、また性の区別も存在しない。ものを数えるときにその対象の形態によって助数詞を変えるという点で、実は日本語も名詞を異なるカテゴリーに分けているといえるのだが（紙は「枚」、ペンは「本」など）、スウェーデン語の名詞の性とは性質が異なり、ここに類似点は見出しにくい。その他、借用語など共通する単語もあるが、学習が容易になるほどではないだろう（借用語については本書の前版『スウェーデンを知るための60章』第13章「スウェーデン語あれこれ［2］」を参照のこと）。

しかしもう一歩進めて語の意味、特に比喩（ひゆ）表現の観点から日本語とスウェーデン語を眺めてみると、意外な類似点があることに気づくことができる。例えば視覚器官である「目」（スウェーデン語öga）について考えてみよう。日本語には「（～の）目・視線を投げかける」という言い回しがあるが、文字通り目（や視線）を投げ掛けることは不可能のため字義的に捉えるとこの表現はおかしいことになる。つまり、これは比喩表現であり、実際には対象をちらりと見ることを表している。ではこれをスウェーデン語では何と言うのだろうか。実はスウェーデン語にもkasta ett öga på... という表現があり、これは日本語に直訳すれば〈～に目を一つ投げる（kasta＝英cast）〉となる（ちなみに、「一目惚れ」はスウェーデン語でkärlek vid första ögonkastetといい、これは直訳すると〈最初に（första）視線（ögon）を投げかけた（kastet）時の恋（kärlek）〉という意味である）。さらに日本語の「～に目を落とす」という表現について、こちらも通常目が体から落ちることはありえないため比喩表現であるのは明らかであるが、スウェーデン語にもngns ögon faller på...〈直訳：～の両目が～に落ちる〉という同じイメージに基づく比喩表現が存在する。さて、これらに見られるイメージの共通性は単なる偶然の産物ではない。日本人であれスウェーデン人であれ、ものを見るときにはその対象の方向に目を向ける。そのとき知覚者と対象物との間に目に見えない線（視線）が通っているように感じられ、目から発せられた「何か」が対象物に到達するとその対象を視認する。もちろん知覚者が物理的に何かを飛ばしているわけではないが、私たちはものを見るという経験をこのように（無意識的に）理解している。そしてこの理解は日本語話者でもスウェーデン語話者でも同じであり、この理解に基づく比喩表現も日本語とスウェーデン語で類似していると考えられるのである。

次に「目」の形状に基づく比喩表現も見てみよう。日本語の「目」はサイコロの「目」や台風の「目」などにも現れるが、これはサイコロの穴や台風の中心が形状的に「（身体にあいた穴・切れ目としての）目」のように見えることから転じた用法といえる。実はこれも日本語とスウェーデン語で共通しており、スウェーデン語でもサイコロの「目」には öga を用い、「台風の目」は stormens öga〈嵐の目〉という。ところで、日本語の「窓」を日本語源大辞典で引いてみると、その語源は諸説あるものの、一説には「目の門」あるいは「目の戸」から転じたとされる。スウェーデン語で現在一般的に用いられる窓を意味する語は外来語である fönster だが、昔は日本語に直訳すれば〈風の目〉を意味する vindöga が使われていた。これは英語の window やデンマーク語 vindue、ノルウェー語 vindu、古アイスランド語 vindauga と同語源である（なお、現代アイスランド語では古アイスランド語から続く gluggi が一般的な語となり、語源的には「光を採り入れるところ」という意味である。ちなみに、それと同語源のスウェーデン語に glugg〈壁や天井などに開いている穴〉がある）。

最後に感情を表す表現についても日本語とスウェーデン語を比べてみると面白い。例えば、怒りや憎しみはどちらの言語でもしばしば目や体内で火が燃えるイメージで理解される。日本語の感情表現辞典をみると「怒りで燃えたつ」や「怒りで目をギラギラ光らせる」、「目が怒りに燃える」、「眼の中に強い憎悪が燃える」といった火のイメージに基づく表現が数多く載せられている。一方スウェーデン語（ilska〈怒り〉・hat〈憎しみ〉）について見てみると känna en flimrande ilska under ögonlocken〈まぶたの奥にゆらめく怒りを感じる〉や uppblossande ilska〈燃え上がる怒り〉のような言い回しを見つけることができるほか、スウェーデン語辞書 *Svensk ordbok* には hatet lyste i hans ögon〈憎しみが彼の目の中に光っていた〉という例文が挙げられている。このような怒りや憎しみに関する火のイメージを用いた比喩表現がこれらの感情を抱いたときに体験する体の火照りや震え、紅潮、目の充血といった身体経験に基づいていると考えれば、これについても日本語とスウェーデン語で類似した表現が見つかるのは不思議ではない。ちなみに、時代を遡ってエッダ詩の「スリュムの歌」には次のような話が残っている。あるときソールが奪われた自身の武器ミョルニルを取り返すため、花嫁姿のフレイヤに変装をして巨人スリュムのもとを訪れる。このときスリュムはソールをフレイヤだと思い込み口づけをしようとするが、ソールの目を見たこの巨人は驚いて Þykki mér ór augum eldr of brenna〈私には目から火が（燃え）出ているように思えるぞ（筆者訳）〉と言うのである。

ここで紹介した比喩表現はほんの一握りであり、様々な語の意味や表現を深く調べてみると日本語とスウェーデン語の共通点は思っている以上に多いことを発見することができる。ここで紹介したような類似性を意識しながらスウェーデン語辞書を引いてみると、「日本語とスウェーデン語は意外と似ているな」と思えることがあるかもしれない。

（南澤佑樹）

スウェーデンの歴史から

12

スウェーデン・ヴァイキングと東方

★ユーラシア西部に広がるスウェーデン★

２０２３年、ストックホルムにある国立歴史博物館のヴァイキング展示コーナーが一新された。従来もコペンハーゲンの国立博物館と並んで北欧随一の展示量を誇っていたが、今回の新装では、第一に観客がヴァイキングの生活を体験のできるパブリック・アーケオロジーの要素を随所に盛り込んだ、第二に機織りや装飾品など女性の生活にもスペースを割いた、第三にバルト海の向こう側に広がるユーラシア西部との関係を強調していた構成となった。結果として、とりわけ第三の点は、ロシア・ウクライナ戦争との関連で注目されるポイントともなっている。

国立歴史博物館の目玉展示物の一つに、メーラレン湖に浮かぶヘリウー島で発見された仏像がある（図1）。ガンダーラ様式のこの仏像は、カシミール地方で6世紀ごろに制作され、8世紀ごろにスウェーデンに辿り着いたと考えられている。これはスウェーデン・ヴァイキングが仏教徒であったというわけではなく、東方との交易でたまたま手に入れた奢侈品の一つと想定するのが妥当であろう。

スウェーデン、とりわけウップランドに居住する集団は、

700年代初頭から徐々にバルト海の東方へ拡大を始めた。エストニアのサーレマー島で発掘された当時の遺跡からわかるように、バルト海周辺のあちこちで激しい戦いは行われていた。このような人の流れがさらに加速するのは750年頃である。東方のイスラーム世界からディルハムと呼ばれる銀が大量に流入し始めたからである。ウップサーラ大学の考古学者ニール・プライスは、8世紀から11世紀にかけて北欧人が大挙して国外へ拡大する動きを「ヴァイキング現象」と呼んでいるが、ディルハムの流入は、そうした動きを刺激した。

イスラーム銀の流入と相前後して、メーラレン湖に浮かぶビルカが交易地として成長した。デンマークのリーベやヒーゼビュー、ノルウェーのスキリングサルと並ぶ、初期中世の北欧を代表する交易地ビルカは、現地有力者の支配を受けながら、東方交易の窓口の一つとなった。ゴットランドやバルト海南岸にある交易地を経て、8世紀以降、複雑な河川網を持つロシア平原にも、多数の交易地が生まれた。玄関口のスタラヤ・ラドガをはじめ、ノヴゴロド、ゴロディシチェ、そしてキエフといった中世ロシアの諸侯国の中核となる都市的集落は、いずれもスウェーデン・ヴァイキングとの交易の中で成立した。ロシア最古の記述史料『ロシア原初年代記』には、862年に現地スラヴ人が「ルーシ」と呼ばれる北欧

図1　ヘリウーで発見された仏像
出典：Sören Hallgren/Statens historiska museum, CC BY 2.5, via Wikimedia Commons

人を招聘してロシアが生まれたとする記述がある。この記述の信憑性がどの程度であるにせよ、現在のロシア、ベラルーシ、ウクライナからは、膨大な北欧起源の考古遺物が発見されており、スウェーデン・ヴァイキングとロシア平原との関係がいかに深かったのかを証言している。スウェーデンからルーシの地に移住したヴァイキングは、現地の文化を吸収し「ルーシ」と呼ばれる北欧系集団となった。

　スウェーデンの各地である程度の政治的なまとまりができる10世紀後半以降、スウェーデンと東方との関係も変化した。イスラーム銀の流れは11世紀初頭でおおよそ途絶するが、それと入れ替わるようにビザンツ帝国との関係が深化した。スウェーデン・ヴァイキングは、9世紀の後半以降、しばしばロシア平原の河川を伝って首都コンスタンティノープルに襲撃を繰り返していたが、より効率的かつ安全な富の入手を求めて、皇帝との間に3度の交易協定を結んだ。この協定では、ヴォルガ川などのロシア平原の河川ネットワークを下って黒海に到達したスウェーデン・ヴァイキングやルーシに、食料や風呂を提供するとともに、船を修繕することを認めている。

　定期化かつ大規模化したスウェーデン・ヴァイキングの交易は、バルト海からカスピ海、さらにはイスラーム世界の中心であるバグダードに至るネットワークを作り上げた。スウェーデン・ヴァイキングが直接コンスタンティノープルまで出向くこともあったであろうが、このような交易ネットワークを通じて、商品が宅急便のように、ルーシが支配するロシア平原の交易地を拠点とする商人を中継して、スウェーデンに到達することもあっただろう。彼らは北方からもたらす奴隷、毛皮、セイウチの牙、琥珀、木材などと引き換えに、イスラームの銀だけではなく、ビザンツ帝国の絹やインド洋のタカラガイといった奢侈品を入手した。冒頭に述べたヘリウーの仏像も、やはりこうした奢侈品の一つであろう。

ビザンツ帝国に到達したスウェーデン・ヴァイキングの中には、現地に定住するものもいた。ヴァリャーギとして記録される彼らは、ビザンツ帝国の軍隊の一部に組み込まれ、帝国の戦争に参加した（図2）。さらには、戦闘における勇猛さが期待され皇帝に近侍するものもいた。イスラーム勢力や周辺諸民族と度重なる戦闘を繰り返したビザンツ帝国において、彼らは皇帝の側に立って活躍していたのだろう。スウェーデンに多数建立されているロシア・ビザンツ・イスラーム世界へ旅だったという石碑だけではなく、イスタンブルのアヤ・ソフィアに残されているルーン文字の落書きや、現在、ヴェネツィアのアーセナルの前に建つライオン像の右肩に刻まれているルーン文字も、スウェーデン・ヴァイキングと東方との関係を証言している。10世紀以降、スウェーデン内で発見されるイスラーム銀の割合が減るのに対し、ビザンツ貨が増加するのも、スウェーデンとビザンツとの関係の深まりを推測させる。このような東方との関係がスウェーデン・ヴァイキングに何をもたらしたのかを考えてみよう。すでに見たように、スウェーデン本土とバルト海沿岸、ロシア平原、ビザンツ帝国さらにはカ

図2　ヨハネス・スキリツェス『歴史』の写本挿絵に描かれたヴァリャーギ戦士

スピ海沿岸などに至る東方世界との往来は恒常的に行われていたと考えられる。現在でも農業や道路工事などの結果、時折発見されてニュースになる、ヴァイキング時代の貨幣や装飾品からなる埋蔵宝は、スウェーデンにとって東方との関係が深かったことの証拠でもある。

スウェーデン・ヴァイキングはさまざまな理由で東方に移動するチャンスを狙っていた集団であったが、スウェーデン内部では、それぞれが家族や親族単位で農場を構える自由農民であり、平時は農業・牧畜・漁労などを行う生活者であった。加えて、近年の研究では、ヴァイキング時代の後半には、生業のみならず、船舶や工芸などを分業して大量生産する一種の産業化社会が現れつつあったとする見解も出ている。他方でスウェーデンは、隣国のデンマークやノルウェーと比べて、単一王権による中央集権化を伴う統一が遅々として進まなかった地域でもある。とりわけポーランド侯と手を結びデンマークと対立、ウップランドのシグテューナを拠点としたエーリック勝利王（～995）の家門は、その後のスウェーデン王国へと繋がる基礎を打ち立てたと考えられるが、比較的広大で山林や湖沼によって分断されるスウェーデンには、この王家以外にも多数の有力家門が割拠していた。イスラーム諸王朝の混乱やビザンツ帝国の弱体化は、ユーラシア西部の政治経済構造にも大きな変化をもたらした。ユーラシア西部に拡大することでスウェーデン・ヴァイキングが得ていた富は、もはや期待できない状況になりつつあった。その後キリスト教化されたスウェーデンは、ゴットランドやバルト海沿岸の交易地を通じてバルト海南岸の諸都市との関係を深め、ストックホルムが成立する13世紀以降は、ハンザのネットワークに組み込まれていった。

（小澤　実）

13

総合芸術としてのルーン石碑

★ヴァイキングの美術★

ストックホルムへの玄関口、アーランダ空港の第2ターミナルの利用者を迎えてくれるのは、1000年前にヴァイキングが制作したルーン石碑である（図1）。

ルーン石碑とは、ルーン文字が刻銘された死者記念碑の総称である。とりわけ、「XがYを記念してこの石碑を建てた」という定型句の入ったものが、ヴァイキングとして北欧人が活動した10世紀から12世紀に、集中して建立された。現在のデンマーク・ノルウェー・スウェーデンいずれの地域でも確認できるが、なかでもスウェーデンのウップランド地方に多数伝来している。

なぜヴァイキング時代にルーン石碑が集中的に建立されたのだろうか。石碑建立の第一の目的は、戦闘や遠征などでこの世を去った死者の名誉を多くの人たちのあいだで記憶するためという文字通りの死者記念である。しかし、近年の研究はそれ以外の目的もあったことを明らかにしている。一つは、死者の血縁者や親族が、その死者の財産を継承したことを人々のあいだで告知する機能である。戦争の時代でもあったヴァイキング時代は、突然の死による遺産相続問題が頻発した時代でもあっ

図１　アーランダ石碑
出典：Mr. Tickle, CC BY-SA 3.0, via Wikimedia Commons

た。そのような混乱を回避するために、遺族が死者から継承すべき土地などに石碑を建て、所有者と継承者の名前を刻むことで、所有権を主張したとする理解である。もう一つは、建立者が、その政治的立場を他者に対して主張する機能である。ルーン石碑は、その大きさやデザインが多様であり、建立者が利用できるリソースが大きければ大きいほど、生前の事績に関する内容を豊かにさせ、巨大かつ派手な石碑を製作させ、人の注目を集める場所に建てることが可能となる。いずれにせよ、人々の移動を促進し、大量の死者を招来し、社会の流動性を高めたヴァイキング時代ならではの特殊な理由が、ルーン石碑の建立という一種の流行を生み出した。

他方で、右記の一般的な傾向を持つルーン石碑は、北欧全体に分布していることもあり、地域的な特性も有している。とりわけ、スウェーデンのルーン石碑のなかには、テキストとともに背景に絵画が描かれているものが多い。ここでは、三つのルーン石碑を取り上げて、スウェーデンにおけるルーン石碑の特徴を考えてみよう。

一つ目は、最初に述べたアーランダ空港のルーン石碑である。１９９０年に道路工事中に発見されたこの石碑は、石碑の中心に描かれた十字架を、ルーン文字の刻まれた胴体を持つ蛇ミドガルズがリボンのように取り囲むような図案を有している。スウェーデンでは比較的よく見るタイプの図像であり、ある意味、ヴァイキング時代の「流行の」絵柄であったと言えるかもしれない。実はこの石碑は、北欧全体で30ほど発見されている「イングヴァル石碑」の一つである。「イングヴァル石碑」とは、東方遠征に赴いた11世紀前半のイングヴァルという著名なヴァイキングとともに行動をともにしたことを記す石碑群であり、歴史に残る大遠征に同行したという名誉を讃(たた)える石碑でもある。

図2　ユーク石碑
出典：I, Berig, CC BY-SA 3.0, via Wikimedia Commons

二つ目はシグルズルの伝承を描いた石碑である。ドラゴンを倒すジークフリートというゲルマン伝承の原型を描いた石碑も、スウェーデンで8つ発見されていることから、ヴァイキング時代に広く共有されていた伝承と見て間違いない。ここではストレングネス近郊にあるユーク石碑を取り上げよう（図2）。幅2・5メートルの巨大な石に、十字架を中心に、槌を手にしたソール神をはじめ様々なキャラクターが描かれた図像が彫られている。それらの図像を取り囲むミドガルズ蛇を、シグルズルが剣で突き刺している、というのがこの図像全体である。

三つ目はゴットランドの石碑である。ゴットランド島は、デンマーク、バルト海南岸、メーラレン湖の交差点に浮かんでいるため、ローマ時代以来特異な役割を果たしていた。中でも興味を引くのは、石碑に絵画を描いた絵画石碑の伝統が

図3　ストーラ・ハンマシュ石碑
出典：Berig, CC BY-SA 3.0, via Wikimedia Commons

あり、ヴァイキング時代にはそれがルーン石碑と融合して、北欧の他の地域では見られない独特の絵画石碑が誕生した。その一つストーラ・ハンマシュ石碑は、上段に神話的光景が、下段にヴァイキング船が描かれている（図3）。類似の図像はヴァイキング時代以前からあり、ゴットランドで長年好まれていた図像であることがわかる。

いま確認した三つの石碑は、いずれもヴァイキングの死者を記念する石碑である。しかしその特徴の一つとして、東方遠征という同時代の大事件、ゲルマン信仰に遡る伝承、日々の生活にとって不可欠の船舶といった、ヴァイキングの生活と不可欠の情報を組み込んでおり、単なる死者の記念のみならず、おそらく石碑の周囲に集ったヴァイキングたちが共通の話題で盛り上がることができる仕掛けがなされていたとも考えられる。その一方で、キリスト教のシンボルも描かれているように、多神教のゲルマン信仰を持っていたヴァイキングらもキリスト教社会へと移行するその最中にあったことをルーン石碑は証言もしている。ルーン石碑は、ヴァイキングのさまざまな感情や生活の痕跡を残すルーン文字だけではなく、素材としての石の上に、近代にすら影響を与えたヴァイキング特有のデザインが刻み込まれた総合芸術作品でもある。ヴァイキングの社会を知るために私たちは、物言わぬルーン石碑に語りかけねばならない。

キリスト教社会が到来すると、ルーン石碑は本来の機能を失い、そのまま打ち捨てられたり教会の石材に転用されたりした。しかし近世以降、ルーン文字は、自らをゴート人の子孫と任じるスウェーデンのアイデンティティの一部となった。ルーン文字をヘブライ人のヘブライ文字よりも古い、ゴート人による最古の文字として疑わなかった17世紀のルーン学者ヨーハン・ビューレ以来、スウェーデン人が連綿として収集してきたデータを、いま私たちは研究のために用いることができる。そして1955年にスカンジナビア航空が成田空港に就航した時、その記念に、スウェーデンの石碑デザインを模し、経緯を記したルーン石碑が日比谷公園に寄贈された（図4）。スウェーデンの出発点はこのデザインという思いがそこには見てとれないだろうか。

図4　日比谷公園のルーン石碑
出典：Daderot, CC0, via Wikimedia Commons

（小澤　実）

14

ハンザとスウェーデン

★ハンザの盛期からオランダの躍進期に向けて★

ハンザとは、中世後期から近世初頭にかけて外地での商業の権益の確保とその維持を目的として形成されたドイツの商人や都市の連合体である。ドイツ本国でドイツ・ハンザ、またわが国でハンザ同盟と呼ばれるこの組織はバルト海・北海に広大な通商網を築き上げ、スウェーデンやデンマークといった北欧の強国も、ハンザを通じてヨーロッパの先進地域と結びつくことが多かった。

とはいえ、スウェーデンとデンマークそれぞれのハンザとの接し方はかなり違っていた。デンマークの場合、領土がハンザ（ドイツ）に近いということもあり、両者の関係は政治に重きが置かれ、互いに戦火を交えたこともあった。これに対して、スウェーデンとハンザとの関係は政治よりも貿易を中心とした経済を基盤とし、もっと穏やかに推移した。こうした違いが生じた要因としては、ドイツからの距離に加えて、デンマークと比較してスウェーデンの強国化がひとまずは遅れたということが挙げられるだろう。それだけに、中世のスウェーデンにはデンマーク以上にハンザ商人が進出する余地が残されていたのであり、スウェーデンは、まずはハンザ商人を介しておもにストックホルムを窓口として大陸側のヨーロッパと結ばれていった。

かくして、経済を土台とする関係がスウェーデンとハンザの間に築かれていき、スウェーデンはハンザの商業活動を通じて大陸側ヨーロッパの広大な市場圏に包摂（ほうせつ）されていった。

しかも、ハンザがスウェーデンに与えた影響は商業の分野に限られなかった。商業を平和裡に滞りなく進めていくためには、文字を駆使して法律を理解し、計算能力に長けている必要がある。これらの知識に通じていたハンザ商人は行政面でも有用な人材であり、ドイツ人はスウェーデンにおける都市制度の導入・拡充に貢献することになった。13世紀のスウェーデンの都市化の時代は、ハンザの影響力が顕著となった時期でもある。都市参事会の構成員はドイツ人とスウェーデン人を同数として二分されるべきであるとする規定が、スウェーデン都市に適用されたのである。さらにドイツからは、ハンザの通商路を利用して鉱山技術者がスウェーデンへと渡り、のちに同国が鉱業を経済基盤として大国化していくための礎（いしずえ）が築かれていった。

ハンザの代表的な輸送船であるコゲ船。都市ハンザ結成650年を記念して2006年にドイツで発行された記念切手。

とはいえ、スウェーデンに対するハンザの影響力を過度に強調することは慎むべきであろう。まだ明らかにされていない論点も残されており、なによりも、中心都市ストックホルムには商館のような独自の特権を備えた商業拠点が存在しなかったからである。

この点を踏まえたうえで、以下商業と貿易に焦点を当てながらスウェーデンとハンザとの関係を見てみたい。

バルト海・北海に広がるハンザ商業圏において、スウェーデンは何よりも銅や鉄といった鉱産物の供給地であった。スウェーデンにとっても、これら鉱産物は最大の輸出品目であった。それゆえ、ドイツ側のリューベックがスウェーデンから輸入した商品のなかでは鉱産物の占める比率が高く、関税台帳の記録によれば、１４９２年に銅がスウェーデンからの輸入額全体に占める割合は60％を超えた。ほかにも、リューベックはストックホルムを窓口として皮・毛皮といった皮革製品や酪農製品であるバターやチーズ、魚油などをスウェーデンから輸入し、また同国に

21世紀の今も残るハンザ都市（キール）・スウェーデン（ユーテボリ）間の定期船［2009年11月筆者撮影］

向けておもに毛織物や亜麻布といった繊維製品、塩、ニシン、ビール、ワイン、果実、香辛料などの食材を輸出した。これら商品の流通や商人の往来により、ストックホルムはハンザ商業圏のなかで主要取引拠点の一つをなしていたのである。

さて、15世紀から16世紀にかけてハンザ商業圏は変革期を迎えることになった。オランダのバルト海進出により、西欧方面との東西間商業の主導権がハンザからオランダへと移ったのである。その影

第14章
ハンザとスウェーデン

ハンザの貿易ルート
出典：『プッツガー　歴史地図　日本語版』帝国書院、2013年、97頁。

響は、ストックホルムの対ハンザ商業からも見て取ることができる。オランダがバルト海商業の拠点としたのはダンツィヒ（現ポーランドのグダニスク）である。ストックホルムの貿易相手のなかでも、ダンツィヒが占める比重が増えていった。ストックホルムから輸出された鉄について見ると、16世紀後半から17世紀初頭にかけてその過半数はダンツィヒに輸出され、そこからさらに西欧へと船舶で輸送された。これまでリューベックが保持していたバルト海・北海間商業の中継地としての重要性が失われていったのである。

スウェーデンの貿易相手に見られた変化は、対ハンザ商業内でのダンツィヒの比重増加に限られなかった。ハンザ都市を経由せずにスウェーデンが直接西欧方面と結ばれるケースも増えた。オランダとの連携が強化されていったのである。

16世紀前半、グスタヴ・ヴァーサが対デンマーク戦争の遂行のために資金の融通を求めた先はリューベックであった。これに対して17世紀前半、カルマル戦争

（1611〜13）敗北後にエルフスボリ港解放のためデンマークに賠償金を支払うにあたり、スウェーデンに資金を提供したのはオランダである。スウェーデンは、自国に豊富な銅を対価としてオランダから融資を受けたのであった。これにより、ルイ・ドゥ・ヤールなどオランダ系の有力な企業家が銅の貿易や兵器の製造などを通じてスウェーデンの産業界に進出していく。スウェーデンの帝国化は、オランダ商人との緊密な経済関係のなかで推し進められていくことになった。主要鉱産物である銅は、多くがアムステルダムへと向かうようになったのである。

とはいえ、スウェーデンとハンザ、とりわけリューベックとの関係がその後ただちに断ち切られてしまったわけではない。一時的とはいえ、リューベックに向けて大量の銅が輸出されることもあったからである。例えば1620年の場合、ストックホルムからリューベックに送られた銅は全体の約86％（重量ベース）に達した。その多くは、おそらくハンブルクを経由して当時の世界商業の中心であるアムステルダムに向かったものと考えられる。

17世紀中頃には、スウェーデンの主要な貿易相手はバルト海のハンザ都市からオランダへと移った。加えて、鉄をはじめとする資源を必要とするイギリスとの関係も強化され、スウェーデンは自ら海運力を増強させつつ西欧の市場圏と結びついていく。それは、まさしく組織としてのハンザが歴史の表舞台から退場しつつあった頃と重なっていたのである。

（谷澤　毅）

15

カルマル連合とスウェーデン

★北欧内平和の試み★

カルマル連合とは、デンマーク・ノルウェーの実質的に最高権力者であった王母マルグレーテが1389年にスウェーデン王であったメクレンブルク公子の小アルブレヒト（スウェーデン王在位1364～89）を破った後、スウェーデンの統治者となって出現した北欧三王国間の連合のことである。正式には1397年にスウェーデンのカルマル城での三国の有力貴族・聖職者が集った連合会議を経て成立し、その後、中断をともないながらも、1523年にスウェーデン王にグスタヴ・ヴァーサが選出され、スウェーデンが離脱するまで存続した。

マルグレーテ（1353～1412）は、デンマーク王ヴァルデマ4世・アタダー（再興王）の次女で、10歳でノルウェー王ホーコン6世と結婚、このホーコンは、スウェーデン・フォルクング王朝マグヌス・エーリックソン王の次男である。マグヌス・エーリックソンは1319年に3歳でスウェーデン王兼ノルウェー王となっており、北欧内の「同君連合」は、すでに1319年に先駆があったことになる。そのマグヌス王は、1332年にデンマーク領スコーネの質権を購入し、スウェーデン・ノルウェー・スコーネの地を支配し、1343年に次男ホーコンをノルウェー王にし、全国法と都市法の編纂を命じ、妹のエウフェーミアを北ドイツ最強のメクレンブルク公、大アルブレヒトに嫁がせ、またノヴゴロドへの十字軍遠征を企てた人物であった。

14世紀前半のバルト海には、スコーネ沖・カルマル海峡・ゴットランド島と三つの重要地点があり、ボスニア・フィンランド海域を含め、これをスウェーデン王権は統制下に置いていた。ただし、この東西貿易の出入り口であるウーアソン（ウーレスンド）海峡および大小ベルト海峡はデンマーク領土内にあり、デンマーク王権が掌握していた。しかし、1350年代にはいると、黒死病の蔓延などもあり、マグヌス王とその王朝の勢力が弱まり、スコーネ州とゴットランド島を中心にバルト海貿易の支配をめぐってスウェーデンとデンマークが鎬を削り、その状況にハンザが参入するという形になる。14世紀末の環バルト海世界は不穏な時期を迎えており、北ドイツ勢力の、特にメクレンブルク人のバルト海進出を阻止したのが平和調停者としての役割を担ったマルグレーテであり、カルマル連合の成立ということになる。

マルグレーテの父、ヴァルデマ再興王は、1360年にスコーネ諸州を、1361年にゴットランド島を征服するが、1370年にハンザに特権を保証するシュトラールズントの和議によってスコーネ沖の鰊漁の利権を取り逃がしたものの、南ユランを除くデンマーク王国領を「再興」させて、1375年に他界している。マルグレーテには実の兄と姉がいた。兄クリストファーは1363年に父よりも早く他界しており、再興王とメクレンブルク公・大アルブレヒトとの駆け引きから、姉インゲボーは、大アルブレヒトと前述のエウフェーミアとの長男ハインリヒ3世公に嫁いでいた。スウェーデン王には、大アルブレヒトとエウフェーミアの次男の小アルブレヒトがスウェーデン王になり（1364年）、成り行き次第ではデンマーク王位もメクレンブルク家の手に落ちる可能性があった。マルグレーテの姉インゲボーは再興王の死より先の1372年に他界し、再興王の死後ただちにデンマーク王国参議会（王国国務院ともいう）に取り入ったマルグレーテは、メクレンブルク家の介入の前に、5歳の息子オーロフをデンマーク王に就けることに成功した。夫ノルウェー王ホーコンが1380年に死去し、息子オーロフ（ノルウェー王としてはオーラヴ4世）はデンマーク、ノルウェーの両王位に就き、その後見人（摂政）としてマルグレーテは両国に影響力を持ったが、オーロフは17歳で1387年に夭逝（ようせい）してしまう。そこで、デンマークでは、マルグレーテが女性の王位継承の前例がなかったことから、「全権をもった主婦にして正当な家長にして全デンマーク王国の後見人」として権力の座につき、しかも、小アルブレヒトから権力奪回を企てるスウェーデンの有力貴族からも「全権をもった主婦にして正当な家長」に承認された。マルグレーテは、1388年のダーラボリ条約がカルマル連合の発端である。この1364年以来のメクレンブルクのスウェーデン支配とハンザの北欧支配を打破し、しかもデンマークも南からメクレンブルク家に攻撃される恐れがあるため、「連合」を構想したわけで、それはドイツ人の北への拡張を抑えるための政治経済上の構築物であった。結局、小アルブレヒトは拘禁されたが、メクレンブルク人はバルト海で猖獗（しょうけつ）を極める「食糧兄弟団（ヴィタリエンブリューダー）」を通じてストックホルムからもメクレンブルクからもマルグレーテと戦い続けた。

カルマル城［筆者撮影］

夫も子も失ったマルグレーテは、亡き姉インゲボーの娘、マリーアとポンメルン公ヴァルティスラフ七世の子どもたちであるエーリックとカタリーナの養母となり、このエーリックを三王国の王に選ばれるように押し通した。戴冠式はカルマルで1397年6月17日に行われた。エーリックの本名はボギスラフであったが、マルグレーテの勧めで北欧人に馴染みのあるエーリックと改名、「ポンメルンのエーリック」と呼ばれた。連合の原則は、唯一王による支配（ただし選挙により、第一に王の息子が選ばれるべし）と、戦争協力（北欧内平和）である。エーリック（デンマーク語音、イーレク）は、マルグレーテの王権強化策を踏襲し、バルト海支配を企て、ウーアソン海峡通行税を導入した。三王国の王国参議会の行動は抑制されたが、1430年代のスウェーデンの全国蜂起であるエンゲルブレクトの乱の後、エーリック王は三王位から放逐され、ゴットランド島を根拠とする海賊行為で再起を図るも1459年に死去した。連合は、「バイエルンのクリストファー」王（エーリック王の妹カタリーナの息子）の下で生き残るが、1448年にクリストファー王が逝去（せいきょ）し、カール・クニュートソン王の下のスウェーデンと、デンマーク・ノルウェー王となったオレンボー家クリスチャン1世支配下のデンマーク・ノルウェーとに二分された。以後スウェーデンにおいては独自に王国代表か王が立ち、北欧共通の連合王を戴いたのは、1457〜1464年（クリスチャン1世）、1497〜1501年（クリスチャン1世の息子のハンス王）、1520〜1521年（ハンス王の息子のクリスチャン2世）だけであった。

三度スウェーデン王になったカール・クニュートソンの死後（1470年）、カールの義妹の息子にあたる大ステーン・ステューレが王国代表となり、スウェーデンはブルンケバリの戦いの勝利（1471年）によってカルマル連合の外に出た。1481年、クリスチャン1世を後継したハンス王が、ウップサーラ大司教を中心とするスウェーデン王国参議会内の親連合派の助けを借りて権力を掌握するも、1501年、不平分子の反乱によって連合は分裂、大ステーン・ステューレが権力を奪回したが、続く20年はデンマーク・スウェーデン間では戦争の連続となった。小ステーン・ステューレが、父のスヴァンテ・ニルソンを後継して王国代表になり（1512年）、クリスチャン2世がデンマーク・ノルウェー王（1513年）になってからは対立が激化、後者が1520年に勝利を収め、スウェーデン王国参議会によってスウェーデン王に承認される。ところが、クリスチャン2世は戴冠式直後に「ストックホルムの血浴」で約百名のスウェーデン貴族や市民を処刑した。その中に父を含む親類がいたグスタヴ・ヴァーサは、ダーラナ農民を反連合運動に組織し、デンマークに対し致命的打撃を与えた。永久平和を目指した北欧内の連合構想も、デンマークの利害にもとづく王権強化に終始したため、グスタヴ・ヴァーサのスウェーデン王への選出（1523年）、スウェーデンの連合離脱、さらには新王朝の創設を招き、両国は別々の主権国家創設の試みへと移行していった。

（根本　聡）

16

北方のルネサンス

★オラーウス・マグヌスの著述活動★

14世紀以降、イタリアを起点としてギリシア・ローマ時代の知の復興運動が始まった。ルネサンスである。その知的運動はデンマークやスウェーデンにも到達し、地中海の先進的な知識や独特の感性をもたらす一方、そのような「最新の流行」に対抗するかのように、ヨーロッパ各地で古典古代は異なる、民族としての過去を探求する動きも盛んになった。とりわけ15世紀末頃より、スウェーデン人は、ゲルマン人の一派であるゴート人の子孫であり、他のヨーロッパ人とは異なる過去を持つという認識を持ち始めた。そのようなゴート人の痕跡を歴史や遺物の中に見出そうとする動きは、ゴート・ルネサンスと呼ばれた。そうした動きの中心にいたのがヨハンネス・マグヌス（１４８８～１５４４）とオラーウス・マグヌス（１４９０～１５５５）の兄弟である。

スウェーデンの貴族家門に生まれた兄弟は、兄のヨハンネスはウップサーラ大司教、弟のオラーウスはストレングネス大助祭という、スウェーデンの教会組織では最高と言ってもよい地位を得ることに成功した。しかし、１５２１年のグスタヴ・ヴァーサ（１４９６～１５６０）によるルター派への改宗によ

海図（Carta Marina, 1539）
出典：Olaus Magnus, Public domain, via Wikimedia Commons

り、兄弟の運命は大きく変貌した。ルター派の聖職者によってカトリックが駆逐され、国内の信仰地図が塗り替えられつつある中、両名とも、ローマへの亡命を余儀なくされた。彼らは、ローマ教皇からは叙任されるものの、スウェーデンにとどまることのできない名目上の司教となった。

聖職者としての活動が限定される中、兄弟は、ローマ教皇のお膝元で、多くのヨーロッパ人には知られてないスウェーデンや北欧の情報を伝える作業に従事した。ヨハンネスは、スウェーデンの太古以来の歴史を、ユートランド周辺に広がるゴート人（ユート人）とウップランドを拠点とするスヴェーア人という二つの民族集団の動きに基づき記述した『ゴート人とスヴェーア人の諸王の歴史』（*Historia de omnibus Gothorum Sueonumque regibus*）を執筆した。他方で１５４４年に死去した兄を継いでウップサーラ司教（名義上）となったオラーウスは、１５３９年には北欧全体の地理を描いた「海図」（Carta marina）とよばれる地図を作製した。「海図」は、北欧全体を俯瞰した世界初の地図であった。その後１５５５年には、図版入りで北方世界の習俗を概観する『北方民族文化誌』（*Historia de Gentibus Septentrionalibus*）を刊行

表1

巻数	
1巻	北欧の風習、自然、軍事
2巻	北方の驚くべき自然
3巻	北方の人々の迷信と悪魔崇拝
4巻	森の異教徒およびその隣人の戦いと習俗
5巻	巨人
6巻	鉱山と金属
7巻	武器、戦争の習慣、原因、戦闘の用心
8巻	支配者の身分と官吏と軍制
9巻	野戦
10巻	海戦
11巻	氷上の戦い
12巻	北方の建築
13巻	農業と人の生活
14巻	北方の人々のさまざまな状態
15巻	さまざまな人間の訓練
16巻	教会の規則
17巻	家畜
18巻	野生の動物
19巻	鳥
20巻	魚
21巻	怪魚
22巻	昆虫

した。この三つの刊行物は、ヨーロッパにおける北欧に対する認識において大きな役割をはたした。「海図」という地図による空間的認識、『諸王の歴史』という歴史書による時間的認識、『文化史』という習俗習性による文化的認識という三つのレベルで北欧人とりわけスウェーデン人を把握し、かつその理解を、活版印刷術による印刷と各国語への翻訳を通じて、ひろくヨーロッパに認知させたからである。兄弟の作品が刊行されて以降、ヨーロッパの知的世界における北欧記述は、これら三つの作品をベースに記述されることが多くなった。古典古代のルネサンスという普遍的価値の復興の動きに対抗して、スウェーデンという特定地域や民族の過去を甦らせるというゴート・ルネサンスは、マグヌス兄弟によって基礎付けられた。以上の作品はそれぞれに興味深く紹介に値するが、ここでは邦訳もある『北方民族文化誌』をもう少し詳しく見ておきたい。

『北方民族文化誌』は、ラテン語で全22巻からなる大部の北欧民族誌であり、古代ローマのプリーニウス『博物誌』以来の伝統を持つ百科事典でもあった。本書は、教皇パウルス3世の命を受け、オラーウスがトリエント公会議に出席した際に出会ったケルン大司教シャウエンブルクのアードルフ3

世からの依頼で執筆されている。選帝侯でもあり、神聖ローマ皇帝の側近でもあったアードルフは、未知の世界に対する単なる好奇心だけではなく、ルター派が大きな勢いを持ちつつあった北欧の状況について詳細に知る必要があった。それに応えたのが本書である以上、私たちは、『文化誌』を、単なる民俗誌的記録ととらえることはできない。

『文化誌』各巻のタイトルは表1の通りである。伝統にしたがって、北欧というヨーロッパ人のほとんど知らない地域における自然や信仰についての記述にページが割り当てられる中、従来の百科事典と大きく異なるのは、軍事に関する項目が目立つことである。これは、アードルフから求められていたことを考えれば、当然のこととも言える。とりわけ9巻「野戦」、10巻「海戦」、11巻「氷上の戦い」においてオラーウスは、アイスランドからスウェーデンにかけて起こった様々な戦いにおける戦術を、事細かに記録している。三十年戦争という、ルター派のスウェーデン王とカトリックの神聖ローマ皇帝の来るべき戦いをオラーウスが予見していたわけではないだろうが、結果として彼は、それまではほとんど知られていなかった北欧の軍事機密を、カトリック世界に知らしめたとすら言えるかもしれない。

ボートを運ぶ戦士を描いた『北方民族文化誌』の挿絵
出典：Olaus Magnus, Public domain, via Wikimedia Commons

執筆の意図はどうあれ、本書が北欧の過去を掘り起こすゴート・ルネサンスの中核の一つとして機能したことは疑いない。たとえば、第1書36節には「ゴート人のアルファベット」としてルーン文字が紹介されている。それはギリシアの女神カルメンタがローマ人にアルファベットを教えるより以前、「北方の国々に巨人が住んでいた太古の時代」にすでに持っていた文字がルーン文字であるという理解を示す。キリスト教世界における歴史書は、通例、聖書の延長線上に自らの歴史を位置付けるが、ここでは、「北方の国々に巨人が住んでいた太古の時代」という、聖書的歴史観とは別の歴史と北欧の歴史を結びつけている。その証拠として、「古い墓や洞窟のそばに途方もない大きな岩が立って」いることを挙げており、その岩にゴート人は「事績を刻み、永遠の記念に残している」と読者に伝えている。この「途方もない大きな岩」こそが、本書第13章で紹介したルーン石碑である。扉絵にはゴート文字とされたルーン文字とラテン・アルファベットとの対応一覧が記されており、すでに、ルーン石碑の内容の解読が進められていたことが窺(うかが)われる。

その後スウェーデンでは、自民族意識がより高まり、スウェーデン全土のルーン碑文を収集させたヨーハン・ビューレ（1568～1652）によるルーン文字研究や、スウェーデンを最古の国家アトランティスとする『アトランティカ』を執筆したオーロヴ・リュードベック（1630～1702）の歴史研究へとつながった。こうした流れの一つの頂点は、博物学者カール・フォン・リネー（1707～78）やその弟子たちによる、自然世界の探究である。彼らは神が創り上げた秩序である自然の体系を明らかにするために、スウェーデン国内はもとより、日本をはじめとする海外へと調査を進め、数多くの文献を残し、植物や動物の分類を体系化した。こうした数百年にわたるスウェーデンの知的運動は、オラーウスらの著作が基礎になっていることを思い起こさねばならない。

（小澤　実）

17

近世スウェーデンにおける漁業・水産業の歴史

★「大鰊漁」の時代★

今日のスウェーデンは東にバルト海、西には北海へ接続するカッテガット海峡域に面している。「内海」であるバルト海と「外海」に接続するカッテガット海峡域では棲息している魚種が異なっており、近世スウェーデンにおける漁業政策の観点からみれば「統御」された東部と「自由」な西部という方針の違いが明確にあった。

元々、スウェーデン漁業は幼稚産業であり、デンマーク、ノルウェー、ならびにヨーロッパ屈指の漁業国であるオランダから鰊(にしん)や鱈(たら)を輸入していた。このような状況の変わり目となったのは、17世紀半ばに現在のスウェーデン西部から南部にかけての土地がデンマークから割譲された出来事にあった。この割譲によって、古くからの好漁場であり現在のスウェーデン南端に位置するスコーネ地方、18世紀後半に鰊の魚群が大挙したハッランド、ボーヒュースレーン、ブレーキンゲといった現在のスウェーデン西部に位置する地域を支配することになった。そして、1660年から1680年にはスコーネ地方に鰊の魚群が大挙したこともあり、漁業奨励を行う機運が徐々に醸成され法整備が進められていった。

ただし、近海で豊富な水産資源が確認されても、漁業に関するノウハウや資本などが不十分だった17世紀後半のスウェーデンが、漁業国へと急成長を果たすことは困難であった。スウェーデンが急成長を遂げるようになるのは、水産業の参入を奨励する政策が本格的に行われ、かつ大量の鰊がスウェーデン西岸に到来（1747~1809）する18世紀半ば以降になってからのことであった。図1で示されるように、塩漬け鰊は1758年以降に輸入品から輸出品へと変化しており、18世紀後半を通じてスウェーデンの鰊漁は「大鰊漁」と呼ばれうるほどの急成長を遂げることとなった。鰊が到来したとされる1747年頃から輸出が確認されるまでに約10年の空白期間があるが、まさにこの期間がスウェーデン水産業における「助走期間」であった。

鰊を大量に漁獲できるようになったスウェーデンであったが、塩漬け鰊の生産量の増加とともに保存料である塩の安定輸入問題が再浮上することとなった。スウェーデンでは南欧のような塩田を展開する際に必須となる日照条件を持ち合わせておらず、かつ閉鎖性海域であるバルト海は淡水化しやすいという特徴をもっていたため、海水から塩を生産することは著しく困難であった。また、国内に岩塩鉱がなかったこともあり、塩を自給することができず、外国産塩の輸入に依存せざるを得ない状況が続いていた。

したがって、塩の安定供給はスウェーデンにとっての政策課題であり続けた。16世紀以降、スウェーデンはポルトガルやフランスで生産された海水塩を輸入していたが、その輸送を担っていたのは海運国であったオランダであった。また、その塩を輸入するためには北海とバルト海の結節点にあり、デンマークが領有していたウーレスンド／ウーアソン海峡を通行する必要があった。ただし同海

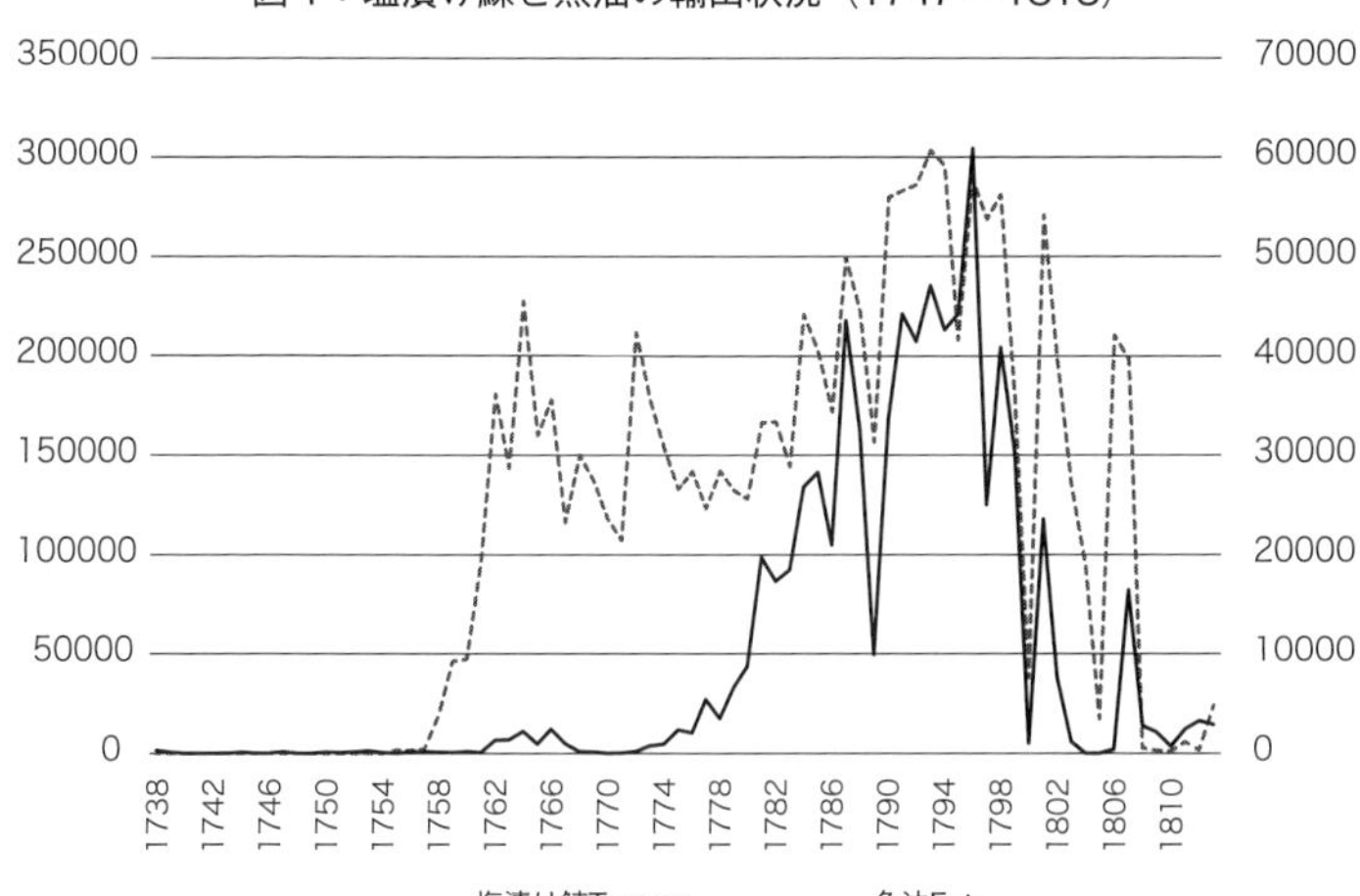

1トゥンナ (tunna)=125.6 リッター、1ファート (fat)=157 リッター。
出典：スウェーデン中央統計局より筆者作成。

峡は平時に海峡通行税を、戦時の際には海峡封鎖が行われたために、スウェーデン経済にとって障害となっていた。このような状況に対して、スウェーデンは安定的な塩供給を行うために、17世紀以降には海運業の奨励施策、ならびに1724年に発布された「スウェーデン航海法」によって、スウェーデンの外国貿易に外国船が関与することを排除し、自国船の利用を推進する政策が行われた。

18世紀半ばからスウェーデンが漁業国へと成長を遂げる中で、この塩輸入問題は新たな政策上の課題として理解されていった。すなわち、鰊加工用塩の需要急増によって国内の塩不足や塩価格の高騰といった懸念を惹起させたのである。1750年代後半には塩の供給制限が行われた時期もあり、安定的に塩を供給するための法整備も進められていった。このような状況にありながらも、スウェーデン西岸で漁獲された塩漬け鰊は18世紀後半においてバルト海商業圏の水産物市場において支配的な地位を獲得していった。なお、鰊漁と塩供給不足の関係を考える上でもう一つの重要な点は、鰊の漁獲量が増加する中で鰊が全て食用として加工されたわけではなく、魚油の原料として用いられた点にある。漁獲量の増加に応じて塩消費量が増えることは結果的に国内全体に流通する塩の不足や価格高騰を招く可能性があったが、魚油生産の増加に伴って水産加工用塩の需要増加は一定程度に抑制されたとされている。

塩漬け鰊とともに重要な輸出品となった魚油は燃料油以外に、石鹸等の原料として用いられていた。鰊を用いる以前では、アザラシなどの海獣や鱈から油を抽出していたが、18世紀後半には大量に漁獲された鰊が主な原料となった。魚油の生産は、鍋を用いて行われる。沸騰した熱湯が張られた大鍋に鰊をいれて茹で続けると身がほぐれるとともに魚油が浮き上がってくるため、それを掬い取って専用の樽に充填した後に出荷された。なお、この工程の中で魚油以外の夾雑物が鍋底や樽底に堆積するが、それは回収されて海に投棄された。

悪臭を放ち、廃棄物を海洋投棄し続ける魚油製油所が本格的に操業していくにつれて、漁業者は周辺海域の環境悪化を危惧するようになった。そのため、魚油廃棄物の排出を規制するための法整備が行われたが、規制の実効性は地域ごとで様々であった。さらに、製油業者の中には投棄規制不要論を主張するために調査を行い、その結果を政府に提出した事例なども確認されている。魚油廃棄物の投棄問題は、海の「環境問題」として漁業者と製油業者の対立を生む事態となった。このような状況下、１７９０年代から不漁に見舞われる年が出始め、１８１０年以降には鰊の到来が確認できなくなったため、同地における水産業は衰退の一途を辿ることになった。そして、この魚群消失の原因と見なされたのが、魚油廃棄物投棄による海洋汚染であった。しかしながら、近年の研究によって魚群が消失した原因は気候変動に伴う海水温変化によるものだったという見解も確認されている。

スウェーデン近海では、鰊の魚群が100年周期で到来・消失を繰り返していたことが明らかとなっている。このような資源変動の一因とされているのが、北大西洋振動という大気の変動現象である。北大西洋振動とは、アイスランド低気圧とアゾレス高気圧がともに強まる（もしくは弱まる）現象である。この現象によって、ヨーロッパに流れ込む偏西風の強さが変わるため、それによって暖冬になるか厳冬になるかが決まり、海水温にも影響をもたらす。海水温の変化に伴って、鰊や鰯（いわし）が回遊する場所を変えるため、北大西洋振動とこれらの魚種の資源変動の間に関係があるという主張が20世紀後半から出現した。

環境史研究の進展に伴い、水産資源変動や魚油廃棄物の問題が漁業やスウェーデン経済や社会にどのような影響を与えたのかという問題について、考古学や気候学の知見などを積極的に摂取しながら研究が進められている。また、持続可能な水産資源利用といった今日的課題を相対化する上でも、漁業史研究の成果は重要な意義を持っているといえよう。

（齊藤豪大）

18

ホルシュタイン=ゴットルプ家を考える

★バルト海世界における防衛の要★

16世紀に始まるホルシュタイン＝ゴットルプ家は、デンマーク礫岩国家内のスリースヴィ公爵領と、ホルスティーン（高地ドイツ語ではホルシュタイン）公爵領の双方に領地を持っていた一門である。デンマーク王家オレンボー家の傍流で、ゴトープ（スウェーデン語ではゴットルプ）の名はその居城であったデンマーク語発音ゴトープ城に由来する。18〜19世紀にはその家名を名乗る4人のスウェーデン王（アードルフ・フレードリック、グスタヴ3世、グスタヴ4世、カール13世）と1人のロシア皇帝（ピョートル3世）を輩出しており、その意味でスウェーデンとの関わりが深い。しかしスウェーデンにとってデンマーク礫岩国家内にあったゴトープ家は、外交の面においてこそ重要な意味を持っていたように思われる。ここでは近世の動きをたどりつつ、スウェーデンにとってのゴトープ家およびその領地の意味を考えたい。

中世以来、アイダ川を境として北側のスリースヴィはデンマークの、南のホルスティーンは神聖ローマ帝国の一部でもあった。同時にそれらの地は、1460年にデンマーク王クリスチャン1世によって「永遠に不分離」のものとされており、そこではデンマーク王とゴトープ公、そして王家傍系の他の公爵家、それぞれが支配する領地が複雑に入り組んでいた。

１６２５年、デンマーク王クリスチャン４世は三十年戦争に参戦したが神聖ローマ皇帝軍に敗れ、ユラン半島各地が蹂躙（じゅうりん）された。ゴトープ公フリードリヒ３世は、自領が荒らされるのを避けるため皇帝軍と独自に和平を結んで戦争に関与しないことを約し、さらにデンマーク王家とは距離を置くようになった。公はその後スウェーデンに接近し、１６５４年にはゴトープ家のヘドヴィーク・エレオノーラとスウェーデン王カール10世グスタヴが結婚している。

スウェーデンにとっては、長年の宿敵デンマークに対する牽制（けんせい）として、ゴトープ家とのつながりが重要な意味を持つようになった。三十年戦争が終わりヴェストファーレン条約（１６４８年）によってユラン半島付け根の両端にあたる北ドイツ地方をスウェーデンが獲得すると、その間に位置するスリースヴィとホルスティーンは外交上きわめて重要な存在となった。とくに北方戦争（１６５５～６０）の時には、カール10世がゴトープ領を経て凍った海上を島伝いに進軍し、コペンハーゲンを衝（つ）くことに成功している。そして戦後には、デンマーク国家の一部でありながらもゴトープ公の領地に完全な主権が確認された。かくしてゴトープ公にとっても、支配地を蚕食（さんしょく）しようとするデンマーク王に対する牽制として、スウェーデンとの結びつきが重要となった。

しかしスコーネ戦争（１６７５～７９）の時にはデンマークがゴトープ領を占領、ゴトープ公クリスチャン・アルブレヒトはハンブルクへと亡命した。フランスの「統合政策」に影響されていたデンマーク王クリスチャン５世はさらに１６８４年にスリースヴィ全土を占領、次いでハンブルクをも包囲してデンマークの宗主権を認めさせようとした。スウェーデン王カール11世はこの事態に不満の意をあらわにし、軍を動かす意思を示すとともに、スウェーデン王国と北ドイツの属領をデンマークに攻撃させないためにゴトープ公の領地の保全が必要であることを訴えた。ドイツ皇帝の呼びかけにより関係各国間で交渉が行われた結果、ゴトープ公はデンマーク王領との境界付近に要塞を建設しないことと外国軍を自領に引き入れないことを約し、一方デンマーク王も公によるその領地での主権をあらためて確認した（アルトーナ条約、１６８９年）。

ほどなくしてゴトープ公は、アルトーナ条約に反して要塞を建設し始めた。デンマーク軍は公領に侵入して要塞を破壊した。両者の関係が冷え込むなか、新たにゴトープ公となったフリードリヒ４世はデンマーク礫岩国家から離脱する姿勢を鮮明にする。スウェーデンの新王カール12世もこれに同調し、要塞再建を支援した。ちょうどその頃デンマークからスウェーデンに対し、カールの姉ヘドヴィーグ・ソフィーアを王子の后として迎えたいという申し出があった。しかしカールはこれを拒否、ヘドヴィーグはゴトープ公フリードリヒ４世と結婚した。さらにフリードリヒは北ドイツ内のスウェーデン軍の総司令官に任ぜられている。くわえてカール12世は、デンマーク王とゴトープ公が戦う場合は公を支援することを約し、ゴトープ公領に歩兵２４００人を派遣している。１７００年、カール12世とロシア・デンマーク・ポーランドが対峙した大北方戦争が勃発し、デンマークがゴトープ領地に侵入すると、スウェーデンはすぐさま軍を送ってデンマークを下し、トラヴェンタール条約が結ばれた。その結果、ゴトープ公はデンマーク礫岩国家内の自領地で無条件に主権を有すること、礫岩国家内における公とデンマーク王との関係は公の主権に反するものではないこと、公は軍を維持し要塞を建設する権利を有すること、ただし6000人以上の外国軍隊を駐屯させてはならないこと、公はデンマークから26万リックスダーレルの賠償金を得ることが定められた。

このタイミングこそが、ゴトープ公がデンマーク国家から独立する最後の機会だったかもしれない。しかし1702年、スウェーデン軍とともにポーランドで戦っていたフリードリヒ4世が戦死した。公位を継いだカール・フリードリヒはまだ2歳であり、戦局もその後悪化していった。最終的にスリースヴィ公爵領内にあったゴトープ公領は失われ、ホルスティーン内のキール周辺だけを残してデンマーク王の支配地に併合された。スウェーデン王カール12世も戦場で亡くなり、1721年のニースタード条約をもってスウェーデン側が敗北、北ドイツのスウェーデン領も縮小した。カール12世亡き後はゴトープ公（ホルシュタイン＝ゴットルプ公）カール・フリードリヒを次のスウェーデン王に推す動きもあったが、それは叶わなかった。カール10世の后ヘドヴィーグも、ゴトープ公の母でカール12世の姉ヘドヴィーグ・ソフィーアも大北方戦争の間に亡くなっており、2人が国政にあまり影響力を持たなかったこともあって、スウェーデンとゴトープ家領との縁は弱まったと言える。

デンマーク・スリースヴィ国家内に所領を持たなくなったホルシュタイン＝ゴットルプ家が次に活路を求めたのがロシアだった。ホルシュタイン＝ゴットルプ公カール・フリードリヒはピョートル大帝の娘アンナと結婚し、アンナは早世したがその妹エリザヴェータもホルシュタイン＝ゴットルプ家出身のカール・アウグストと婚約している（まもなくカールは病死）。エリザヴェータは1741年にロシア皇帝となり、その肝いりでカール・フリードリヒとアンナの子ペーター・ウルリッヒがロシア帝位継承者となった（後のピョートル3世）。同時に彼はスウェーデン王位継承権を放棄しており、カール・アウグストの弟アードルフ・フレードリックが1751年にスウェーデン王となっている。ピョートル3世は、ロシアによるデンマーク攻撃を画策したが、后であるエカチェリーナ（のちの女帝エカチェリーナ2世）が主導するクーデタによって逮捕・殺害された。その後、エカチェリーナとデンマーク王クリスチャン7世の間で「永世同盟」が結ばれ（ツァールスコエ・セロー条約、1773年）、ホルシュタイン＝ゴットルプ領地問題はようやく解決を見た。ホルスティーン内のキール周辺にあったホルシュタイン＝ゴットルプ家領地が、オルデンブルク伯家との領地交換によって、デンマーク礫岩国家内から消滅したのである。

なおスウェーデンではナポレオン戦争後の1818年、今も続くバーナドット王朝が誕生し、ホルシュタイン＝ゴットルプ王朝が終わっている。

以上概観したように、デンマーク国家の南部に位置したゴトープ家領は、スウェーデンにとって王国および神聖ローマ帝国内のスウェーデン領を防衛するための要であったが、18世紀になるとその役割を果たすことはなくなった。また前述のアードルフ・フレードリックのように、ホルシュタイン＝ゴットルプ家の者がロシアの影響のもとスウェーデン王位に就くことも確かにあった。しかし時代の推移とともに、王朝名の由来となったホルスティーンに存在したホルシュタイン＝ゴットルプ公家が、スウェーデンにとって特別な意味を持つことはなくなっていったと言ってよいだろう。

（入江幸二）

19

スウェーデン農民論

★四身分制議会における農民身分の意義★

スウェーデンでは農民のことをボンデ bonde というが、原義は、住む（自分の家族経営をもつ）という意味のボーア boa の現在分詞で、現代語ボー bo の派生語ある。この対概念が、フレルセ frälse（自由な fri 首 hals をもつという意）で、元来は奴隷に対する自由人を意味したが、1280年王令で、騎士役を果たすことができるほど富裕なボンデは、王室へ払う税を免除される免税特権（フレルセ）を得た。したがって、その後のスウェーデン社会は、聖職者身分と市民身分を除けば、王権に税を払う担税地農民と免税特権者に大別される。グスタヴ・ヴァーサ（在位1523～60）によるカルマル連合からの離脱と新国家建設以降、前者は農民身分、後者は貴族身分となって王国の全農場を分け合うことになる。ヴァーサ王による宗教改革で約25％の教会領は王室に編入されたので、16世紀半ばの段階で、フィンランドを除くスウェーデン王国の全農場の約47％が担税地農場、王室の農場が約30％、免税特権者の農場が約23％であったと推定されている。ボンデは、穀物栽培や牧畜だけでなく、地域の自然環境に応じて狩猟・漁業・森林業・鉱業等のありとあらゆる生業を選択して営む者であり、土地の世襲相続権を所有する人間である。なお、他人の土地を利用する借地農もいたが、領主に地代を払い、日賦役を果たせば、担税地農民と同様の土地利用権があり、体僕制はなかった。自由な農民社会ということでは、ヨーロッパの山間部にも存在したが、王国全体の半数近くの農民が担税地農民であり、つまり王国全体が自由農民の集合体であったというのは世界に類例がない。ちなみに、1571年のスウェーデン本土の人口は約60～65万人（フィンランドには推定約30万人）であった。

元来、農民共同体内には固有の司法組織があり、州レベルの集会でも農民が参加・発言する場があり、さらに『全国法』には、人民の故郷防衛義務という古い時代からの慣行が規定されていた。14世紀初めの頃に、農民などの一般民衆が新たな王を承認する「王の選挙」に参加したことが認められ、中世後期においても王国代表が広範な政治支援を得るために、農民軍や市の民（いちのたみ）に訴えることがよく見られた。これが、議会の起源であり、そのような集会の交渉の延長線上に、納税や徴兵を拒否する抗議運動に発展するケースも出てきた。日本史で言う刀狩りが行われるどころか、武装自衛こそがスウェーデン農民のよってたつところであった。1430年代のエンゲルブレクトの乱や1542～43年のダッケの反目などの大規模蜂起は、上局への武装抗議の好例である。したがって、農民集団の軍事力は、スウェーデン農民の政治的影響力の基礎を形づくり、農民身分を加えた四身分制議会（王国議会 Riksdag）の形成と、グスタヴ・ヴァーサによる新国家形成に多大な寄与をなしたものとして注目される。

もう一つ無視できない農民の範疇（はんちゅう）が、鉱山民（バリスマン）である。スウェーデンは「鉄を産む国」と古来呼ばれたほど、大鉱山地帯バリスラーゲンを中央部に抱える良質の鉄産地であった。銀も銅も産出し、製鉄業とともに冶金業は国力に大きく貢献した。彼らは鉱坑の取り分を所有し、免税特権を享受し、鉱山フレルセとなる者もいた。例えば、１４３０年代の農民蜂起、エンゲルブレクトの乱の首謀者がそれで、この乱を契機に全国から諸身分の代表がアルボーガに招集された１４３５年の会議を、かつてはスウェーデン最初の王国議会とまで称揚される程であった。デンマークのカルマル連合王によるスウェーデン王位の請求と侵略に反発したカール・クニュートソン（スウェーデン王に三度なる）や大ステーン・ステューレ（王国代表を務め、１４７１年のブルンケバリの戦いでデンマーク王クリスチャン1世を敗走させた）といったスウェーデンの指導者は、傭兵より安上がりな農民呼集軍を大いに利用した。非常事態のための農民呼集の慣行による祖国防衛軍の組織や、森林における弩や木の積上による待ち伏せ攻撃などの戦術、狩猟採集のための農民社会の道具や武器製造の様子は、オラーウス・マグヌスの『北方民族文化誌』（１５５５年刊）に見事に描かれている。

ブローテ bråte という木の積上によって重装騎兵の侵入を防ぐ農民呼集兵。
出典：オラーウス・マグヌス『北方民族文化誌（上巻）』（谷口幸男訳、溪水社）の、第七巻第十二章「森の戦い」、371 頁より。

スウェーデンにおいて、三身分制ではなく四身分制（貴族・聖職者・市民・農民）議会が成立した要因として、こうした強力な武装農民による反乱・反抗に対する王室側の警戒と国の根幹たる税収の確保という問題があったと考えられる。四身分制議会の起源について、前述の通り１４３５年に開かれたアルボーガでの会議とする説もあるが、現在では農民身分代表の参加が明確に確認される１５２７年の宗教改革を決定したヴェステルオース議会を最初のものとする見解が有力となっている。もっとも、王国議会が四身分制で構成されることが法的に規定されるのは、１６１７年の議会法の制定まで待たねばならない。また、王国議会が原則として3年に1回開催されることが明記されたのは、さらに約１００年後の１７２０年代前半（20年の政体法と23年の議会法）のことであった。

17世紀にはいって大規模な農民反乱が起きなくなった一因として、こうした王国議会への農民身分の参加を挙げることができる。すなわち、武力闘争よりも、身分制議会での王への請願・意見表明を通じた平和的な手段を選択するようになったのである。外交や国防をはじめとする様々な国政案件の決定に対して農民部会が与える影響力は限られたものであったが、一部の議案では農民身分の利益や意向を反映させることに成功した。例えば、17世紀半ばの段階で全国の農場の約65％を占めるまでに増大した貴族領を33％ほどに削減させた、１６８０年代の回収政策 Reduktion の決定過程において、農民部会が重要な役割を果たしたと考えられている。また、王国議会の権限が強化された「自由の時代」（１７１９〜１７７２）には、森林法や土地整理（エンクロージャー）法などの農林業関連の法案について、農民身分の意向に沿ったかたちでの修正や改正に成功している。なお、１７４３年にスウェーデンにおける最後の農民反乱であるダーラナの反乱が起きているが、これは当初の平和的なストックホルムへの抗議行進が騒乱に転化したもので、従来の農民反乱とは区別して考える必要がある。

16世紀のヴェステルオース議会に始まる四身分制での最後の開催となった１８６５〜６６年議会に

至るまで、農民部会には通常約100～200名の代表がいた。彼らは長い間有力者会議議員herredagsmanと呼ばれ、「国会」議員とは呼ばれていなかった。1634年の『政体書』で各郡häradが1名の議員を選ぶことになっていたが、複数の郡が1名の代表で同意することもあった。その選挙は、郡の裁判集会ting開催地で行われた。18世紀にはいって、当初は著しく制限されていた農民の投票権は強化され、次第に間接的な選挙方式が発展し、議員選出人が各教区から任命されるようになった。この議員選出人は、通常は担税地農民か王領地農民であった（免税地農民は、1723年の議会法で、それまで慣行で有していた農民身分の地位を失った）。農民議員の多くは富農であり、他の三身分や官職保有者の地主層との区別は必ずしも明確ではなかった。とはいえ、選挙区における農民層の意向を伝える義務を負っていたことから、王国議会での農民議員の発言は中農・小農層の意向も反映した内容となっていた。

スモーランド州グラードハンマル教区のパール・オルソンという名の1686年王国議会に参加した農民議員。
グリップスホルム城所蔵。

19世紀にはいると、農民部会はさらに幅広い事項を扱うようになり、その存在感が増すことになった。1840～50年代には自由主義的な傾向を強めた農民部会は、農村に負担がかかっていた税制・軍制の問題のほか、選挙権拡大や教育制度などについても改革志向の議論を展開した。また、1865～66年の最後の四身分制議会において、資産・所得による制限選挙に基づく二院制議会に移行する法案に対して農民部会は積極的に賛成している。ただし、同時代のデンマークやノルウェーにおいて農民政党が自由主義的な「左翼党」として右派と対峙したのとは対照的に、1867年にスウェーデンで新たに招集された下院で過半数を占めた農村者党 Lantmannapartiet は、富農層と地主層出身の議員を主体とした、自由主義的とは言い難い政党であった。その後、スウェーデンの農村者党は保護関税をめぐって一時分裂するが、1895年の再結成を経て、1904年には右派 Höger に合流した。

20世紀のスウェーデンにおける平等主義的な福祉国家建設の流れとの関連では、16世紀以来の身分制議会における農民の政治参加の歴史は、19世紀後半の下院における農民議員の保守化傾向を考慮すると、繋がらないのではないかという見解がある。その一方で、スウェーデンにおける四身分制議会という独特な政治文化とスウェーデンにおける民主政治や福祉国家の在り方との関連性・連続性を強調する見解も提起されている。これらの相反する見解をめぐり、今後も論争が続くと考えられる。

（根本　聡・佐藤睦朗）

20

「王のいる共和政」とスウェーデンにとっての「革命」

★スウェーデン語圏の語義と経験から振り返る★

スウェーデンには1000年以上続く王国としての歴史がある。「革命」により古来の国のかたちが絶たれ、その転換を経験したイギリスやフランスのような国々とは異なり、王国としての国のかたちを維持するスウェーデンには、一見すると「革命」の経験がないように見える。しかし、スウェーデン語で記された史料上の言葉を紐解けば、スウェーデン語で"revolution"と記された事件が複数回起きていたことを確認できる。一つは1789年にグスタヴ3世が主導した「王による革命」とでも呼ぶべき一連の変革、もう一つは1809年から翌10年にかけて王国議会を舞台に進められた一連の変革で、「1809年の革命」と呼ばれた事件である。

グスタヴ3世による「革命」では、貴族支配の拠点だった王国参事会（王国国務院）が廃されるとともに、特定身分への権力集中を監督するために最高裁判所が設置され、農民を含む諸身分への公職解放と不動産所有を含む財産権も認められた。「1809年の革命」では、王と議会が共同で立法権を有しながらも、予算の審議と決定権を議会にのみ認め、行政府は王ではなく法に責任を負い、その状況を裁判所が監督することで、立法権・行政権・司法権の分立が達成された。二つの「革命」は確かにそれまでの王国の仕組みに変更を求める企てだったが、王制や身分制が維持されるなど、政治・経済・社会の構造が根本から転換された訳ではない。それゆえ「市民革命」や「社会主義革命」のように政治・経済・社会の構造転換を念頭に置いた日本語での「革命」とは意味が異なる。これら二つの事件を表したスウェーデン語での「革命」の意味に迫るには、スウェーデン語圏で共有されていた「王のいる共和政」とでも呼ぶべき政治体制への理解が必要となる。

今日の日本における「共和政」の理解は、人民主権に基づく近代的な理解を前提に、選挙で選ばれた個人を元首としながら人民による民主主義的な統治が実現されている体制といったものだろう。こうした理解は今日のヨーロッパでも同じだが、近代以前には、「王のいる共和政」と呼ぶべき理解が一般的だった。歴史的に見れば「共和政」はラテン語で「共同のもの」を意味する"res publica"に語源があり、ある政治組織が特定の個人や集団の私利私欲のためではなく、全ての構成員に共通する利益を実現するために運営される体制とされ、こうした「共和政」を実現するならば王による統治も認められると考えられていたのである。

スウェーデンの場合、こうした理解は、バルト海世界で「礫岩のような国家」のまとまりが強化されるようになる16世紀以降に広がった。「バルト海帝国」に属する各地域に生きた人民の権利保証がスウェーデン王の責務とされ、君主主権を実現する新たな制度を錬成しながら王権が強化されたものの、この体制が王の「専制」を認めた訳ではない。17世紀に制定され今日に至るまで修正を重ねながら王国基本法のひとつとされる統治章典は、王への権力集中を防ぐ目的で行政府と立法府の権能が明言されている。それは特定の人間や集団への権力集中を「共和政」から逸脱した専制と批判しながら、王、貴族、人民が相互に権力の状態を監視する「混合政体」の考え方を制度化したものであり、その目標は「王のいる共和政」の実現にあったと言える。

スウェーデンの歴史には、1680年代から1710年代にスコーネ戦争の戦後処理や大北方戦争への対応などの非常事態を理由に、貴族と人民が王の独裁を認めることで絶対王政が実現された時期がある。「共和政」を実現する「混合政体」の見方に従えば、長らく大北方戦争を続け国を疲弊させたカール12世の絶対王政は、王が独裁権力を濫用（らんよう）した専制の例である。1720年代以降、専制のような「共和政」からの逸脱を防ぐ目的で、王、貴族、人民の間で権力の均衡を徹底する「自由の時代」が訪れた。それは「王のいる共和政」が実現が図られた時代である。1770年代まで続く「自由の時代」の末期には、王国参事会（王国国務院）などに集った貴族による権力行使の突出が王国議会に集った人民代表から専制として批判され、権力均衡を回復するまでの緊急対応として1772年にグスタヴ3世の独裁が認められた。1788年に起きた対ロシア戦争を機に貴族たちはグスタヴ王の独裁を専制と批判したが、王は貴族による専制の再来を防ぐ新たな「共和政」の仕組みを築き上げるべく、人民と協働して「1789年の革命」を導いた。

「王のいる共和政」を実現する「混合政体」のこうしたメカニズムを学んだ者たちが、後世に「1809年の男たち」と呼ばれることになった「1809年の革命」の立役者たちである。グスタヴ3世の暗殺、フランス革命戦争、ナポレオン戦争と続く非常事態のなかで認められたグスタヴ4世の独裁を専制と批判した彼らの多くは、若き日にウップサーラ大学でカント哲学を学んだ者たちだっ

「1809年の革命」の風刺画（L.A.F. アルムフェルト［1781–1844］作）。フランス、ロシアと戦おうとする中央のグスタヴ4世アードルフ［1778–1837］に対し、荷台の上の貴族、聖職者、市民、農民が従わない様子が描かれている。

た。啓蒙思想を代表するドイツの哲学者カントは、専制と対峙する「共和政」の定義のひとつを立法権と行政権の区別に求めた人物である。王の独裁を専制と批判した「1809年の男たち」が「革命」で実現した三権分立の仕組みは、18世紀の「自由の時代」に機能した「混合政体」のメカニズムを19世紀の観点から更新した結果である。その目標が王国に住む全ての人民に共通する利益を求める「共和政」の実現にあったことを思えば、歴史的なスウェーデン語における「革命」の意味は、「共和政」を逸脱した特定の人間や集団による権力の濫用を制しながら、王、貴族、人民の間で保たれる「共和政」を回復することだったと言えるだろう。

（古谷大輔）

21

バーナドット朝に至るスウェーデン君主制の来歴

★人民が選択する君主のあり方★

有史以来、王国という国のかたちを維持するスウェーデンにとって、君主制は国のかたちの要に位置する。王国は、王国の主と見なされた王の専有物ではない。スウェーデンの場合、王国の元来の意味は「スヴェーアの民」と「ユータの民」から王に選ばれた者の権能が認められた範囲のことである。近年のゲノム分析によれば、ヴァイキング時代に居住した者たちの出自は広くバルト海・北海の沿岸地域に跨（また）がることが明らかにされているため、「スヴェーアの民」や「ユータの民」とは文化的な特徴を共にする民族ではなく、生活の糧（かて）を共にしながら同じ場所に混住した集団と理解する必要があるが、そうした多様な出自の住民をつなぐアース信仰の宗教共同体の祭司として、あるいは遠隔地に生活の糧を求めたヴァイキング活動の指導者として王は選ばれていた。そうした王がやがて、スウェーデンがキリスト教王国に転じる過程で住民の権利を法として保証する者としての性格を強めていく。

　王国に住む「スヴェーアの民」や「ユータの民」は、地域や職業の違いに応じて個々に異なる生活のための条件を自らの権利として主張する一方、様々に異なる権利の要求を法として保証しながら、住民の生命と財産の保護を確約した者が「スヴェーアの民」と「ユータの民」の王として選ばれる。スウェーデンにおける君主制の原点にはこうした選挙王制の姿がある。その起源は不明だが、13世紀にはウップサーラの郊外にある「モーラの石」に集った者が王を選挙し、そこで選挙された王は「聖エーリックの道」と呼ばれた道筋に従って王国各地を巡幸、各地方の民会から王位の承認を得る仕組みが整えられ、14世紀半ばに成文化された国法で選挙王制を王国の基本的な仕組みとすることが謳（うた）われた。

16世紀以降、住民の権利を法として強化する王の権能が及ぶ範囲はバルト海周辺に広がり、王はバルト海域の住民を指す「ヴェンドの民」の王を称号に加えながら、礫岩のような「バルト海帝国」が築かれていく。この時期には、バルト海沿岸の住民を保護する名目で君主主権の強化が図られた。王権への有力者の介入を排すべく、王位継承もヴァーサ家の男系相続者に限定されるようになった。それは世襲王制への転換に見えるが、即位の際にはルター派の信仰や各地の法の遵守（じゅんしゅ）などの誓約が求められてもいた。これは住民が王を選ぶという伝統を引き継ぐと同時に、「共和政」を実現する「混合政体」の考え方に従って人民により王の統治が監督される姿を反映したものだった。ヴァーサ家直系の王位は17世紀半ばのクリスティーナで断絶したものの、婚姻関係を通じてその血統を継ぐ者が国外から招かれ、即位誓約を条件に王となった。王国の主である王は選挙王制と世襲王制のハイブリッドとして選ばれていた。

このような経緯を踏まえつつ、１８１０年にフランスから軍人ジャン・バティスト・ベルナドットが王位継承者として招かれ、１８１８年にカール14世ヨーハンとして即位して今日にまで続くバーナドット朝が開かれた。「1809年の革命」で即位した老齢のカール13世の後継には、当初アウグステンボー家のクリスチャン・アウグストがデンマークから招かれることが決まっていた。しかし彼の急死に伴い王国議会はベルナドットを王位継承者とすることを決定した。ナポレオンに近いベルナドットを王位継承者として選んだ背景は、ナポレオンの支援を取り付けながらロシアへ譲渡されたフィンランド統治権の奪還が画策されたことなどが議論されているが、注目すべき点は、1810年時点でも新たな王位継承者は住民代表の集う王国議会によって選ばれていたと同時に、同年に制定された王位継承法でバーナドット家の男系男子による王位相続が決められたという事実である。この時点でも選挙王制と世襲王制のハイブリッドの原理は生きていた。

1818年のカール14世ヨーハン［1763–1844］の戴冠（P. クラフト d.y.［1777–1863］作）。このような戴冠式は、1873年のオスカル2世［1829–1907］の戴冠式を最後に行われていない。現在では王位継承が宣誓されるだけである。

「1809年の革命」では、同年に改訂された統治典範で三権分立が実現された。王には議会の決定や解散の要求を拒否する権限が認められていたが、予算の決定権は議会のみが持ち、王は議会の認めた法と予算に従って行政権を担う政府の主宰者の立場に収まった。王は王国の元首であると同時に、政府の長として首相が任命されるようになる1876年までは政府の首班も務めた。しかしその権能は統治章典（政体法）、王国議会法、王位継承法、出版自由法から成る基本法で限られたため、君主主権が基本法の制約を受ける立憲君主制の姿ができあがっていた。スウェーデンでは長らく主権者の立場が明文化されなかったが、１９７４年に改正された統治典範で人民が主権者であることが謳われ、政府が王ではなく人民の代表機関である議会に責任を負うことも明文化された。ここに王は政治に絡む一切の権能を失い、王国を象徴する儀礼のみを行う元首の立場に収まることとなったのである。

今日のバーナドット朝は、そうした象徴君主制の下にある。１９７９年の王位継承法改正で、王の第一子に継承権を優先する絶対的長子相続制と女子にも継承権を認める女系同等王位継承制が導入され、王の第一子が女性である場合には女王としての王位継承が認められた。バーナドット朝の将来を占うこの改革は、男女同権の世論を踏まえつつ女系主義を採用した点では新しいものの、長子主義を優先させた点で世襲王制の伝統も踏まえた改革でもある。また、それらの決定が人民の代表機関である王国議会によってなされた点で、かつての選挙王制に基づく「王のいる共和政」の姿を彷彿とさせるものでもある。今日のバーナドット朝に至る君主制の歴史を振り返れば、君主制の方向は、ひとつの王国に混住するようになった多様な人民の選択を踏まえながら常に決定されてきたことを確認できる。この観点に立つならば、バーナドット朝を巡る議論は、今日のスウェーデン社会にあって多様性を前提とした人民の意識が鋭く反映する対象として注視すべきものであろう。

（古谷大輔）

IV

外から見たスウェーデン

22

フィンランドから見たスウェーデン

――★フィンランドが受け継いだ「遺産」と隣国としての関係★――

日本から見ると、フィンランドとスウェーデンは似ているという印象を受けるかもしれない。確かにフィンランドは500年もの間、スウェーデン王国の一部であったため、スウェーデンの影響が現在に至るまで多方面に残っている。

12世紀の半ば、スウェーデン王エーリックによる十字軍がフィンランドに遠征したとされるが、フィンランドが「正式」にスウェーデンの統治下に置かれたのは1323年のスウェーデン・ノヴゴロド公国間で締結された条約以降である。それ以前からスウェーデン人は南西フィンランドに入植しており、フィンランドはスウェーデン王国に組み込まれていった。欧州がナポレオン戦争下にあった1808〜9年のロシア・スウェーデン間の「スウェーデン戦争」で、スウェーデンが敗北したことで、フィンランドはロシアの支配下にはいるのだが、それまでフィンランドでは王国内の東部地域としてスウェーデンと同じ政治制度が敷かれていた。また、驚くべきことに、1772年にスウェーデンで制定された政体法をはじめとするスウェーデンの法律が、ロシア統治時代にも引き続いて適用され続けた。これらの法律はフィンランドがロシアから独立した後に、１９１９年に統治章典が制定されたのをはじめとしてフィンランドで法制度が整えられて、ようやく廃止された。つまり、ロシア統治時代を通してスウェーデンの「遺産」がフィンランドでは息づいていたのである。

現在まで続いているスウェーデン時代の「遺産」として真っ先に挙げられるのがスウェーデン語であろう。１８０９年にフィンランドがロシア帝国の統治下に置かれた後もスウェーデン語は統治言語として残り、使用されていった。19世紀中頃から後半にかけて、フィンランド人のアイデンティティの源としてフィンランド語に注目する動きが見られた。裏を返すと、スウェーデンと差別化を図るためにはフィンランド語しかなかったのである。しかし、「フェンノマニア（Fennomania）」と呼ばれるようになるフィンランド語を軸に据えたナショナリズム運動を先導するエリートたちのほとんどは、スウェーデン語話者であった。現在でも知られている芸術家たちも同様で、ムーミンシリーズで有名なトーヴェ・ヤーンソン、作曲家ジャン・シベーリウス、作家ヨーハン・L・ルーネバリなどはすべてスウェーデン語話者である。一方で、「フェンノマニア」に対抗してスウェーデン語およびスウェーデンの文化遺産を残すことこそが、北欧とのつながりを保つと主張する「スヴェコマニア（Svekomania）」が登場した。その流れを受け、１９０６年の議会法制定で、身分制議会から一院制議会が創設されたのを契機に結成されたのが「フィンランド・スウェーデン人民党」であり、現在もスウェーデン語話者を代弁する政党として一定の議席数を確保している。

現在、スウェーデン語を第一言語とするフィンランド人は約５％と少数であるが（２０２２年）、公用語であるスウェーデン語を第一言語とする人たちの権利は保たれている。フィンランドの街中では

1922年に「フィンランド・スウェーデン人民党」が発行した封書に貼る切手（郵便切手ではなくシールのようなもの）

赤字に黄色の十字の旗はフィンランドのスウェーデン語話者が非公式に使用している旗で、描かれた地図ではスウェーデン語話者が多く住んでいる地域が示されている。

バスや電車などの交通機関の説明パネル、あるいは街の通り名などの表示がフィンランド語で書かれているだけではなく、スウェーデン語も併記して書かれていることが多い。ちなみにフィンランド語はスウェーデン語とかなり異なる言語で、たとえば、フィンランド第2の都市トゥルク（Turku）は、スウェーデン語ではオーボ（Åbo）である。

　歴史を振り返ってみると、独立したフィンランドにとって、スウェーデンは常に「良い」隣国だったわけではなかった。両国間に位置するオーランド諸島の帰属問題を巡って第一次世界大戦後に緊張したことがあった。スウェーデン語を母語とする住民がスウェーデンに帰属を求めたからである。結局1922年に自治法が可決し、オーランド諸島の広範囲な自治をフィンランド政府が認めることで解決した。

　その一方で、フィンランドが危機に晒（さら）された時に、一部のスウェーデン人は自発的に行動を起こした。たとえば、独立直後の1918年1月にフィンランドで内戦が勃発(ぼっぱつ)した際、スウェーデン政府は公式にフィンランド政府に支援することはなかった。しかし、スウェーデンから1000人ほどの義勇兵が白衛隊側を支援して参戦し、彼らのうちの将校クラスの者は指導的立場に立って白衛隊の勝利に貢献した。

第二次世界大戦期に勃発したフィンランド・ソ連間の戦争（冬戦争、継続戦争）にも、スウェーデンは中立政策をとっていたため公式にフィンランドを支援することはなかったが、スウェーデンから合計で1万人もの義勇兵がフィンランド側で戦った。戦時中、最も両国民の絆が見られたのはスウェーデンがフィンランドの子どもたちの疎開先の受け皿となったことである。「戦争の子どもたち」と呼ばれた1歳から14歳までの8万人近いフィンランドの子どもたちが戦火を逃れるためにスウェーデン、デンマークの家庭に疎開したのである。そのうち7万2000人を引き受けたのはスウェーデンの家庭であった。戦後、7000人もの子どもがスウェーデンの養父母の元に留まった。

それとは別に、およそ45万人ものフィンランド人移民（2世含む）が現在スウェーデンに居住しているとされる。1970年に仕事を求めてスウェーデンに移民したフィンランド人は4万2000人にものぼった。移民の最盛期であった1970年代の前半には、労働力不足に直面したフィンランド政府は移民を帰還させようとキャンペーンを実施したほど、当時、フィンランド人にとってスウェーデンは一番の移民先となっていた。しかし、この流れは1980年代以降、徐々に減少していった。

第二次世界大戦後、冷戦の影響があったものの、フィンランドとスウェーデンは経済関係をはじめとして安全保障を含めた多方面で協力関係を構築していった。1995年1月1日にはフィンランドとスウェーデンは同時にEU加盟を果たした。安全保障についても協力関係が築かれているのは、ロシアのウクライナ侵攻を受けて、2022年5月にスウェーデンとフィンランドは同時にNATO加盟申請を行ったことからも見出せる。しかし、クルド人問題をめぐってトルコによるスウェーデンの加盟が反対され、フィンランドがスウェーデンに先んじて2023年4月に31番目のNATO加盟国となった。スウェーデンは2024年3月にNATOに加盟を果たした。

以上のようにフィンランドとスウェーデンはその歴史から共通の文化的社会的背景を有した兄弟的存在である。スウェーデン人はフィンランドを「弟分」と思っているかもしれないが、フィンランドはもはや弟分に甘んじてはいなく、対等なパートナーとしての存在を示している。一方で、アイスホッケー、クロスカントリースキー、陸上競技などのスポーツの国際大会でスウェーデンに勝利するとフィンランド人がとりわけ大騒ぎするのはご愛嬌(あいきょう)である。

安全保障も含めた多方面において、今後もフィンランドはスウェーデンと協力関係を維持していくだろう。

（石野裕子）

23

ノルウェーから見たスウェーデン

★同君連合、「平和裏の離婚」、そして和解へ★

スウェーデン王国とノルウェー王国とは、1814年から1905年まで、「連合王国」となっていた。

両国の連合は1814年、デンマーク王からスウェーデン王にノルウェー王国が割譲されることに反発したノルウェー人がデンマーク人の総督クリスチャン・フレゼリクを指導者として独立運動を起こし、憲法を制定し、その後王太子カール・ヨーハン率いるスウェーデン軍に降伏して連合を受け入れるという展開で成立した。連合はスウェーデン王がノルウェー王として君臨する「同君連合」であったが、歴史的理解としてスウェーデンによるノルウェーの支配と見なすことは適切ではない。ノルウェー王国は憲法・政府・議会・軍など国内の諸制度を保持し、ノルウェー政府の官職に就くスウェーデン人は総督のみであった。通商上の利害対立を除けば、経済的搾取もなかった。

現在、オスロを訪れる者は皆、王宮に一度は立ち寄ることであろう。その王宮前の広場に立つ騎馬像は後に王となったカール14世ヨーハンのものである。王宮から中央駅へ至る目抜き通りもまた、彼の名を採って「カール・ヨーハン通り」と呼ばれている。

日本でも販売されているノルウェーブランドのオイルサーディンの缶詰に「キング・オスカー」がある。1902年に当時の王オスカル2世が自身の名を冠することを認可し、パッケージにはその肖像が描かれている。彼もまたノルウェー王を兼ねたスウェーデン王であり、1905年に連合が解消されると、失意のうちにノルウェー王位を去ることになった。

ノルウェー人は、自国を連合に編入した王と、彼らによって玉座を追われる形になった王のいずれに対しても、現在も「我々の王」として親しみを持ち続けているのである。

カール・ヨーハンの時代に試みられた内政上の一体化は、1814年憲法を後ろ盾とするノルウェー側の抵抗によってそのたびに退けられ、以後の王たちは、むしろいかに良き「ノルウェー王」であるかをアピールしようとした。カール15世などは、歓心を買おうとノルウェー総督職の廃止を表明したもののスウェーデン議会の反対に遭って撤回し、混乱を招いた。ノルウェー人にとっての主な不満は、外交と領事が共同の名のもとにスウェーデン主導で行われていたことであった。

1870年代に入るとノルウェー国内では左派勢力が台頭し、議会主義の実現を求めて政府への攻勢を強めた。そうしたなかで王が政府の後ろ盾となり、軍事力さえちらつかせたことは、ノルウェー国民の王に対するイメージを変えていった。左派の作家・政論家であるビョルンソンが「王はスウェーデン人である！」と叫ぶような状況が生まれてきたのである。

1884年に官僚主導の保守政権が崩壊すると、外交と領事、特に後者をスウェーデンに握られていることが次なる課題となり、紆余曲折の末、1905年にノルウェー議会による連合解消決議を端緒として、国民投票と両国の交渉を経て連合は解消された。

このときノルウェー政府は、新たな王としてオスカル2世の第3王子カールの即位を打診した。さすがにこの提案はスウェーデン王家に拒否され、デンマーク王の孫のカール王子がホーコン7世として即位する。このことは、ノルウェー政府が新たな王家の創設ではなく、バーナドット家による王制の継続を意図していたことを意味する。また、いずれの選択肢も、将来のノルウェー王家にスウェーデン・デンマーク両王家の血が入る結果となるものだったことも付け加えておかなければならない。

ただし両国民の感情が1905年の連合解消に向けて直線的に悪化していたかと言えばそうではない。学生や法律家、またとりわけ教師などは、デンマーク、さらにはフィンランドも含めた北欧の枠組みのなかで、政治の緊張関係を尻目に活発に交流を続けていた。こうした交流には、連合批判を強めていた左翼党の有力政治家らも加わっており、連合問題が必ずしも反スウェーデン運動とイコールではなかったことを示している。

しかし、1905年のノルウェー主導での連合解消決議という事態が、両国民の心に深い傷を残したことは否めない。決議前には主にノルウェー側が、決議後にはスウェーデン側が、北欧歴史家会議、北欧法律家会議などの交流活動をボイコットし、歴史家へムスタはこの状況をのちに「小春日和から北欧の冬へ」と述べている。

スポーツの世界でも、双方が連合解消に際して感情的な対応を見せたことが知られている。連合紛争が緊張感を増していた1905年初頭には、ストックホルムでの「ノルディック・ゲーム」をノルウェーがボイコットした。また1908年には、連合解消後初めてのサッカーのノルウェー・スウェーデン代表戦が行われたが、ノルウェーのあるチームでは選手の母親から「連合解消の『わずか』3年後に」息子がスウェーデンに行くことを拒む、という手紙を受け取って苦慮したという。

両国の関係回復の大きな転機が第一次世界大戦であったことはよく知られている。開戦直後の1914年12月、北欧の三王国の王はスウェーデン南部のマルムーで会談し、中立と協力を誓い合ったが、この会議に至るまでには、ホーコン7世がストックホルム訪問を敬遠するなどの紆余曲折もあった。大戦後期の1917年に3人の王は再び会談し、その席でスウェーデン王グスタヴ5世は「新たな連合、古い種類のものではなく、理解と心の連合」を呼びかけたが、この時期のノルウェー人にとって「連合」は、まだ好ましく響くものではなかったとされる。ホーコンとグスタヴの関係は悪く、後述する第二次世界大戦まで尾を引いていくことになる。

1914年には両国国境のシャロッテンバリに平和を記念するモニュメントが建立された。スウェーデン側からの呼びかけのもと、両国の平和団体や、特に女性たちの募金活動によって建立が準備されたという。碑のスウェーデン側には「これ以降、スカンディナヴィアの兄弟間での戦争は不可能である」と、ノルウェー側には「ノルウェーとスウェーデンの平和の友が1914年に100年の平和に感謝してこのモニュメントを建てた」と刻まれている。世界大戦の影が差すなかで、1905年を訣別や「解放」の記憶とするのではなく、1814年以来二つの王国が「兄弟」として並び立ってきたことを強調する歴史観が示されたのである。

1929年にはノルウェー王太子オーラフ（のちのオーラフ5世）とグスタヴの姪のマッタが結婚した。この結婚は1905年以来両国民の間にあったわだかまりに終止符を打つものとして祝福され、ノルウェーNRKラジオでは「二つの国民間の心の同盟を保証するもの」という賛辞も贈られたという。

しかし、両国の関係は第二次世界大戦において再び危機を迎える。ナチス・ドイツの侵攻を受けたノルウェーに対し、スウェーデンはあくまで中立の立場を打ち出した。大戦中、スウェーデンがノルウェー避難民の救援や、予備警察隊の訓練など水面下での協力を行ったとはいえ、ホーコン7世の避難に対する事実上の拒否に近い対応や、ドイツ軍の兵員や物資の国内通過を容認するといった、自国の安全を最優先としたスウェーデンの姿勢が深い傷跡を残したことはよく知られている。

映画『キッチン・ストーリー』では、1950年代初頭にも両国民に残るわだかまりを垣間見ることができる。独身男性のキッチンでの行動を調査するスウェーデン人フォルケと、被験者のノルウェー人イーサクとの機微にあふれた友情が描かれるのだが、観察台の上から無言で見下ろすフォルケに苛立った(いらだった)イーサクは、スウェーデン人は「戦争中も中立で傍観していた」と皮肉を飛ばす。また、イーサクの友人グラントは戦争中スウェーデンの強制収容所に入れられた経験をもつが、その心の傷にも無関係とは考えられない、とんでもない危害をスウェーデン人であるフォルケに加えようとするのである。

こうした記憶を清算する一つの象徴的な出来事として、ノルウェー政府は、大戦中の人道援助に対する感謝を示すため、オスロ市内の風光明媚(めいび)な高台ヴォクセノーセンをスウェーデン政府に寄贈し、そこには1960年にホテルや国際会議場などからなる文化交流施設が建設された。そして、ここが連合解消100年を迎えた2005年にはそれを記念する行事の舞台となり、双方にとっての「平和裏の離婚」が誇らしく語られたのである。

（大溪太郎）

24

デンマークから見たスウェーデン

★ウーアソン海峡の向こう側★

コペンハーゲンの街の中に、スウェーデンにかかわる「ストームゲーゼ（Stormgade）」という名の通りがある。かつての市街地を囲んだ土塁のうち、南北に走る西土塁の位置に、今、H・C・アナセン・ブレヴァード大通りがあり、それはそこから東へ旧王宮である国会議事堂の西側の運河まで約300メートルの長さの通りである。現国立博物館の北側の回廊に面し、通りには店舗もなく、市内にあっても人通りは少なく、今、人々はその名の由来に注意を払わない。

ストームとは「猛攻」を意味する。スウェーデン王カール10世の名をとった戦争「第二次カール＝グスタヴ戦争」時の、1659年2月11日の夕刻から始まり、凍てつく夜明けまで続けられたスウェーデン軍の大突撃に因んだものである。絶体絶命の苦境の中、「余は根城で死ぬ」の決意をもって、国王フレゼリク3世が腹をくくった戦いで、大砲を配し、マスケット銃兵のほかには、夜警が持つ夜回り用の鉾や柄の長い草刈鎌、土塁の上からスウェーデン兵にぶちまけようとする煮え湯、溶けたタールを準備してコペンハーゲン市民が、必死に抵抗した。双方それぞれ1万人が激突し、デンマーク側の人的損害は死者

14人と軽微であったが、翌朝には西土塁の前にスウェーデン兵の六百余りの遺体が横たわっていたといわれる。その戦闘時、土塁を海側に迂回して侵入したスウェーデン軍が、当時の海岸線に沿った今のストームゲーゼを、通り以南が凍結した湿地の浜であったので、通りと氷上を王宮を目指して進もうとしたのである。

その1年前の1658年、第一次カール＝グスタヴ戦争でのデンマークの敗北によるロスキレ条約で、デンマーク国家に属していたスカンディナヴィア半島上の古来の領土スコーネ、ブレーキンゲ、ハッランド（本論考では総称してスコーネと呼ぶ）をデンマークはスウェーデンに割譲し、デンマークはスカンディナヴィア半島の領土を失っていた。さらに、スウェーデンがコペンハーゲンのあるシェラン島をもその領土に取り込もうとした野心は――それが第二次カール＝グスタヴ戦争なのだが――、北欧内の勢力バランスの維持を外から図ろうとするオランダが（前回は、スウェーデンに与し、今回は）デンマークに肩入れすることで、1660年にコペンハーゲン条約がデンマーク・スウェーデン間で結ばれたことで費えた。スウェーデンは、ロスキレ条約以上の領土拡大は阻まれたのである。すなわち、デンマーク・スウェーデン間の国境線は、ウーアソン（ウーレスンド）海峡上となった。この戦争を前にして首都を去って領地に帰ってしまっていた貴族たちを抜きにして、デンマークでは国王とコペンハーゲン市民の間で、貴族の政治的力を排除した1848年まで続く「絶対王制」が確立した。この歴史上の重大事にかかわった通りは、その後に通り以南が埋め立てられ、かつての汀線の名残の跡形さえもない。19世紀半ばにはじまる北欧諸国間の友好関係が当たり前となる環境の中にあっては、16世紀以来延々と300年以上も続いてきたデンマーク・スウェーデン間の「宿敵

(Arvefjende)」関係という言葉も、今や、両国間のサッカー定期戦に際して新聞紙上の見出しに躍る言葉として使われるのみである。

１８３０年代以降、デンマークの政治の舞台では、歴史を動かす新たな「アクター」が登場してくる。15世紀以来の王朝は、北ドイツ起源であり、絶対王制体制の主要な閣僚達も元々は北ドイツのユンカーの次男・三男達であり、その「ドイツ性」の強い政治風土に対し、民族ロマン主義の体現者である教養市民層が台頭していく中で、「非ドイツ」としての国家的アイデンティティを確立していく。それは民族的同根性を意識する「スカンディナヴィア」という民族意識であり、このアクターたちは南に対する国境意識に関しても、ドイツ連邦加盟邦のホルスティーン公爵領を切り離し、そしてデンマーク民族からなる「国民国家」の樹立のためにも、スリースヴィ公爵領を北欧の「最南の地」とするアイダ川国境の画定を求めていった。デンマーク史では、ヴァイキング時代のデンマークの「北欧性」が、８世紀を経て政治的論説の中でよみがえったのであり、民族的レベルにおける「同胞」は、長年の「兄弟民族（broderfolk)」であったノルウェー人に加えて、スウェーデン人が民族意識の中で「同胞」として映じていくのである。「政治的スカンディナヴィア主義」といわれるその意識も、デンマーク人にとって実際に視野に入るスウェーデンは、コペンハーゲンの対岸のスコーネであり、ルンド大学の学生らの同調の動きに実感を持った。しかし、スウェーデン王の周辺とウップサーラ大の学生を除いたスウェーデンの首都におけるデンマークへの共感の無さから、スリースヴィにおいてその「デンマーク性」に目覚めた若き運動家が、１８４０年代に旅行し、ストックホルム周辺の「無関心」にショックを受けたことを書簡に記している。デンマーク人にとって――特にコペンハーゲンの人々にとって――ウーアソン海峡のすぐ対岸、すなわち、スコーネの地が人々にとっては、「スウェーデン」という実感であった。1829年、文化的北欧の輝かしき共通の過去を謳ったデンマークのウーレンスレーヤの頭上に、スウェーデンの詩人テグネールが「北欧の詩王」と月桂冠を授けた場所も、スコーネのルンド大聖堂であった。彼は両国の「分断の時代は終わった」と語っている。それは政治的スカンディナヴィア主義に先行する出来事であった。

晴れた日のコペンハーゲンからは、ウーアソン海峡の向こう、20キロ離れたところに今は廃炉となったスウェーデンのバシェベック原発の煙突が見えており、そして、2000年7月には、コペンハーゲンの地下鉄空港駅からスコーネのマルムー市を繋ぐ海峡を横断する海底トンネルと橋から成る海峡横断施設（ウーアソン・リンク）ができあがる。その公式名は、両国の共同作業を表現すべくデンマーク語とスウェーデン語の複合から成っている「ウーアソンスブローン（Øresundsbron）」で、スウェーデン語の海峡名、Öresund内の字母「Ö」を使わず、デンマーク語の「Ø」を使って表記し、続く「橋」の部分をスウェーデン語の「橋」を意味する語、broの既知形を用いて「bron」とした。トンネルを出て海上の橋に繋がる所には、海を埋め立てた長さ4キロメートル、幅200〜300メートルの人工島が作られている。その名は「胡椒島（ピウアホルム）」。そのわけは、すぐ北にある低平な小島、「塩島（サルトホルム）」が存在し、食卓塩と胡椒ミルの並ぶ食卓を想像した結果であろう。

こうして、デンマークの首都圏が、スコーネにも広がることになる。ウーアソン海峡を挟む形で、人口400万の北欧最大の経済圏が出現し、コペンハーゲンに職場を持つデンマーク人が生活費のより安いスコーネに移り住み、また、スコーネのスウェーデン人がコペンハーゲンに職場を持ち、橋を渡って通勤する。税制は所得税を勤務地に払うことから、この通勤圏の拡大から市民生活上の不公平が生じてもいる。また、私事で恐縮だが、２０００年にコペンハーゲン大学の歴史学研究所に客員教授として滞在した際、パソコンに不慣れな筆者が不手際で困り果てていて、窮余の策として、対岸のルンド大学で研究していた古谷大輔氏に電話をかけ、彼が列車に乗って2時間以内に筆者の研究室に駆け付けてくれたのも、まさにこの国境地帯の変貌のおかげであった。ウーアソン橋の出現によって、海峡が「人を分かつもの」から「人を結び付けるもの」になったことの恩恵を、筆者は体感したのである。

また、１９９０年代にスコーネでその「地方旗」がたなびいているのを目にしたときの筆者の不思議な感覚がある。それはデンマーク国旗である赤地に白十字のダネブロー旗に見紛（みまご）う赤地に黄色十字で、多少の違和感があるものの「あれ！　デンマーク国旗？」というものであった。１６５８年にスコーネがデンマーク領からスウェーデン領となったあとの80年代ごろから「紋章」として認められたスコーネ旗はグリーペン（鷲獅子）の図像であるものの、筆者が目にしたのは、１８８０年代以降に、政治的スカンディナヴィア主義が瓦解したのちに、ルンド大学の歴史学者Ｌ・ヴェイブルらが北欧協力の理念から「スカンディナヴィア十字」を用いて考案したものである。今日の地方住民の代表組織側が「民意」としてそれを公式の旗として使用している、と古谷大輔氏は筆者に説明する。ただし、スウェーデン国家が公式に承認しているスコーネ旗は、グリーペンのそれである。

（村井誠人）

25

バルト諸国から見たスウェーデン

★バルト海を挟んだ潜在的パートナーとの紆余曲折★

私の所属するエストニアのタルトゥ大学政治研究所は、「ヨーハン・シッテ（Johan Skytte）」の名を冠す。シッテは、17世紀にスウェーデンの黄金期を築いたグスタヴ2世アードルフの家庭教師を務め、のちにその盟友となった政治家である。グスタヴ2世は、シッテの助言を受け、スウェーデン統治下のリヴォニア（今のエストニア南部とラトヴィア北部）にタルトゥ大学の前身となるアカデーミア・グスタヴィアーナを開設した。当時のスウェーデンではウップサーラ大学に次ぐ2番目に古い大学であり、平民や女性も受け入れ、学生自治会も活発で、今のタルトゥ大学へとつながるリベラルな気風を形成した。しかし、18世紀初頭の大北方戦争でスウェーデンが敗北したことで「古き良き時代」は終わった。これ以降、大学はロシア帝国やバルト・ドイツ人の影響を強く受けるようになっていく。

20世紀のスウェーデンとエストニア、ラトヴィア、リトアニア（以下「バルト三国」と呼ぶ）の関係もこれら周辺の大国の影響から逃れることはできなかった。第一次世界大戦中の1917年秋、後にエストニア首相となるヤーン・トニソンは、スウェーデンを盟主としたバルト・北欧諸国による連邦を構想し

タルトゥ大学に立つグスタヴ２世アードルフ像［筆者撮影］

た。これは、ドイツとロシアに挟まれるバルト海地域の中立化構想「バルティック・リーグ」として、ロシア革命後の１９１８年に独立を宣言したエストニアから英国を介してスウェーデンに提案された。しかし、この構想は、ドイツに友好的なスウェーデンの保守派だけでなく、バルト地域に領土的野心を持つソヴィエト・ロシアとの間に紛争の火種を作りたくない同国の左派からも支持を得られなかった。

バルト三国独立の持続性に懐疑的なスウェーデンは、バルト三国の独立戦争が終結した後、１９２１年にようやくこれら三ヵ国の独立を承認した。１９２９年にグスタヴ５世がエストニアやラトヴィアを訪問するなど交流は活発化したが、中立政策をとるスウェーデンは、バルト三国との政治・軍事協力に対しては戦間期を通して消極姿勢に終始した。

１９４０年、東欧の分割に関する独ソ間の密約（モロトフ＝リッベントロップ秘密協定）によって、ソ連がバルト三国を軍事占領して併合すると、米国や他の北欧諸国はこれを法的に承認しなかったが、スウェーデンは、ナチス・ドイツ等とともにソ連の併合を法的に認めてしまった。また、スウェーデンは、ソ連の要求を受け入れ、１６７名のバルト三国の兵士をソ連に強制送還した。多くの者はナチス・ドイツに協力した疑いで強制収容所に送られ、処刑された者もいた（２０１１年、フレードリック・

ラインフェルト首相は、スウェーデン外交の暗い時期だと述べて謝罪した）。また、スウェーデンは、国内でバルト三国の亡命政府の活動を認めなかったため、エストニア亡命政府はノルウェーのオスロを活動拠点とした。

一方で、現代につながるスウェーデンの寛容な移民・文化政策は、ソ連の占領から逃れてきた3万人のエストニア人、５０００人のラトヴィア人を難民として受け入れたことから始まった。エストニアを代表する作曲家エドゥアルド・トゥビンは亡命先のスウェーデンで活躍した。１９５０年代はソ連占領下のエストニアよりもストックホルムでエストニア語の本が多く出版された。トーマス・イルヴェス・エストニア大統領（２００６〜１６年）もストックホルムで難民の家庭に生まれた。また、13世紀頃からエストニア北岸の町ハープサルや離島には沿岸スウェーデン人と呼ばれるアザラシ漁などを生業とする人々が住んでいたが、これらの人々もソ連軍の侵攻後、エストニアを去った。この中には『長くつ下のピッピ』で知られる児童文学作家アストリッド・リンドグレーンの多くの作品に挿絵を描いた画家イーロン・ヴィークランドもいた。

タルトゥ大学のヨーハン・シッテ記念碑
［筆者撮影］

１９８０年代末、バルト三国の独立回復への機運が高まる中、スウェーデンの外交的対応はまたも慎重であった。１９８９年秋、社会民主労働党のステーン・アンデション外相は、まだソ連の支配下にあったバルト三国を訪問した際、「バルト三国はソ連

国王夫妻、タルトゥ大学ホール式典にて
［2023年5月4日筆者撮影］

に一度も占領されたことはない」という政府の既定路線を繰り返して波紋を呼んだ。一方で、同年夏にバルト三国の約200万人の人々が参加した人間の鎖「バルトの道」や「歌う革命」と呼ばれた平和裏の抗議活動がスウェーデンの議会や世論を動かした。1990年3月以降の毎週月曜日、ストックホルムのノルマルム広場では、バルト三国への連帯を示す集会が開催された（「月曜日運動」）。スウェーデンの亡命バルト人コミュニティも、世論の形成に重要な役割を果たした。また、ソ連が締約国だったバルト海洋環境保護委員会は、1990年9月にスウェーデンのルンネビーで開催された国際会議にバルト三国の代表を招待した。ソ連保守派のクーデターが失敗した1991年8月にスウェーデンは、バルト三国の独立を承認した。

ソ連に対する恐れからバルト三国への政治的関与が控えられた戦間期とは対照的に、ソ連崩壊後のスウェーデンはバルト三国の市場経済への移行やこれらの国に駐留を続けたロシア軍の早期撤退に向けて積極的な外交を展開した。1991年秋の総選挙で社会民主労働者党を破り、首相に就任した穏健党党首カール・ビルトはその中心的存在であった。ビルトは、1994年の『フォーリンアフェアーズ』誌への寄稿で、モスクワの対バルト三国政策は、ソ連崩壊後のロシアと西側との関係を占うリトマス試験紙となると主張した。また、1940年まで他の欧州諸国と同様に完全に独立していたバルト三国を他の旧ソ連諸国と同列に扱うことは歴史と国際法の観点から不正義であるとし、半世紀にわたるソ連占領期間中にエストニアやラトヴィアに移住したロシア系住民に自動的に国籍を付与しなかったこれらの国の政策に理解を示した。2022年10月の「リーガ会議」で、サンドラ・カルニエテ元ラトヴィア外相は、ソ連末期、バルト三国の独立回復に懐疑的な雰囲気が残る中で、ビルトがサンドラらラトヴィア人民戦線代表と会談したエピソードを披露し、同会議に招待されていたビルトの功績を称えた。

グスタヴ2世アードルフ像を訪問した国王夫妻
［2023年5月4日筆者撮影］

1990年代後半、スウェーデンは、バルト三国各国に新たに創設された国軍を訓練・指導するとともに、東西冷戦の終結に伴い規模が縮小されたスウェーデン軍で余剰となった武器、弾薬、戦車等をこれらの国に供与した。また、バルト三国の数百名の将校がスウェーデンの軍事アカデミーで学び、エストニアのタルトゥにあるバルト防衛大学校の創設でもスウェーデンが主導的役割を果たした。

スウェーデンによる防衛協力は、2004年にバルト三国がNATO加盟を果たす環境を整備した。しかし、これ以降、バルト三国とスウェーデンの間にはNATOの加盟国と非加盟国という壁ができてしまった。また、1995年にEUに加盟したスウェーデンは、2004年のバルト三国のEU加盟を支援し、ブリュッセルを通じた協力は深まる一方で、ストックホルムとバルト三国各国の二国間の往来は停滞した。相互への関心を再び高めるきっかけとなったのが、2022年のロシアのウクライナ全面侵攻であった。ノルマルム広場では、ウクライナへの連帯を示す新たな「月曜日運動」が始まるとともに、スウェーデンはフィンランドとともにNATO加盟を目指す歴史的な政策転換を行った。バルト三国にとって、北欧・バルト地域に共通の安全保障空間が生まれる意義はきわめて大きい。

2023年5月にタルトゥを訪問したカール16世グスタヴ・スウェーデン国王とシルヴィア王妃は学生や市民の熱烈な歓迎を受けた。タルトゥ大学のトーマス・アセル学長はスピーチで、第二次世界大戦中のスウェーデンのエストニア難民の受け入れについて触れ、これから同盟国となるスウェーデンとともに欧州の教育、文化、価値観を守り、ウクライナの独立、その難民を支援していく決意を語った。

（保坂三四郎）

26

日本から見たスウェーデン

★振幅の激しいイメージを超えて★

日本とスウェーデンは、ユーラシア大陸の両端にあり、地理的に遠い存在である。しかし、その関係は実際には古く、多様である。両国間の歴史的関係について、詳細をここでまとめることはできないため、巻末の「スウェーデンをもっと知るためのブックガイド」中の3冊の＊印付き文献を参照されたい。本章では、日本人がスウェーデンに対していかなるイメージをもってきたかを具体的に考える。日本・スウェーデン関係の流れに沿って、大きく四つの時期に区分し、その背景を含めて検討する。

結論から言えば、スウェーデンに対する日本人の見方は、時代により大きく揺れ動いてきた。スウェーデンについての情報が不足し、断片的な情報が多い結果、それに基づいて膨らませたイメージにより、スウェーデンのある一面だけが強調され、理解される。さらに、それが日本国内の政治に影響され、政府、政党、国民を巻き込んで増幅された。

第1期――第二次世界大戦まで　憧れと現実の狭間で

明治維新後、両国の関係が進展していく中で、大きく二つのイメージが日本国内に生まれた。理想主義的なイメージと現実主義的なイメージという両極端なものである。

まず理想主義的なイメージであるが、たとえば社会運動家の賀川豊彦は、第二次世界大戦以前に北欧諸国を訪問する機会をもち、スウェーデンに対して良い印象をもっていた。そのため、1936年にスウェーデン社会を紹介した英語本を翻訳した際、序文において「平和200年、このスヰーデン國は地球の表面に於て最も理想に近い、社會的水準を我々に示してゐると考へざるを得ない」と述べている。協同組合運動などに熱心に取り組む姿勢を高く評価したのである。

他方、全く逆のイメージとして、現実主義的なイメージもあった。これは特に日本政府、それも中枢にいた外交官、軍部のもっていたイメージである。彼らはスウェーデンをロシア（革命後はソ連）、さらに戦争中は連合国の情報を収集する拠点と見ていた。日露戦争中の在スウェーデン日本公使館付き陸軍武官、明石元二郎は、対ロシア情報収集活動、謀略活動を展開した。第二次世界大戦のときも、在スウェーデン日本公使館付き陸軍武官、小野寺信が中立国の同地を舞台にソ連や連合国の情報を集めている。さらに、小野寺は戦争が終結する直前には、スウェーデンの王室を通じた和平工作にも携わった。スウェーデンはまさに情報戦の最前線であった。

第2期 ── 1970年代前半まで　憧れの高まりとモデルとしてのスウェーデン

第二次世界大戦後、日本でスウェーデンは平和国家として高く評価された。スウェーデンは第二次世界大戦中、中立国として戦争に直接巻き込まれることはなかった。これは驚きの目をもって見られた。特に占領下の日本で、日本の将来をどのように再建するかという議論では、連合国軍最高司令官、マッカーサーは日本を太平洋のスイスにすると語った。そのため同じ中立国であったスウェーデンも注目を浴びるようになった。

１９４９年には湯川秀樹京都大学教授がノーベル（ノベッル）物理学賞を受賞した。日本人として初のノーベル賞受賞であった。これ以降、日本人の間でノーベル賞に対する高評価が定着した。それに伴い、ノーベル賞を出す国としてスウェーデンのイメージも高まった。

１９６０年代以降、スウェーデンの平和国家というイメージはさらに強まった。日本では、日米安全保障条約の改定、延長問題があり、さらにアメリカのヴェトナム戦争介入も論争になっていた。それに対して、スウェーデン政府は中立政策の名のもとに独自の外交政策を展開し、アメリカのヴェトナム政策を公然と批判した。日本で米軍基地から脱走したアメリカ兵を受け入れたのも、スウェーデンであった。そのため、日本の野党とその支持者にとってスウェーデンは強烈な印象を残した。

同時期、平和国家に加えて、福祉国家という面からスウェーデンへの評価も高まった。１９３０年代から始まった社民党主導の福祉国家づくりは、黄金時代を迎え、繁栄した社会をつくりあげていた。これが伝わり、日本から調査団が次々にスウェーデンに派遣された。さらに日本人の海外渡航自由化（１９６４年）で、若者が海外に向かい、その渡航先の一つがスウェーデンであった。

第３期――１９８０年代まで　モデルから反面教師へ

モデルのように見られたスウェーデンであるが、１９７０年代から徐々に同国に対する疑問も提起され、厳しい見方が強まった。特に、福祉国家の負の側面が強調されるようになった。たとえば、福祉国家を維持するためには高い税金を払わなければならない。社会保障が充実しているため、勤労意欲が低下する。アルコール依存症、自殺、麻薬などの社会問題が深刻化しているなどである。スウェーデンの社民党政権の下野（1976年）もあり、福祉国家の終焉（しゅうえん）という議論もこの時期に現れた。

この背景として、日本では福祉をめぐり与野党の対立が深刻化していた。福祉の充実を求め、政府批判を展開する野党に対して、自民党政府が福祉国家の負の側面を強調した面もあったのであろう。安全保障についても、スウェーデンは中立政策をとっているが、そのために膨大な軍事力を保有しているとの指摘があり、政府の進める軍事力の増強を正当化する議論も出された。

第4期――1990年代以降　再評価と実務協力の進展

スウェーデンに対する日本国内の分裂した見方は、1990年代以降、徐々に変化した。スウェーデンを再評価する見方が強まり、現在に至っている。日本の少子高齢化が急速に進み、福祉の問題を避けて通れなくなり、財源問題を含めてスウェーデンの実情を改めて考える機運が出てきた。また政治面でも、民主的でクリーンな国であるとの紹介が続き、女性の活躍も羨望（せんぼう）のまなざしを受けている。そのほか、環境政策、政府開発援助（ODA）などの国際貢献、イノベーションを生み出す産業政策など、多岐にわたる面でスウェーデンへの注目度は高い。日本・スウェーデン両国間で政治家の往来も増え、共通する問題をめぐり情報交換、協力も模索されている。民間レベルでも人の移動が増えている。

長く日本ではスウェーデンに対してかなり一面的な理解があった。基本的に情報が限られていたのであろう。また、ある面の情報のみを都合よく利用したいという欲求もあったのかもしれない。自分の主張したいことを正当化する手段として使うには、スウェーデンは利用しやすい材料であった。知名度はあるものの、その実態はよく知られていなかったからである。その結果、スウェーデンをある時はモデルとして高く評価し、またある時は反面教師として否定するという、非常に振幅の激しい見方がなされてきた。日本側の都合によって、スウェーデンのある一部分にのみ注目することは避け、全体像を意識しつつ冷静に見ていくことが求められている。参照点としての価値は依然として高いと考えられる。

（吉武信彦）

27

スウェーデンの高等教育における日本語教育

★ストックホルム大学を一例に★

スウェーデンでの日本語学習の場は、大学などの高等教育機関、高等学校、市民講座、継承語教育等いろいろあるが、一番盛んなのは大学だろう。日本語主専攻の学士課程がある大学には、ストックホルム大学、ユーテボリ大学、ルンド大学、そしてダーラナ大学がある。他にも、選択科目として日本語講座を設けている大学として、王立工科大学、リンチューピング大学、リネー大学等がある。ここでは、スウェーデンの大学での日本語教育について、筆者が勤務するストックホルム大学を一例に紹介したい。

ストックホルム大学には首都の総合大学として全国から学生が集まり、日本語講座は人文学部内に1963年に設置されて以来、スウェーデンにおける日本語教育の拠点として多数の学習者を輩出してきた。現在年間200人以上が、本学の日本語講座で言語を学習している。本学では、2022年度における全学での履修登録者数が約40000人で、その内フルタイムの学生は約29000人、残りの約11000人はパートタイムの学生である。フルタイム・パートタイムの学生とは日本では馴染みのない表現だと思うが、どちらも正規の学生である。

スウェーデンの大学は2学期制をとっており、人文系の学部においてフルタイムで就学する場合、学士学位取得のための修業年限は日本の大学と異なり通常3年間（1学期あたり20週間とする6学期間）で、この間に欧州単位互換制度で定められた180単位を履修する。これは卒業までに毎学期30単位を履修する計算だが、パートタイムでの就学の場合は各学期あたりの履修単位を減らす形となり、同じ学士学位取得までに4年以上かかることもある。フルタイム学生は3年間集中して学べるメリットがあり、一方でパートタイム学生は、仕事などと並行して卒業まで自分のペースで学んでいくことができる。

スウェーデンの大学において、希望する学部・学科に入れるか否かの選考は、一般に高校の成績、あるいは全国統一試験の結果によって行われ、学校別の入学試験はない。ストックホルム大学の日本語専攻はその中でも少し特殊で、基本的な入学資格を満たす入学希望者ほぼ全員を受け入れる体制をとっており、毎秋新学年度におよそ90名が専門として日本語の勉強を始める。現在、本学における日本語講座は、人文学部アジア・中東学科内で開講されており、所定の180単位を取得すると「アジア文化・言語、日本語コース」の学士号が授与される。

日本の大学では教養科目など専門以外の科目の比重が大きいが、2023年現在ストックホルム大学で日本語を専攻する場合、所定の180単位のうち127・5単位は言語と日本事情の必修講座からの修得となっていて、フルタイムで学習する場合は5学期まで毎学期、必修の日本語と日本事情（学期により30単位または22・5単位）と選択科目（必修講座が22・5単位の場合、7・5単位）を集中して学ぶことが特徴である。なお、6学期目には論文執筆の講座を30単位（内、卒業論文15単位）履修する構成に

ストックホルム大学フレスカーティキャンパス内メインビル［筆者撮影］

なっている。日本学科では、毎秋学期に多くの新入生が「入学」してくるわけだが、入学式があるわけではない。また、先述の通り、学士号のため規定の１８０単位を履修すると学位が取得でき、取得学位名が記された証書が授与されるが、特に卒業式があるわけでもない。

近年、高校を卒業してすぐに大学に入る人が増えているが、ストックホルム大学で日本語を学ぶ学生の年齢は様々で、年齢層にして18歳から60歳の学生が日本語を勉強している。日本語を学ぶ動機は様々で、アニメや漫画がきっかけの人も多いが、日本語そのものに興味を持って学習する人も多い。パートタイムで就学できることや年齢に関係なく学べることから、「生涯学習の場である」といっても過言ではない。しかしながら、日本と比べると柔軟な大学の履修システムのため学生は途中で専攻を変えることができ、その場合、日本語は選択科目に切り替えることができるので、趣味で日本語を学び始めた場合は初級でやめてしまう人も多い。そのため、３学期以降、中級・上級の日本語を学ぶ学生の数はかなり少なくなる。大学にとっていかに中級以降の学習者数を多く保つかという課題があるが、一度日本語の学習から遠ざかった学生が4学期目に戻ってくる場合もある。

ストックホルム大学での1学期から5学期までの日本語講座は、文法・読解や会話など技能別に独立したモジュールから構成され、それぞれ3単位から7・5単位が割り当てられていて、学習者ニーズに対応させている。3学期以降、日本の協定校へ留学する機会があり、全員が留学できるという訳ではないが、先述の通り3学期以降履修者数が減るため、卒業までに希望者にはほぼ全員留学の機会がある。

大学卒業後、日本関連の仕事に就きたいと希望する学生が多いが、国内で日本語が活用できる職場は少ないのが現状で、身につけた日本語で学生が活躍できる機会を増やしたいというのが教師の願いである。学習動機が日本語そのものへの興味という人が多いことから、近年は、修士課程へ進み研究することを希望する学生も多い。

（リデーン充代）

V

スウェーデンの政治

28

社会民主党の歴史

★「国民政党」としての歩み★

西欧の多くの国では、19世紀末葉に社会民主主義政党が設立された。それらは、第2インターナショナルに結集するマルクス主義政党であった。スウェーデン社会民主労働者党（以下、社会民主党）（Sveriges socialdemokratiska arbetareparti）もそうした国際社会主義運動の一環として成立した。しかし、大恐慌のさなかの1932年に何度目かの政権を獲得すると、その後ほとんどの時期を政権与党としての地位を維持してきたことに見るように、社会民主党は、それ抜きでは歴史を語れないようなスウェーデン現代史の主要なアクターであり続けた。このような歴史的存在感に見るように、スウェーデン社会民主党は、その他の国の社会民主主義政党に見られない独自な展開を遂げてきたとも言える。以下では、その発展における独自性に配慮しつつ、スウェーデン社会民主党の歩みを辿ってみたいと思う。

スウェーデンでは、1870年代より工業化が本格化し、軍隊まで動員されたスンスヴァル（Sundsvall）での大争議（1879）に見られるように、労使対立が激化した。また、ストリンドバリ（A. Strindberg）の『赤い部屋』に代表される自然主義文学が勃興し、労働者階級の悲惨な状況を訴えたのもこの

スウェーデン社会民主党歴代党首の党首および首相としての在任期間

党首名		党首としての在任期間	首相としての在任期間
トリーン	Claes Tholin	1896～1907	
ブランティング	Hjalmar Branting	1907～25	1920, 1921～23, 1924～25
サンドレル	Rickard Sandler		1925～26
ハーンソン	Per Albin Hansson	1925～46	1932～36, 1936～46,
ウンデーン	Östen Undén		1946（首相臨時代行）
エランデル	Tage Erlander	1946～69	1946～69
パルメ	Olof Palme	1969～86	1969～76, 1982～86
カールソン	Ingvar Carlsson	1986～96	1986～91, 1994～96
パーション	Göran Persson	1996～2007	1996～2006
サリーン	Mona Sahlin	2007～2011	
ユーホルト	Håkan Juholt	2011～2012	
ルーヴェン	Stefan Löfven	2012～2021	2014～2021
アンデション	Magdalena Andersson	2021～	2021～2022

時期である。さらに労働組合も、大都市を中心に数多く設立されはじめた。工業化が開始されたとはいえ、当時ヨーロッパの辺境にある貧しい農業国に過ぎなかったスウェーデンにおいても、このような労働者階級の形成に伴う社会秩序の危機は深刻に受け止められた。

こうしたなかで1881年に、ドイツやデンマークでの遍歴から仕立て職人パルム（August Palm）が帰国し、アジテーションを開始した。彼は、遍歴の過程で社会民主主義を知り、これを祖国に広めることを決心したのである。しかし、ほどなく社会民主主義運動の主導権を握ったのは、ブランティング（Hjalmar Branting 1860～1925）を中心とした大学で学んだ青年知識人層であった。彼らは、生成してきた労働組合運動を支持基盤として取り組むことに成功し、1889年に社会民主党が成立することとなる。社会民主党と労働組合運動は、その後もお互いに良きパートナーとして二人三脚的な形で発展を遂げていくこととなる。

設立当初のスウェーデン社会民主党の最大の課題は、政治的民主化であった。それゆえ、民主主義を求める自由主義の諸運動と課題を同じくした。そもそも、２００９年版『スウェーデンを知るための60章』内の第24章である「リスペクタブルな労働者」の章で見たように、自由教会運動、禁酒運動、労働運動はメンバーを相互に重複させていた。たとえば、労働組合運動の指導者の多くが、禁酒運動で組織運営能力の訓練を受けた者であったのである。それゆえ、これらの運動が展開する中で、労働運動のメンバーである労働者は、自由教会運動や禁酒運動で自由主義を担う下層中間層と交流することとなった。このような状況を背景として、政治的民主化をめぐる自由主義勢力との協力関係が進展した。１８９６年にブランティングは社会民主党第一号の国会議員となるが、それは、自由主義勢力の協力を得て実現したことであった。

このような展開に見るように、スウェーデン社会民主党は早くから教条主義的なマルクス主義を捨て、革命主義政党の路線をとらず、現体制下で社会改良を積み重ねていくことの延長線上に社会主義実現を見出す修正主義的な路線を追求した。１９１１年の綱領では、自己を「労働者階級」ではなく「抑圧された諸階級」の政党として位置づけ、農民や手工業者などの下層中間層との連帯を強調した。自己を「階級政党」ではなく一種の「国民政党」として位置づけたのである。このような自由主義諸運動と社会民主主義労働運動の協力関係は、１９０９年に男子普通選挙権が成立する背景となった。社会民主党は、スウェーデンにおける政治的民主化実現の主要な担い手として歴史に刻まれることとなったのである。そして、１９１７年に自由主義政党との連立政権に参加し、初の政権入りを果たし、1920年には初の単独政権を樹立するに至る。

第一次世界大戦後、スウェーデンでは短期間に政権が交代する不安定な政治情勢を迎えた。しかし、社会民主党が、1932年に政権につくと、その後ごく短期を除き、1976年までつづく長期政権を維持することとなる。社会民主党政権は、ハーンソン（Per Albin Hansson 1862〜1946）が唱えはじめた「国民の家」（folkhem）をスローガンに福祉国家建設を進めていった。「国民の家」とは、すべての国民が自由で平等であり、そうした国民の相互の理解と連帯に基づいて国づくりを進めることを意味する。

そこでめざされたのは、何より国民の誰をも恩恵の対象とした普遍主義的社会保障制度であった。とくに50年代末のエランデル（Tage Erlander 1901〜85）政権下での付加年金制度の成立は、福祉受益者の範囲を労働者階級から官民の職員層など中間層までに拡げ、強固な福祉国家の支持基盤を形作った。1970年代以降の福祉国家の危機を迎えても、少なくとも90年代まではスウェーデン福祉国家が他国に比して大きな動揺を見せなかった理由がしばしばここに求められている。

普遍主義的社会保障制度を支える枠組みとして、労使中央組織間の交渉が労働市場全体での賃金動向を規定した中央集権的な労使交渉システムが形成された。この枠組みのもとでブルーカラーの労組中央組織であるLO（労働組合全国組織）は、同一労働・同一賃金を原則とする連帯賃金政策を追求した。これにより生産性の低い企業・産業は淘汰され、経済構造の高度化が進み、経済成長が促進された。政府は、労働力の移動を円滑にするため積極的労働市場政策を行い、経済構造の高度化を側面から支えた。このような連携を通じて、実質賃金が上昇し、生活水準が改善されるとともに、賃金の平

準化が進んだ。スウェーデンは、1960年代には、もはやヨーロッパ辺境の貧国ではなく、1人当たりのGNPが世界で最も高い国の一つであり世界に冠たる福祉国家になったのである。

スウェーデンでは、高度な社会保障制度の整備と順調な経済成長が続くなかで、福祉国家は政党の枠を超えた国家の政治方針になり、「イデオロギーの終焉（しゅうえん）」が取りざたされるようになった。また、福祉国家のモデルとして国際的に評価されることとなる。このことが、スウェーデンの国際的地位の向上を促すとともに、国内での福祉国家のアイデンティティを強化したことはまちがいない。それのみではなく、スウェーデンは、第二次世界大戦後の米ソ二超大国を軸にした冷戦体制が続くなかで、非同盟中立の立場を貫き、第三世界の植民地からの解放を支援し、国連のもとで国際平和を推進していくことを外交政策の中核とした。そのことは、スウェーデンが、現在でも人口1045万人の国にしては国際政治のなかで不釣合いな存在感を示すことに貢献した。時の首相パルメ（Olof Palme 1927～86）がアメリカの北爆再開を痛烈に批判し、国際的な注目を浴びたことが想い起こされる。こうして中立政策は国是となり、社会民主党政権の下で繁栄を誇っていたスウェーデンは、西欧諸国を、保守のヨーロッパ、資本のヨーロッパ、カトリックのヨーロッパと呼び、自己とはむしろ異質なものとみなした。それゆえ、ヨーロッパ統合の動きに対しては、概して冷淡であった。

このようにスウェーデン社会民主党は、社会主義をめざす労働者階級の階級政党として出発しつつも、他の政党・階級の協力・支持を得つつ民主化・高度経済成長・福祉国家建設を担ってきた。その過程は、スウェーデンにおける豊かな福祉国家・中立政策などと結びついたナショナル・アイデンティティの形成のプロセスと切り離せない。社会民主党による長期政権は、こうした国民統合の実現による政治的ヘゲモニーの掌握を表現していると考えられる。

しかし、1970年代の石油危機により高度成長は終焉した。その後の経済の国際化の進展のなかで、資本は国際競争への対応を錦の御旗とし、中央集権的労使交渉システムを国内での制約条件とみなし破壊していった。また、1990年代に入ってスウェーデン版バブルは崩壊し、深刻な経済危機がもたらされ、社会保障制度の見直しも余儀なくされた。80年代末の社会主義の崩壊によって冷戦体制は崩壊した。1995年には、スウェーデンはEUに加盟することとなる。これらの過程は、社会民主党が自らの存在と結びつけてきた「スウェーデン的なるもの」の喪失の過程であるとも考えられる。

2006年秋の総選挙で社会民主党は敗れ、再び政権を離れることとなった。その後、2014年から政権に復帰したが、2022年の選挙で再び下野することになり、かつてのような安定した政権を築くことはできないでいる。この選挙では、移民排斥的な右派ポピュリスト政党であるスウェーデン民主党（Sverigedemokraterna）が台頭し、国会第二党の座を占め、「スウェーデン的なもの」を振りかざしながら、大きな政治的影響力をふるうに至った。他方、ロシアによるウクライナ侵攻を契機として、スウェーデンは、社会民主党政権の下でNATO加盟申請を決定した。スウェーデン社会民主党は、現在ヨーロッパ統合あるいはグローバリゼーションに積極的に対応しつつ、新たな「スウェーデン的なるもの」を国民の前に提示するという課題の前に苦しんでいるように思える。

（石原俊時）

29

スウェーデンの政党政治

★「コンセンサス・ポリティクス」の終焉？★

現代の民主政治では議員の選出や政府の形成において政党が果たす役割が大きく、スウェーデンでは特にその傾向が強い。同国ではすべての選挙が比例代表制で行われ、有権者は政党を選ぶことになるため、党が政治の基本単位となる。

現在は8つの党が国政に議席を有している。数は多いが、それぞれの性格がはっきりしているうえに、合併や分裂もほとんどないため、各党の位置関係を理解することは難しくない。

時代を少し遡ると、1920年代から80年代半ばまで、議会政党は5つであった。労働者を支持基盤とする社会民主党、同じく労働者の党でありながら、より急進的な社会変革を目指す共産党（現左翼党）、農業者の党（旧農民同盟、現中央党）、経営者や富裕層に支持された保守主義政党（旧右翼党、現穏健連合党）、自由主義者の党（旧国民党、現自由党）である。これらは基本的に、職業や思想ごとに組織された集団に支えられる「大衆組織政党」の性格をもっていた。

そこでは常に社会民主党が最大勢力である一方で、政権のゆくえについては、同党と共産党からなる左派と、保守・中道3党からなる右派との勢力バランスによって決まる「ブロック政治」の慣行があった。とはいえ、1930年代から70年代半ばまでは社会民主党中心の政権であることが多く、同党が中間層にも支持を広げながら、スウェーデンの特徴となる「高福祉・高負担」型の社会の構築を主導した。

その過程では、通常の議会内委員会とは別に各種の審議会が設けられ、政党代表の他、専門家や主要団体の代表が参加するなかで政策立案が行われた。審議会の答申には、「レミッス（remiss）」と呼ばれる意見聴取手続きを通じて関連団体がそれぞれの見解を表明することもできた。さらに、労使の団体と政府の三者が交渉を重ねながら社会・経済の枠組みをつくっていく「ネオ・コーポラティズム」の傾向も見られた。こうした政党・利益集団間の協議の伝統と政策形成のための制度の存在は、研究者らがスウェーデン政治を「コンセンサス・ポリティクス（合意重視の政治）」と特徴づけることにつながった。

政党単位の選挙。街の広場などに各党がブースを並べ、行きかう人々にそれぞれの政策を訴える。
［ウップサーラ市内 筆者撮影］

実際には、政府が国民生活にどこまで介入すべきかという点をめぐって右派と左派の対立があり、1940年代後半の「計画経済論争」、50年代後半の「付加年金論争」、70年代末から80年代にかけての「労働者基金論争」のように、国を二分する激しい議論が起こることもあった。しかし、社会の利害が比較的まとまった形で表出され、政党間の交渉を通じて決定が導かれるという意味では、妥協に達しやすいシステムであったといえる。

こうした状況に変化が見られるのは、西欧諸国の高度経済成長が終わりを迎えた1980年代以降である。まず、1988年の選挙で環境党が70年ぶりの新党として議会参入を果たした。同党は、既成政党が前提にしていた経済成長主義を批判し、自然環境や生態系の保全を求めつつ、社会と政治の全般的なあり方を問い直そうとした。さらに、次の1991年選挙では、家族や伝統の価値を強調するキリスト教民主党と、官僚政治の打破や減税を主張する新民主党が同時に議席を得た。

新民主党は次の選挙で議席を失ったのちに解党したが、他の2党は議会に定着し、環境党が左派に、キリスト教民主党が右派に組み込まれる形でブロック政治は持続した。また、1990年代半ばに予算編成方式が、従来の積み上げ式から一括審議方式に変わり、議会内でより安定的な多数派形成が求められるようになると、ブロック間対抗はむしろ先鋭化していった。

1998年の選挙後、議会第一党の座を維持していたものの支持率は低下傾向にあった社会民主党は、左翼党・環境党と初めて正式な閣外協力の関係を結び、政権を維持した。これに対し、穏健連合党を中心とする右派4党は、2006年選挙に向けて、共通の公約と首相候補を発表して連立政権の樹立を目指し、それを実現させた。続く2010年選挙では、左派3党の側も同様の体制をとったため、左右の選挙連合が対決する形となった。かつては選挙後に左右の勢力バランスが考慮されるに過ぎなかったものが、そこでは有権者が投票時にどちらかを選ぶこととなり、選挙で直接政権を決めるタイプの民主政治への接近が見られた。

表1　2022年選挙での各党の得票率と獲得議席数（カッコ内は前回からの増減）

政党	左派ブロック				右派ブロック			
	左翼党	社会民主党	環境党	中央党	自由党	穏健連合党	キリスト教民主党	スウェーデン民主党
得票率	6.8 (-1.2)	30.3 (+2.0)	5.1 (+0.7)	6.7 (-1.9)	4.6 (-0.9)	19.1 (-0.7)	5.3 (-1.0)	20.5 (+3.0)
議席数	24 (-4)	107 (+7)	18 (+2)	24 (-7)	16 (-4)	68 (-2)	19 (-3)	73 (+11)
	173				176			

出典：選挙管理委員会（Valmyndigheten）のウェブサイトを参考に筆者作成。

他方でこの2010年選挙では、8番目の政党であるスウェーデン民主党が初めて議席を得た。同党は、自民族中心の考え方を強調し、社会保障の財源不足や治安の悪化など、様々な問題と結びつけて移民を批判する排外主義勢力である。ネオナチに起源をもち、1980年代末に結成されて以降、長く非民主的勢力と見られた泡沫（ほうまつ）政党であったが、2000年代に入って活動スタイルを穏健化させ、難民受け入れの増加を背景に支持を広げていた。

スウェーデン民主党はその後も伸張を続け、2015年の「欧州難民危機」を経た2018年選挙では議会第三党に、2022年選挙では第二党にまでなっている。当初はすべての既成政党がスウェーデン民主党との交渉を拒んでいたが、やがて右派のうち、穏健連合党やキリスト教民主党が同党との協調姿勢に転じる一方、中央党は批判的な姿勢を貫いて左派陣営についたため、ブロック政治の再編も起こっている（表1）。

スウェーデン民主党については、かつて社会民主党を支持していた労働者層の間で支持を広げていることが指摘されるが、労働組合は社会の連帯を乱すとして同党を強く批判している。組織的な基盤に支えられるわけではない勢力がこれほどまで大きくなっている点に、スウェーデン政治の質的な変化を見てとることができる。

もっとも、サービス産業化や情報技術の発達の影響もあって、各種の中間団体が衰え、政治行動がますます個人化していく傾向は、各国に共通している。組織に属さない有権者は、周囲との関係に縛られない一方で、判断基準を失いがちになり、投票行動は流動化していく。そのようななかで、移民やエリート層など特定の集団を批判し、単純明快な主張で不安や不満を抱えた人々に訴える「ポピュリズム」が広がっていく。スウェーデン民主党の台頭は、こうした背景に、難民危機や犯罪の増加という個別事情が重なって生じたと考えられる。

2022年の選挙後には、2期8年続いた社会民主党政権に代わり、右派連立政権が誕生した。しかしそれは、政権の中核をなす穏健連合党をも議席数で上回るスウェーデン民主党の閣外協力に依存している。現在のスウェーデンは、難民危機やパンデミックの影響が残るなか、ウクライナ戦争により防衛政策の転換を余儀なくされ、エネルギー確保や銃犯罪対策にも追われる状況にある。これらの課題を前に、合意重視のスタイルを変えつつある同国の政党政治と現政権の対応力が問われているといえよう。

（渡辺博明）

30

スウェーデン政治における女性

★男女平等の実現へ★

スウェーデンといえば、「福祉」とともに「男女平等」という言葉が聞かれるほど、女性の社会や政治における地位は、他国に比べて確立されているとの認識が持たれている。スウェーデンの国家元首である国王は、１９８０年より性別にかかわらず第一子が王位継承権を持つようになったため、長女のヴィクトーリア（Victoria）王女が次期スウェーデン国王となる予定であり、将来には女王が誕生する。では、現実の政治を動かしている議会、政府、政党においては、女性はどのような活躍をしているのであろうか。

スウェーデンでは女性は男性と同等の公式の権利を獲得しており、政治参加での伝統的な男女格差は減少し、消滅しつつある。しかし、スウェーデンにおいて女性が普通選挙権を得た時期は、他の北欧諸国と比較すると若干遅れた。１９１８年にすべての女性に地方レベルでの選挙権と被選挙権が付与され、１９１９年に国政レベルの選挙権と被選挙権を女性が獲得する決議が議会でなされた。

初めて女性が国政レベルの選挙で選出されたのは１９２１年であり、５名の女性議員が誕生した。スウェーデン統計局

(Statistikmyndigheten) のデータによると、国政レベルの議会 (Riksdag) での女性議員の割合は、1929年には1%であったが、徐々に増加し、特に1970年代以降多くの女性が議会に進出した。これは、女性候補者を送り出すという女性運動と、政党の公認が得られたことによるところが大きい。1971年には女性の割合は14%であったのが、1979年には26・4%、1988年には37・5%、1998年には42・7%となった。2000年代に入っても女性議員の割合は増加を続け、2002年に45・3%、2006年には47・3%となり、その後の選挙でも女性議員が議席の半数近くを占めるようになっている。地方議会でも同様に、全体で見ると近年は女性議員の割合が40%以上となっている。

女性議員が増加した背景には、選挙制度が果たす役割の大きさが指摘されている。スウェーデンが採用している比例代表制では、政党が候補者の指名において大きな権限を持ち、政党が作成する候補者名簿において女性候補者が意図的に良い位置に登用されうる。しかし、すべての政党で女性の割合が半数近いわけではなく、政党によって相違があり、選挙ごとに男女比も変動する。おおまかな特徴としては、左派や環境保護主義の政党は女性の割合が高く、それらと比べると右派は女性が少ないという傾向が見られる。

議会の委員会での女性の割合も増加し、1973年時点では委員会における女性の比率の平均は15%であったが、1985年には28%に増加し、2006年には49%となっている。内閣において女性閣僚が初めて誕生したのは1947年と、他の北欧諸国と比べて遅かったが、その後女性の割合は増加した。1973年には11%であったが、1985年には25%となり、1990代半ば以降の内閣

議会における政党別の女性議員の割合（%）

	穏健党	中央党	自由党	キリスト教民主党	社民党	左翼党	環境党	スウェーデン民主党	全体
2018年	54	39	40	27	48	68	75	29	46
2022年	47	54	56	32	50	71	67	26	46

出典：Statistikmyndigheten（https://www.scb.se）のデータより筆者作成

においては、閣僚の約半数は女性となっている。２００３年のユーロ導入の賛否を問う国民投票実施の数日前に刺殺された、当時外務大臣であったアンナ・リンド（Anna Lindh）も、社会民主党政府において非常に重要な役割を果たしていた女性政治家であった。

政党においても、重要ポストに女性が就くことが多くなっている。左翼党、環境党（男女２人の代表制）、中央党ではすでに女性が党首に就任しており、２００７年には最大政党の社会民主党において、党の歴史１１８年の中で初の女性の党首として、モーナ・サリーン（Mona Sahlin）が着任した。彼女は１９９４年には副首相を務め、当時首相であったカールソン（Ingvar Carlsson）が１９９５年に党首および首相の座からの引退を表明した際には、新党首および新首相の最有力候補であった。しかし、公金の私的使用や各種料金未払いの疑惑によって閣僚と議員の職を辞することとなり、しばらくは政界から離れていた。２００７年の社会民主党の党首選びでは、次期の党首は女性という意見が党内の主流となり、候補者として複数の女性の名前が挙げられたが、結局他の有力候補者が辞退したこともあって、サリーンが党首に選出された。スウェーデン民主党以外の主要８政党は全て女性党首が誕生しており、スウェーデンにおいては女性が党首になることは珍しくなくなっている。

2006年の総選挙には、2005年にフェミニズム活動家を中心として結成された「フェミニスト党」(Feministiskt initiativ) が参加した。左翼党で1993年から2003年まで党首を務めて党の活性化に成功したが、脱税スキャンダルで党首を辞任して表舞台から姿を消していたギュードルン・シーマン (Gudrun Schyman) が代表の一人となり、一時は国内外で注目を集めた。しかし、党内の内紛がマスコミに大きく取り上げられたことや、既成政党が男女平等政策に積極的に取り組む姿勢を示していたことなどから、「女性の権利拡大」というだけで有権者を獲得することはできず、得票率は0・68%に止まり、議会の議席を得ることはなかった。

女性議員が増え、また政府や政党において女性が重要な役割を担うようになった結果として、スウェーデンの政治にはどのような影響がもたらされたのであろうか。女性議員のみが女性の利益や意見を代表しているわけではなく、女性といってもさまざまな社会経済的属性があり、利害関係が性別で一致しているとはいえないが、既存の研究においては、平均的に女性が男性よりも高い関心を示している政治課題として、社会福祉、男女平等、家族政策、環境問題などが指摘されている。

実際の投票行動では、欧米諸国において1980年代以降、女性は男性と比較した場合、左寄りの政党に投票する傾向が高まっていることが既存の研究で明らかになっており、スウェーデンでも同様の現象が表れている。特に近年では若年層において、女性は左派政党、男性は右派政党を支持するという特徴が見られる。世論調査や投票に表れる一般的なスウェーデン女性の政治選好は、男性と比較して環境保護に強い支持を示し、原子力には否定的態度をとり、EUに対しては懐疑的な傾向が強い。特にEUに関する国民投票では男女間で賛否に大きな相違が現れており、今後のEUの動向によっては、スウェーデン国内で重要な政治的争点になる可能性も秘めている。

多くの女性が政界に進出した結果、男性議員中心の政治が当然視されていた社会的価値観も変化し、女性政治家に対する表立った反発や、女性を代表に選出することに反対する有権者はスウェーデンでは減少している。スウェーデンで社会における女性のさまざまな権利が確立され、一般的に女性が重視している分野で政策が進んだことは、さまざまな要因が背景としてあるとはいえ、大きな影響の一つとして女性政治家の活躍を挙げることができるかもしれない。

政治の分野で女性の数は増加したが、政治に大きな影響を及ぼす利益団体や民間組織の権力エリートにおける女性の割合は、議会、政府、政党に比べて多いとはいえない。スウェーデン国内でもしばしば問題として指摘されているように、強い政治的影響力を持つ重要な経済産業分野の大企業の経営陣や、各界のエリートの中で女性が占める割合をどのようにすべきか考えていくことが、スウェーデンにおける女性をめぐる次なる課題かもしれない。

（五月女律子）

31

スウェーデンにおける政治家の多様性

★女性・若者・移民・LGBTQ+★

スウェーデンでは国政レベルの議会における女性議員の割合は、1998年以降は40％を超えるようになっており、年齢ごとの男女比で大きな差はなかった。2022年選挙では29歳以下での女性議員の割合が24％、65歳以上は60％との相違が生じたが、両年齢層は当選者数が少ないため、若い女性議員が減少傾向にあると現時点ではいえないであろう。

女性議員の数が増加するにつれ、政党の要職に就く女性も増えた。環境党は男女2名が党の代表であるが、党首が1名である他の主要政党でもスウェーデン民主党を除いた6党で女性党首が誕生している。中央党はスウェーデンの主要政党で初めて1985年に女性を党首に選出した政党であり、党首となったスーデル（Karin Söder）は1976～78年に外務大臣を務めていた。2001～23年は2人の女性党首が続くなど、女性政治家が活躍している政党である。左翼党は1993～2003年にシーマン（Gudrun Schyman）、2003～04年はホフマン（Ulla Hoffmann）、2020年からダードゴスタール（Nooshi Dadgostar）が党首である。キリスト教民主党は2015年にブッシュ（Ebba Busch）が党首に就任し、2023

年現在まで党首である。穏健党は２０１５～１７年に初の女性党首としてバートラ（Anna Kinberg Batra）が就任し、自由党は２０１９～２２年にサブニ（Nyamko Sabuni）が党首を務めた。社会民主党では、サリーン（Mona Sahlin）に続く２人目の女性党首として、アンデション（Magdalena Andersson）が２０２１年から党を率いている。

２００３年に46歳で刺殺されたリンド（Anna Lindh）は当時外務大臣であり、最大政党の社会民主党の次期党首と目され、スウェーデン初の女性首相に最も近いといわれた人物であった。スウェーデンへのユーロ導入の是非を問う国民投票に向けて、導入賛成のキャンペーンを積極的に行っていたが、投票日の４日前にストックホルムのデパート内で刺され、翌日の死去に国中が哀惜（あいせき）の念に堪えない状況となった。刺殺の原因は彼女の政治姿勢や政策志向によるものではなかったが、国民投票の投票日直前に国民からの人気が高かった女性政治家が刺殺されるという衝撃的な事件であった。

スウェーデンでは近年は左右どちらの政党が連立政権を樹立しても、大臣のポストの約半数を女性が占めるようになっているが、女性首相が誕生していない点は内外で疑問視されてきた。２０２１年11月にスウェーデン初の女性首相として社会民主党党首のアンデションが選出されたが、議会での予算案の否決とそれに続く環境党の連立政権からの離脱により数時間で辞表を提出する事態となり、注目を集め

政府の閣僚における男女の割合（%）

	女性	男性
1985年	25	75
2000年	55	45
2022年	52	48

出典：Statistics Sweden, *Women and Men in Sweden 2022: Facts and Figures*, 2022, p.120より抜粋。

た。5日後に社会民主党による少数単独政権の首相として選出されて再び首相の座につき、ロシアによる2022年2月からのウクライナ侵攻を受けて、同年6月にNATO（北大西洋条約機構）への加盟を申請するなど、従来のスウェーデンの安全保障防衛政策を大きく転換させた。しかし、2022年9月の選挙後に首相を辞任したため、在任期間は1年に満たないものとなった。2022年10月に発足した穏健党党首クリステション（Ulf Kristersson）を首相とする中道右派の連立政権では、内閣の24名のうち11名が女性であり、女性の割合は45・8％となった。

スウェーデンは議員の年齢が比較的若い傾向にある。国政レベルの議会選挙での当選者は、2018年の選挙で18～49歳が63・1％で65歳以上は1・7％、2022年の選挙では18～49歳が56・7％、65歳以上が4・3％であり、若い年代が活躍している。党首や大臣が20～30代であることも珍しくなくなっている。2011年に中央党でルーヴ（Annie Lööf）が28歳で党首に就任した。2015年にはキリスト教民主党でブッシュが、同じ28歳で党首に就任した。穏健党のラインフェルト（Fredrik Reinfeldt）は2006年に戦後最年少の41歳で首相となり、連立政権を構成していた自由党のサブニが同年に37歳で統合平等大臣となった。左翼党ではダードゴスタールが35歳で党首に就任している。

2022年に発足した中道右派の連立政権では、首相が最年長（当時59歳）で、最も若い大臣は27歳の女性（気候・環境大臣）であった。発足当時の内閣の平均年齢は約45歳で、首相を除いた23名の大臣のうち20～30代が6名、40代が9名、50代が8名という構成であった。副首相はキリスト教民主党の党首である35歳のブッシュであった。

2022年選挙における政党別の当選者の年齢（%）

年齢	穏健党	中央党	自由党	キリスト教民主党	環境党	社民党	左翼党	スウェーデン民主党	全体
18-29	7.35	4.17	12.5	5.26	0	3.74	0	5.48	4.87
30-49	47.06	45.83	56.25	31.58	72.22	50.47	75	52.05	51.86
50-64	45.59	45.83	25	47.37	22.22	41.12	12.5	41.1	38.97
65以上	0	4.17	6.25	15.79	5.56	4.67	12.5	1.37	4.3

出典：Statistikmyndigheten（https://www.scb.se）のデータより筆者作成。

外国生まれの議員の割合も増加している。1980〜90年代の選挙では外国生まれの議員は2〜3％であったが、2000年代には5％、2010年の選挙以降は8％が続いている。データを入手できる1991年以降、国政レベルの議会で議席をもつ政党が、ほぼ毎回の国政選挙において複数名の外国生まれの候補者を立てている。2006年以降は中央党とスウェーデン民主党を除いた6党が、政党ごとに50名以上の候補者を継続して擁立している。当選者はすべての政党で同じ割合ではなく、最大政党の社会民主党では1991年の選挙以降、継続して外国生まれの候補者が当選しており、当選者数も増加傾向にある。左翼党も2010年以降は当選者を出し続けており、左派政党で外国生まれの議員が多い傾向にある。自由党の党首を務めたサブニは難民として家族とともにブルンジからスウェーデンに来ており、左翼党党首のダードゴスタールの両親はイランからの難民である。移民・難民としてスウェーデンに渡る人々が増加した経緯もあり、本人や親が移民・難民という背景を持つ人が議員、党首、大臣になることは珍しくなくなった。

LGBTQ＋を公表している議員が大臣に就任した例もある。2006〜11年に環境大臣であった中央党のカールグレン（Andreas Carlgren）は、ゲイであることを公表したスウェーデン初の大臣であった。2021

年に社会民主党のアンデションを首相として組閣された政権では、スウェーデン初のトランスジェンターの閣僚としてシールブロム（Lina Axelsson Kihlblom）が学校大臣に任命された。

ヨーロッパ諸国では女性、若者、移民・難民、ＬＧＢＴＱ＋といった人々が、党首、首相、大統領、大臣などに就任することは特別視されなくなっているが、スウェーデンでも同様に性別、年齢、出身国、性的指向・性自認ではなく、能力によって議員や政党および政府の要職に就く人が選ばれるようになっている。政治や政策決定に有権者の持つ多様性が反映されるべきと考えるならば、議員が特定の属性に偏ることなく選出され、各人の能力に応じて政党や政権の重要な役職に就任する機会が存在する状況は望ましいといえよう。しかし、これまで議員や大臣に少なかった属性であるがゆえに受けるハラスメントや報道のされ方は、現在も課題として残っている。スウェーデンに限った問題ではないが、他の分野と同様に偏見や差別意識が一部の人々に残存している側面も否定できない。政治においても多様性を推進し、それを受け入れる社会を実現するための模索は、今後も継続するであろう。

（五月女律子）

32

スウェーデン民主党とは

★極右から中道政党化へ★

スウェーデン民主党は1988年に結党された「極右」といわれる政党である。レイフ・セイロン（後にレイフ・エーリックソンと改名）らを中心に、いわばスウェーデン人の利益代表政党として結党された。スウェーデン政府の採ってきた寛容な移民政策への不満や、移民の制限と帰還を一貫して訴えてきた政党である。

スウェーデン民主党の系譜はかなり複雑に入り組んでいるが、簡単にまとめるならば、1930年にパール・エングダールが始めたスウェーデンの国民社会主義運動の「新スウェーデン運動」が源流であり、スウェーデン・ナチスの「北欧王国党」や「スウェーデン国家同盟」といったような極右勢力の流れも汲む。1979年にセイロンが結成した愛国政治結社「スウェーデンをスウェーデンらしく維持せよ」（略称BSS）と、減税を訴える不満政党「進歩党」のストックホルム部局とが合流して1986年に「スウェーデン党」という政党が結成され、これがスウェーデン民主党の前身となる。寄り集まりの政党ではあったが、BSS系グループがスウェーデン党をスウェーデン民主党へと発展させた。ここで押さえておかなければばならないことは、減税路線は継承されず、「スウェーデン人ファースト」という福祉ショーヴィニズムを前面に掲げたことであった。すなわち、スウェーデン民主党は「スウェーデン人優先型の福祉国家」を追求する政党となったことにまず注目しておかねばならない。

1980年代から1990年代は、極右政党・組織が乱立した時代でもあった。「国民社会主義戦線」や「王国戦線」、「白人アーリア抵抗運動」（略称VAM）のような比較的規模の大きい組織から、地方都市などで活動する小規模なローカル組織まで多くの組織が割拠した。この時代の特徴として、ヴァイキングロックと呼ばれるジャンルの音楽を通して、ナショナリズムが鼓舞されたことが挙げられる。代表的なものとしてウルティマ・テューレといったバンドが挙げられ、BSSやスウェーデン党が自分たちのテーマソングとして使用して、若者を取り込んでいった。これらのバンドは危険視されてスウェーデンで発禁処分を受けているが、個人購入の正規品から海賊版までが地下ルートで取引されて聴き継がれていった。ベスト版のコンピレーション・アルバムのタイトルが『国民の声』（2000年リリース）というように、ファンだけでなく世間一般へのメッセージ性が込められたものも多くあった。また、これらの政党や組織がインターネット黎明（れいめい）期の1990年代にすでに他に先駆けてネットを最大限駆使していたことも特筆すべきである。

スウェーデン民主党もこうした組織の一つに過ぎなかったが、国政政党へと成長する重要な局面は2001年と2003年に見出せる。2001年に起きたスウェーデン民主党の党内分裂により、一部の過激分子が「国家民主党」（2014年解党）を結成し、離党していったことで極右の色彩が幾分か薄まった。さらに2003年にはスウェーデン民主党青年部長のインミ・オーケソンが党首に選出

スウェーデン民主党の得票数・得票率・議席数の推移

年	1988	1991	1994	1998	2002
得票数	1,118	4,887	13,594	19,624	76,300
得票率	0.02%	0.09%	0.25%	0.37%	1.44%
議席数	0	0	0	0	0
年	2006	2010	2014	2018	2022
得票数	162,463	339,610	801,178	1,135,627	1,330,325
得票率	2.93%	5.7%	12.86%	17.53%	20.54%
議席数	0	20	49	62	73

出典：筆者作成

され党内改革が行われた。執行部の大幅刷新により若返りが図られ、さらにネオナチのイメージを払拭するためネオナチ組織に属していた経歴のある党員を除名するなど「党内粛清（しゅくせい）」を断行した。続く２００５年には「安心と伝統」という社会民主主義と国民保守主義を融合する新たな綱領を策定し、旧来のナショナリズムに社会民主党の路線を取り込んで国民政党として再出発を図った。また、「スウェーデンをスウェーデンとして維持せよ」というＢＳＳ的なスローガンも「スウェーデンをスウェーデンのままに」というようにソフト化路線に転換したが、同党のレトリックそのものに何ら変化は見られないとの指摘もある（ちなみに２０１５年においてもオーケソンとウルティマ・テューレの共演が報道されている）。スウェーデン民主党が目指すものは、多文化主義に終止符を打ち、「郷土とその周辺環境」の保全、市場原理では守れないスウェーデン社会全体の維持、そして地方でも生活を継続できるようにし、自然環境を保護して次世代に引き渡していくことにある。スウェーデン民主党としては、社会民主党の福祉国家路線を継承しながら、それにナショナリズムを加味することで、自らを保革両陣営のいずれにも属さない中道政党に位置づけて支持拡大を図った。なお、こうした変革はフランスの「国民連合」の手法がモデルになったと言われている。

その結果、2006年には得票率が2・93%に達し、2010年には5・7%を得て20議席を獲得する国政政党となった。その後、2014年には49議席を、2018年には62議席、そして2022年には73議席を獲得して議会第二党にまで党勢を拡大した。いまや議会でのキャスティング・ボートを握る存在であり、予算案の審議でも政府案を廃案に追い込むだけの影響力を持った政党である。では、どういう層がスウェーデン民主党に投票しているのだろうか。一言で言えば「地方（主に南部）居住の男性の若年層であり、学歴も低く民間で雇用されていて、労働市場政策対象者あるいは失業者」といえよう。スウェーデン民主党投票者のおよそ3分の2が労働者階級なのに対して、伝統的な労働運動政党である社会民主党や左派党に投票した労働者階級の割合はそれを下回る。とりわけ、社会民主党支持者は最大支持母体全国労働組合連盟（LO）に加入している者が多く、このことからもスウェーデン民主党は単に右派ばかりではなく、社会民主党の支持者からも支持を獲得していることがわかる。2022年9月の選挙でもLO加入者の42・4%は社会民主党に投票しているが、それに次ぐ27・2%の加入者がスウェーデン民主党に投票していることが明らかになっている。近年の研究では、就業者と年金受給者、そして中高年からの支持が増加していることも指摘されているが、ユーテボリ大学社会・世論・メディア研究所による保革自己イメージ調査では、スウェーデン民主党支持者・共感者たちは保革の中間的な立ち位置にあると自認しており、「中位投票者」であることが明らかとなっている。これを踏まえると、他党との比較において、移民/難民問題と多文化社会の是非をことさら問われれば、スウェーデン民主党の主張が極端に映るために、ここに「極右」とされる要因があるといえる。

スウェーデン民主党はこれまで一度も得票率を落としたことがないまま、議会第二党へと躍進した。そしていまや、中道右派のウルフ・クリステション政権で閣外協力をするまでに至っている。しかし他方で、舌鋒鋭く与党も野党も批判してきたスウェーデン民主党は折々に政局を左右する曲球を投げる侮れない存在でもある。

目下、閣外協力ゆえに、論戦では政権側に立って政府の方針を擁護する場合も見られるとはいえ、スウェーデン民主党内では現実路線に不満を持つ者も決して少なくない。また、「スウェーデン人の党」や「スウェーデンのための選択肢」なども結成されている中で、ソフト化路線で受け皿を失ったかつての強硬派が、VAMの流れを汲みながら、スウェーデン民主党よりもはるかに過激な組織「北欧抵抗運動」(略称NMR)を組織している。この組織は統率の取れたヒエラルキー型の組織であり、露骨な暴力によるあからさまな移民排撃を訴える大規模なデモを通して、現在北欧全体で結集しつつあることも忘れてはならない。

(清水　謙)

33

スウェーデンとEU関係

★北欧からの政策発信★

スウェーデンは、1990年代初頭、東西冷戦の終結という国際環境の変化の中で、住宅バブルの崩壊を引き金とした自国の深刻な経済危機の打開を模索し、1995年にEU加盟を果たした。以来約30年、スウェーデンは、冷戦期の中立政策の下で蓄積した国際貢献に関する知見や福祉国家建設の過程で育まれた環境や人権、情報公開といった領域での先進的な取り組みをEUの政策に取り入れる提案を積極的に行うことでEUの政策形成に貢献し、独特の存在感を放ってきた。

27か国が加盟するEUは、域内人口は約4億5000万人、名目GDPは世界の約15％を占め約17兆ドル（日本の約3・4倍）という規模を誇り、中国と並び米国に次ぐ経済規模を誇る一大経済アクターである。しかし、経済危機を脱したスウェーデン国内における対EU評価は長らく低迷する。既存の加盟国と比べても、豊かで安定した民主主義国家であったスウェーデンにおいて、EUレベルでの政策決定の有効性に懐疑的な目を向けており、長い年月をかけて築き上げた中立政策からの変更と充実した福祉国家体制を損なうことへの懸念が根強かったのである。

第33章
スウェーデンとEU関係

こうした国民の対ＥＵ評価を改善する上でも、ＥＵの政策形成への参画は重要な意味を持っていた。スウェーデンは人口１０００万人余り、ＧＤＰは６０００億ドル（ＥＵ圏の約３・５％）にすぎないが、政府は、ＥＵの一員となることで、より効果的に自国が重視する政策や価値を対外的に発信できると国民に訴えたのである。

ＥＵレベルの政策決定にスウェーデンのような中小国が影響力を行使するには、フランス・ドイツ・イギリスなどＥＵ内の大国だけでなく多様な加盟各国の利害を調整する交渉能力が欠かせないわけではあるが、ＥＵ内で多数派をスウェーデンが形成できれば得られるものは大きい。そこでスウェーデンは、加盟国が輪番で担う欧州理事会の議長国としての任期を利用し、自国の関心事項を優先的に議題として取り上げる機会として積極的に動いた。

例えば、スウェーデンは、ＥＵにおいて１９９０年代末から始まった安全保障・防衛政策（現在の共通安全防衛政策：ＣＳＤＰ）形成時に、この議長国という立場を活用し、同政策を実現していく中でスウェーデンらしい「紛争防止概念」を取り入れることに成功した。この紛争防止概念は、１９９０年代の国連の平和維持活動（ＰＫＯ）の経験の中から生まれ、紛争の問題は軍事力のみによっては解決し得ず、統治能力の欠如、貧困や格差、差別など、紛争の根本的原因の解決に向けた取り組み、長期的な観点から当事国や地域の安定化を図ることが重要であるとする考え方である。スウェーデンは、冷戦期を通じてＰＫＯや開発支援などに強い関心を示し、多面的に国際的な平和の問題に取り組んできており、そうした国際貢献の経験を「紛争防止概念」の提案を通じてＥＵレベルの政策に反映させるチャンスとして、ＣＳＤＰの形成を捉えたのである。

そもそもPKOは、冷戦期に米ソ対立により国連が機能を停止した中で、紛争の問題に国連が対応する方策として生み出された。この時期のPKOは対立する当事国の間に入り停戦の監視などを任務としており、中立的な立場から活動が可能な中小国である北欧諸国の参加が歓迎された。北欧諸国もこれを重要な国際貢献と位置づけ、冷戦終結までに行われたPKOの人員の4分の1程度を提供し、お家芸とも言える強みとなっていた。

PKOの経験豊富な北欧諸国の中でもスウェーデンがCSDP形成に際し積極的に動いた背景には、同国の中立の歴史を色濃く反映する国防政策と対立するEUの軍事同盟化への懸念があったことは言うまでもない。北欧諸国はいずれも、その「大国ではない」という立場を生かし、PKOへの参加をはじめ紛争解決に貢献してきたことで知られているが、ノルウェーはEU非加盟国であり、デンマークは北欧諸国の中でいち早くEUには加盟していたものの、自国の主権を重視し、欧州統合に対し懐疑的であることで知られていた。そして1992年のEU創設を定めたマーストリヒト条約を批准する条件としてCSDPを含む四つの分野に関し適用除外を受けることを認めさせた。このため、CSDP形成に参画できる立場にはなかった。スウェーデンと同じく加盟国として政策形成に参画できる立場にあったフィンランドは、スウェーデンとCSDPに対する見方は共有していたものの、隣国ロシアとEU間の協力関係の制度化を最優先としていた。一方、スウェーデンにとっては、中立の伝統を強く支持する国民の支持を得る上で、誕生しつつあるCDSPを、冷戦期以来中立政策の下で同国が積極的に行ってきた国際貢献の延長に位置付けられる政策となるよう働きかけることは大きな意味を持っていた。

第33章
スウェーデンとEU関係

ＣＳＤＰは、１９９０年代のＥＵによる旧ユーゴスラビア紛争介入失敗への反省と、冷戦終結後の欧州の安全保障における米国の負担軽減を進める中で構築され、同政策の下でＥＵは域外の紛争に軍事的に介入するための能力の獲得を目指した。この動きに対し、スウェーデンは、まず、ＥＵが紛争の解決に取り組む上で、軍事的能力だけでは不十分であり、「文民的能力」を併せて構築する必要があると主張した。この「文民的能力」とは、警察能力、司法、刑罰制度を含む法の支配の実施、行政能力の強化支援を指し、危機にある国や地域の安定化に貢献することを目指すものである。さらに、２００１年にＥＵの議長国を務めた際に、スウェーデンが国連の場でもその重要性を訴えてきた「紛争防止概念」を、ＣＳＤＰを含むＥＵの対外政策に取り入れるとする文書の採択を主導した。

スウェーデンの提案は、ＥＵ内において、ＣＳＤＰに関して同様な見解を持つフィンランドと協働して行われたが、実現に際して重要であったのは、その軍事力から大きな発言力を持っていたイギリスの支持であった。イギリスは、ＥＵにおける軍事的能力の構築には同意したものの、それが域外の紛争への対応を越え加盟国の防衛を担う政策に発展することには、欧州の安全保障における米国・ＮＡＴＯの役割を重視する立場から反対していた。イギリスにとって、スウェーデンの提案は、軍事的能力の獲得により欧州統合のさらなる進展とＥＵの国際的プレゼンスの拡大を目指しつつも、ＣＳＤＰはあくまで地域紛争への対応に留めておきたいという自国の政策志向と一致するものであった。イギリスを筆頭とする米国・ＮＡＴＯ重視派の理解を得られたことで、スウェーデンの提案は実現するに足る支持を集めることができたといえる。

ＥＵはＣＳＤＰの下で、43の域外ミッションをこれまでに実施してきた。現在、実施されている24

ミッションのうち、文民ミッションは13を占めており、文民的能力は多くのEU関係者が想像していた以上に活用されている（2024年、欧州対外行動庁）。また、軍事ミッションの内容も、当初想定していたような軍事介入ではなく、当該国と協力しながら行う安定化に向けた能力構築の支援が主となっている。一方、「紛争防止概念」は、EUの安全保障戦略の中に取り込まれ、EUは、安全保障や平和の問題に、軍事力だけでなく外交や人道支援、開発援助、人権など多様な手段を活用し当事国と協力しながら包括的に取り組む姿勢を自らの特徴として打ち出した。ここで示されたEUの姿勢は、地中海を越えてEUに流入する移民・難民問題で協力する必要が増しているアフリカや、ロシアを警戒するモルドヴァ、ジョージア、ウクライナといった国々とEUの関係構築の際の土台となっている。

これまでのスウェーデンの提案は、冷戦という対立構造の中で中立という立場から平和に貢献することを選択し、国内で福祉政策を充実させていく中で育まれたスウェーデンならではの価値観を反映したものであり、EUに新たな視点や価値をもたらしてきた。しかし、スウェーデンのEU加盟から約30年を経て欧州を取り巻く国際環境は一変した。国内も移民問題などで大きく揺れている一方で、冷戦終結がもたらした明るい展望は消え去り、2022年2月に始まったロシアの軍事侵攻以降、旧来の軍事力に依拠する安全保障の議論が力を増し、スウェーデンもNATOに加盟した。（廣瀬方美）

34

スウェーデンの移民／難民政策の変遷

★制限と寛容に揺れる歴史★

スウェーデンは移民／難民に寛容な国と言われてきた。しかし、歴史を紐解けばスウェーデンは寛容な国であったとは言い難い。スウェーデンが移民／難民を多く受け入れるようになったのは第二次世界大戦終結以降のことであり、それまでは極めて排他的な国であった。

第一次世界大戦が勃発した1914年に「国外退去法」が制定されたこともあったが、スウェーデンの排他性はむしろ1927年の「外国人法」に見出すことができる。この法律は、外国人労働者からスウェーデン人労働者を保護するための「労働市場の保護」を掲げたが、政府提出法案を注意深く読むと、もう一つ別の重要な立法目的に「純粋な人種性の保持」も組み入れられていることがみえる。その中に「世界でも稀なる純血性を守ること」が謳われており、均質国家スウェーデンを護持する強い意図が見て取れる。この1927年の「外国人法」は、1932年も1937年でも議会の審議を経ることなく延長され、第二次世界大戦終結まで効力を有した。「外国人法」が成立した当時のスウェーデンは、「人種生物学」と呼ばれる優生学思想が浸透しており、その数年前の1922年には首相経験者を含む保革両方の議員の動議によって世界初の「国立人種生物学研究所」が大学町ウップサーラに設立された。この研究所では、〝科学的調査〟と称してスウェーデン北部に住むサーミ人やトーネダール地域在住のフィンランド人をはじめとするマイノリティに対して尊厳を踏みにじるような調査研究を行い、またスウェーデン人の障碍者に対しても強制不妊手術を施すことが正当であるとする研究がなされた。こうした人種生物学は、これを牽引した所長ハルマン・ルンドボリによれば、次世代の生存のための社会整備を図ることが目標であるとし、実践的な研究として位置づけられた。外国人政策に限らず、当時のスウェーデン、そして欧米ではこのような優生学が政府の施策を支えていた。

1927年の「外国人法」を根拠に、スウェーデンはナチス・ドイツに迫害されているユダヤ人を受け入れることには極めて消極的であった。ユダヤ人亡命者は「望まれざる難民」と呼ばれ、1941年まで厳しく制限された。なお、ユダヤ人であることを明示するためにパスポートに〝J〟と押印することをナチス・ドイツに提言したのは、論争はあるものの、スウェーデンとスイスであると指摘されている。しかしながら、1945年にはフォルケ・バーナドット伯爵の指揮でナチス・ドイツの親衛隊全国指導者で内務大臣のハインリッヒ・ヒムラーと交渉して赤十字社を通して救出・移送用の「白バス」を手配したり、ハンガリーではスウェーデンの外交官ラウル・ヴァッレンバリがユダヤ人に保護旅券を発給したりするなど、ユダヤ人の救出をしていることは紹介しておかなければならない。

第二次世界大戦中、スウェーデンは全国14か所に強制収容所を設置し、自国民でも外国人でもスウェーデンの中立と安全保障を脅かすおそれのある者を裁判所の令状なしに拘束して収容していた。こうした政策は第二次世界大戦末期から自省し始め、１９４５年1月にリッカッド・サンドレルを委員長とする「難民問題と公安活動に関する議会調査委員会」（通称「サンドレル委員会」）が設置された。同委員会の報告書では戦時中のスウェーデンの公安活動の正当性と外国人の扱いが検証され、スウェーデンの政策が不必要なまでに厳格であり、政策転換も遅きに失したと指摘された。ユダヤ人の受け入れには消極的だった一方で、バルト三国出身者の受け入れには寛容であった。１９４５年11月から46年1月にかけてソ連からの圧力で送還を余儀なくされたスウェーデン側の苦悩はあったが、戦時中受け入れていたバルト三国出身者が労働者としてスウェーデン経済の発展に貢献したことで、外国人労働者がもたらすメリットが認識されるようになった。戦後のスウェーデンは大きな経済成長に恵まれたが、労働力が著しく足りなかったため、それを補うための労働者を外国に求める必要に迫られた。隣国のフィンランドを始め、相互協定によってイタリア、ユーゴスラヴィア、ギリシア、トルコなどから外国人労働者を招致した。また、１９５６年の「ハンガリー革命」のときには、オーストリアとユーゴスラヴィアにリクルート事務所を設置して、難民キャンプで生活するハンガリー人の中から、スウェーデンの経済発展に貢献しそうな人材を選別して引き抜いていった。こうした労働者は期間労働として帰国することが前提であったが、その半数は結局のところスウェーデン定住の道を選んだとされる。

スウェーデンは経済的理由での受け入れから人道上の受け入れへと政策を変えていくが、他のヨーロッパの国々と同様１９５０年代はちょうどその移行期であるといえる。外国人労働者の招致は労働組合からの要求で1972年に停止されたが、中道右派のフレードリック・ラインフェルト政権によって2008年に再開された。

外国人労働者が増加する中にありながら、スウェーデンは有効な外国人政策を採ってこなかった。社会の意識としては、外国人がスウェーデンへと同化していくことが想定されていたからである。スウェーデンで政策らしい政策が出てくるのは、1968年のことであるが、政府の責任は法的なものにとどまり、スウェーデンに居住する外国人への文化的責任までを負うことにしたのは社会民主党の第一次パルメ政権の1975年であった。その政策は「新移民政策」とも呼ばれ、実質的な統合政策への転換であった。この政策の三本柱は「平等」（スウェーデン人も移民／難民も、そして移民／難民同士も平等）、「選択の自由」（移民／難民がスウェーデン・アイデンティティをどれほど受け入れるかは各自の自由）、「協力」（マジョリティもマイノリティも並存しながら社会を共に発展させていく）であった。これによってスウェーデンは多文化社会へと舵を切った。また、この新移民政策によって、移民／難民政策を問題視して否定するような政策議論は行わないという暗黙の了解「非政治化の慣習」が政党間で共有されたことも重要である。

1970年代からは労働移民に代わって、難民が急激に増加した。これは、ウガンダでのクーデター（1971年）、チリでのクーデター（1973年）、レバノン内戦（1975年）、イラン・イラク戦争（1980～1988年）、ユーゴスラヴィア紛争（1990～1995年）、ルワンダ紛争（1990年～1994年）、ソマリア内戦（1991年～）、イラク戦争（2003年～2011年）、シリア紛争（2011年～）などによるものである。スウェーデンは難民条約に沿って多くの難民を受け入れてきたが、難民条約の定義に合致しない者についても「庇護必要者」として積極的に受け入れてきた。また、難民も「積極的外交政策」で掲げられた人権の尊重に惹かれてスウェーデンへと移住してきている。しかし、時代ごとにその受け入れ政策には濃淡がある。1989年には社会民主党のイングヴァル・カールソン政権では、1989年の「外国人法」によって難民認定は条約の基準を満たす場合に限るとした「ルシーア決定」で制限を加えたこともあり（1991年に中道右派連立のカール・ビルト政権により破棄）、また2015年の難民危機を受けて、デンマークと国境を接するスウェーデン南部で身分証確認を再導入するなどシェンゲン協定の精神に反する厳格な対策を採った。さらに、2019年6月までの時限立法ではあったが、庇護申請者の受け入れ数をEUの最低水準にまで押さえる法案も可決されるなど、近年では移民／難民に厳しい制限が適用されている。

スウェーデンは1975年の「新移民政策」によって統合政策へ移行したと言われているが、2004年の政府公式調査書によれば、実質的には同化政策がそのまま継続されてきたのではないかと指摘されている。その弊害で、社会で居場所を見出せない移民／難民が相当数生じており、現在では「セグリゲーション」という深刻な社会問題となっている。ギャング化したグループによる抗争で年間300件もの発砲事件も起きており、もはや「非政治化の慣習」だからといって目を背けることはできない状況となっている。治安問題と犯罪厳罰化はいまや選挙の主要な争点にもなるほど、スウェーデン社会に不安をもたらす大きな政治的課題となっている。

（清水　謙）

35

スウェーデンの防衛政策と徴兵制

★軍事非同盟から連帯への変遷とNATO加盟が徴兵制に与える影響★

２０２２年５月、スウェーデンはフィンランドと共に北大西洋条約機構（ＮＡＴＯ）への加盟申請を行った。ナポレオン戦争以来、約２００年間にわたって外交及び安全保障政策の柱だった軍事非同盟を放棄し、米国が主導する集団防衛体制に加わるという大きな決断だった。

他方、２０００年代半ば以降、スウェーデンの防衛政策の基本は他国との協力だった。また、「戦時における中立を目指す平時の軍事非同盟」と定式化される中立政策を実施していた冷戦期でさえ、スウェーデンが攻撃を受けた際には米国等の西側諸国からの軍事支援を拠りどころとしていた。

スウェーデンのＮＡＴＯ加盟は、外交及び安全保障政策の柱である軍事非同盟と、防衛政策の柱である他国からの支援や他国との協力という「ズレ」の解消といえるかもしれない。本章では、こうした「ズレ」を抱えてきた第二次世界大戦以降のスウェーデンの防衛政策の変遷を眺めてみたい。

中立の信頼性と防衛力の構築

一般的に戦時の中立を維持するためには、中立の意思と能力の双方が必要とされる。意思とは戦時にどちらの陣営にも与しないという決意であり、平時における軍事非同盟はその決意表明の一つとして考えられる。他方、中立の能力とは、交戦国から中立国が攻撃を受けた場合、攻撃を受けた中立国はその攻撃に独力で対抗しなければならないというものである。これら中立の意思と能力を強化することで、その国が戦時に中立を維持する可能性、つまり中立の信頼性が高まるのである。

NATO加盟申請を公式に決定する前のメーデーでのアンデション首相（当時）による演説風景（2022年5月1日）。写真の右側にはNATO加盟反対のプラカードも見える［筆者撮影］

スウェーデンは軍事非同盟という意思を示しながら、防衛力という能力の構築に努めた。その能力構築の一つの手段として徴兵制が挙げられよう。1812年に軍の補完として始まった徴兵制は、1901年の改定で軍に対して安定的に人員を供給する制度となった。

冷戦期――中立政策と西側諸国との協力

第二次世界大戦後、欧州を舞台として米ソ間の対立が深まった。冷戦の始まりである。1949年、スウェーデン政府はNATOへの加盟を拒否し、軍事非同盟を貫くこととなった。二つの大戦で中立国を表明して戦禍を免れ、ナポレオン戦争以降の大国間の戦争に巻き込まれなかったという事実から、スウェーデン国民の多くが軍事非同盟を支持したのは当然といえるかもしれない。

だが、１９４０年代終盤、隣国のフィンランドはソ連と友好・協力・相互援助条約を締結し、ノルウェーとデンマークはＮＡＴＯに加盟した結果、東西両陣営にとってスウェーデンの戦略的重要性が高まっていた。さらに、第二次世界大戦の経験から、一国で中立政策を維持することの難しさも十分に理解していた。そのため、もし東西間で戦争が始まった場合には、スウェーデンが中立国を維持することは困難であると政府は評価していた。

軍事非同盟がスウェーデンの安全を保障するわけではない。しかし、東西どちらか一方と同盟を締結すれば、もう一方の陣営からは敵に認定され、東西間での戦争ではその戦略的重要性から攻撃を受ける可能性が高い。スウェーデン政府の悩みは大きかった。こうしてスウェーデンは、ソ連の脅威に対処するために秘密裏に西側との軍事協力を限定的に進めつつ、政治的には軍事非同盟を核とする中立政策を実施した。

１９４０年代後半から50年代の軍最高司令官の報告書では、西側を想定した他国からの軍事支援の重要性が強調されており、スウェーデンの防衛戦略は軍事支援が届くまでの「時間稼ぎ」としての防衛力の構築だった。

しかし、１９６０年代後半には西側諸国からの軍事支援に関する文言は消え、70年代にはタブーとなる。その代わりに、ソ連は対ＮＡＴＯに資源の大半を費やすため、スウェーデンは「余剰戦力」にのみ対応し、抑止すればいいという「余剰戦力ドクトリン（marginaldoktrinen）」が謳(うた)われるようになる。この「余剰戦力ドクトリン」は、西側の通常兵器が十分にある状態を前提としており、間接的にスウェーデンの防衛戦略が西側に組み込まれていることを認めたものといえよう。

国際的な緊張緩和と経済状況のために1970年代初頭には防衛予算が削減され、スウェーデン軍は一時的に弱体化した。例えば、1981年にスウェーデン南東部の軍港カールスクローナ(Karlskrona)付近でソ連のウイスキー級潜水艦が座礁(ざしょう)した事件や、翌82年にストックホルム付近で国籍不明の潜水艦による領海侵犯事案は、こうした70年代の防衛予算の大幅な削減の結果、防衛能力が減少した影響といわれている。徴兵制における基礎教育も十分に履行(りこう)することは難しくなっていた。

冷戦の終結 ― 中立から連帯へ

1980年代終盤から90年代初頭にかけて、急激に東側陣営が解体され、スウェーデンにとって脅威だったソ連が消滅した。東西間で「中立」である必要がなくなったスウェーデンは、冷戦期には政治的に不可能だった欧州統合への参加を表明し、95年にEUに加盟した。また、ほぼ同時期にNATOとのパートナーシップ協定を締結し、スウェーデンは公式にNATOと軍事協力を行うこととなった。

90年代や2000年代の国際的な軍事作戦に参加する機会が増えると、軍の課題は他の国家又は組織との相互運用性の向上に焦点が当てられ始めた。冷戦期には自力での領土防衛が防衛政策の第一の目標だったが、ロシアの脅威の消失の結果、即応性と相互運用性を備えたより実働可能な部隊の構築が求められたのである。

さらに武器の技術が高まる中で、スウェーデン軍は徴兵による幅広く人員を確保するのではなく、志願兵によるプロフェッショナルな兵士による部隊の構築を目指した。そして２００９年に政府は徴兵制の停止を決定した。同時に、リスボン条約の結束条項に対応する形で、危機の際にEUや北欧諸国への武器も含む支援の提供と、同様の支援の受け入れを明示した「連帯宣言（solidaritetsförklaringen）」を発表し、スウェーデンの防衛政策は「中立から連帯へ」と言われるようになった。

ロシアによるクリミア併合以降

２０１４年３月のロシアによるクリミア併合は、ロシアの脅威と領土防衛の重要性を改めてスウェーデン政府と国民に気づかせた。その結果、２０１７年には徴兵制の再開を決定し、防衛政策の主眼は再び領土防衛に置かれた。

それと同時に連帯宣言から続く他国との協力も強化された。２０１４年にスウェーデン政府は、共同演習や危機対応の際にスウェーデン国内での軍事活動を容易にする「ホスト国に関する覚書」に署名し、危機や戦争の際にスウェーデンが軍事支援を受け入れる際の準備を整えた。

こうしてスウェーデンは自国による防衛力の構築と他国との協力を通じて安全保障を高めてきた。２０２２年にスウェーデンがＮＡＴＯへの加盟申請を行ったことは、冷戦期には中立政策への配慮から秘密裏に行われるべきことだったが、冷戦後により明示的になった西側との軍事協力がたどり着いたゴール地点だったといえるかもしれない。

Tisdag 17 maj 2022
Sedan 1884
Svenska Dagbladet
”Vi lämnar en era och går in i en annan”

スウェーデンのＮＡＴＯ加盟が閣議決定された翌日２０２２年５月17日付のスウェーデンの日刊紙スヴェンスカ・ダーグブラーデット紙の一面。「我々は一つの時代を後にし、別の時代へと足を踏み入れる」

なお、徴兵による兵士は２０２２年の段階では５０００人から６０００人ほどだが、スウェーデン政府は２０２５年までには８０００人、将来的には1万人の徴兵を目指しているという。法律上、徴兵はスウェーデンの領土防衛のために召集される。だがＮＡＴＯ加盟により、加盟国への攻撃をＮＡＴＯ全体への攻撃とみなす集団防衛体制にスウェーデンは組み込まれることになる。その場合、スウェーデンで徴兵された兵士はＮＡＴＯの防衛のために海外の領土に派兵される可能性が高い。徴兵された兵士が自動的にＮＡＴＯのために国外へ派兵されるべきではないという意見も国内にあり、議論が続いている。

（鈴木悠史）

36

スウェーデンのNATO加盟申請

★素早い申請、多難な加盟★

２０２３年３月22日にスウェーデン議会は、賛成２６９、反対37、棄権43でＮＡＴＯ加盟の意思を正式に決議した。「正式に」、という表現をしたのには理由がある。なぜなら、２０２２年５月13日に全議会政党が協議してまとめた報告書『悪化した安全保障環境――スウェーデンへの影響』が発表されたことで、社会民主党のマグダレーナ・アンデション政権はＮＡＴＯ加盟の方針が事実上承認されたという前提のもとで、５月18日にＮＡＴＯ加盟申請をしたからである。

この報告書の結論は、スウェーデンのＮＡＴＯ加盟は軍事的紛争を防ぐ敷居を高め、ヨーロッパ北部での戦争を抑止する効果をもたらすとされた。しかしながら、この報告書には反対の個別意見も付された。左翼党はＮＡＴＯ加盟とは、すなわち核の同盟への参加であるとし、環境党・緑は軍事的非同盟で信頼を得てきたスウェーデンの核軍縮への取り組みに影響が及び、国際問題や紛争などの仲介国としての信用を低下させると懸念を表明した。こうした主張にしたがって、２０２３年３月22日の議会審議で反対票を投じたのは左翼党と環境党・緑であった。そこでは、両党はＮＡＴＯに加盟してもスウェーデンが国内に核を配備せず、なおかつ恒常的なＮＡＴＯ基地を設置しないとする対案を提出したが、これは否決された。これをもって、スウェーデンのＮＡＴＯ加盟への意思は揺るぎないものとなった。

アンデション政権で国防大臣を務めたペーテル・フルトクヴィストが２０２２年2月28日に述べていたように、ロシアによるウクライナ侵攻はスウェーデンの安全保障環境を激変させた。このため、国内でもＮＡＴＯ加盟を支持する声が高まり、世論調査会社ノーヴス（ＮＯＶＵＳ）社の調査によれば、これまで上回っていた反対が２０２２年1月の段階で賛成37％と反対35％でほぼ拮抗していたが、その後は賛成意見が漸増して、侵攻が始まった２０２２年2月25日以降は賛成が反対を大きく引き離していった。

ノーヴス社によるスウェーデンにおける
NATO 加盟の賛否を問う世論調査（単位：%）

	賛成	反対	わからない
2013年4月	35	39	26
2014年3月	31	42	27
2014年10月	37	36	27
2016年	36	42	22
2017年7月	32	43	25
2022年1月	37	35	28
2022年2月25日	41	35	24
2022年3月31日	48	26	26
2022年4月27日	54	24	22
2022年5月3日	48	25	27
2022年5月10日	53	23	24
2022年5月16日	58	23	19

出典：ノーヴス社のデータを基に筆者作成

スウェーデン国民にとっては、ロシアの脅威を目の当たりにしてＮＡＴＯ加盟はもはや、やむを得ない状況にまで追い込まれていったと言ってよい。前述の通り、左翼党と環境党・緑はＮＡＴＯ加盟に抵抗しているが、社会民主党の中でも本音は反対でありながらも、情勢が悪化する中では致し方なく賛成という立場も多々見られた。一方、穏健連合党を中心とする中道右派連立のウルフ・クリステション政権を閣外で協力するスウェーデン民主党もＮＡＴＯ加盟には複雑な立場にある。その理由として、スウェーデン民主党は、ＥＵのようなスープラナショナルな組織に属することは、スウェーデンの主権を制約することにほかならず、スウェーデンの独自性を損なうと考えてきた政党だからである。したがって、NATO加盟に賛成するグループも存在する中で、自分たちが主張する「スウェーデンらしさ」を侵害するとしてNATOに反対するグループも存在する。ロシアに関するスウェーデン民主党の立場は一枚岩ではなく、ナショナリズムを標榜（ひょうぼう）している以上、歴史的な〝宿敵〟であるロシアを敵視しても、プーチンには親近感を覚えるという矛盾も抱えている。こうした認識が、NATO加盟を阻害するようなロシアへの利敵行為を生んだりもしている。

スウェーデンのNATO加盟に向けての意欲を受けて、イェンス・ストルテンバルグNATO事務総長は、スウェーデンが望めばファストトラックで加盟できると述べ、前事務総長のアナス・ラスムセンもプーチンがウクライナに注力しているうちに早急にNATOに加盟すべきであるとエールを送ったことからも、スウェーデンは速やかにNATOに加盟できるものと思われた。しかし、ここにきて思わぬ伏兵が現れた。ハンガリー、そしてトルコが反対したのである。ハンガリーが反対する理由は必ずしも明確ではなかった。プーチンに近しいオルバーン首相の意向とも考えられるが、ハンガリー政府筋の話としては、①スウェーデンの政治家がハンガリーに批判的でハンガリーとの関係を軽視して国益を損なってきたこと、②ハンガリーが抑圧的な政権に統治されていると決めつけていること、③ハンガリーへの敬意が不足していることが挙げられていた。しかし、2023年3月に与党フィデス＝ハンガリー市民同盟の議員がNATO加盟支持を表明したことで好転の兆しが見られつつあった。その点で、トルコが承認すればハンガリーも承認するのではないかという観測が出ていた。問題は頑（かたく）なにスウェーデンのNATO加盟を拒むトルコであった。トルコはスウェーデンがクルド労働者党（ＰＫＫ）とクルド人民防衛隊（ＹＰＧ）と繋がりのあるスウェーデン在住のクルド人を引き渡さない限り、スウェーデンのＮＡＴＯ加盟は承認しないという強硬姿勢を崩していなかった。事態を打開すべくスウェーデンはトルコと２０２２年５月25日にアンカラで協議の場を持ち、その席にはスウェーデンの公安警察「セーポ」のマグヌス・クルムリンデ副長官が同席するという異例の交渉となった。この交渉が功を奏したからか、６月29日から30日にかけてマドリードで開催されたＮＡＴＯ首脳会議に先立つ28日に、エルドアン大統領がスウェーデンのＮＡＴＯ加盟を承認すると表明し、スウェーデンがトルコの要求するテロリストを引き渡すことを約束したとの〝密約〟を仄（ほの）めかした。同日には、「セーポ」が送還者リストを作成しているとのスウェーデン側の報道もあったが、当時の法務・内務大臣モルガン・ヨーハンソンはスウェーデン国籍を有する者の送還はないと述べた。それに対して７月18日に、エルドアン大統領はもし約束が果たされなければ批准手続きを凍結すると揺さぶりをかけ、スウェーデンのＮＡＴＯ加盟は先行きの見えない状況に陥った。２０２２年12月３日に、いわゆる「エルドアン・リスト」に含まれていないクルド人２名が難民申請を却下されたことで国外退去となり、トルコへと送還される出来事があった。スウェーデン政府としては、行政機関の独立性の法理で出入国管理局が独自に判断したこととして関与を否定していたが、トルコはさらなる送還を期待すると表明した。

このように「クルド人問題」はトルコの手中にあるように見えた。しかし、「クルド人問題」はスウェーデンが一方的に責を負うものでもなかった。というのは、スウェーデンもトルコに引き渡しを求めているクルド人がいたからである。その人物は通称「クルドの狐」で知られる36歳のクルド人男性で、スウェーデンで爆破、発砲、射殺事件などの重大犯罪に関わっているとされて手配中の人物である。彼はトルコに逃亡してトルコ国籍を取得したが、スウェーデン側はトルコ政府が容疑者を隠匿しているのではないかとの疑いを抱いている。これに対してトルコ政府は強い不快感を示していたが、いずれの「クルド人問題」も平行線を辿ったままであった。なお、「クルドの狐」ことラワ・マジード容疑者は２０２３年10月6日にクルド人地域のイラン国境の町でイラン当局に逮捕されたとの情報が入っている。

アンデション政権もクリステション現政権にしても、その外交の悪手は一筋縄ではいかないエルドアン政権と直接二国間交渉を図っていたことにあり、ＮＡＴＯ加盟に向けてこの局面を打開するためには、ＮＡＴＯ全体の問題としてトルコに圧力をかけるようにするなど多面的な外交を試みることもできたはずである。「別件送還」のような政府の与り知らない体裁で切り抜けたとしても、これによってスウェーデンが貫いてきた人道主義に瑕疵が生じてしまい、スウェーデンの国際的な名声を損ないかねない衝撃を世界に与えてしまうのではないかと危惧した声もある。軍縮交渉などではこれまで巧みな外交術を発揮してきたにも拘らず、いざ危機となるとナイーヴさが頭をもたげるスウェーデン外交の弱点が露顕したといえよう。

２０２３年6月1日にトルコの要求を満たす「テロ組織関与者への処罰に関する規定」（通称「新テロリスト法」）が施行され、テロ組織に参加した者、あるいはテロ組織に資金提供した者を罰することが可能となった。これを受けて、エルドアンも態度を軟化させ、スウェーデンのＮＡＴＯ加盟を承認する姿勢を示し始めてはいたが、加盟を承認すると発言した後にやはり撤回するといったような手法でＮＡＴＯ事務総長やスウェーデン、そしてアメリカなどを翻弄し続けていた。２０２３年7月にリトアニアで開催されたＮＡＴＯ首脳会議に際して、トルコはＥＵがトルコの加盟に門戸を開き、スウェーデンがトルコのEU加盟のために尽力するのであれば承認するという条件を新たに提示してきた。２０２３年10月末にエルドアンはようやくスウェーデンのＮＡＴＯ加盟承認を議会に諮る手続きを進めたが、トルコ議会の外交委員会は日程を延期するなどスウェーデンのＮＡＴＯ加盟承認を引き延ばしてきた。２０２３年12月末になってトルコ議会の外交委員会が加盟を承認し、翌年1月23日にトルコ議会はスウェーデンのＮＡＴＯ加盟を約4時間にわたる議論の末に可決した（賛成２８７：反対55）。スウェーデンのＮＡＴＯ加盟を外交カードとして温存しておきたい狙いが当初からエルドアンにあったのではないかと目されてきたが、25日に批准法案にすんなり署名して批准手続きが完了した。エルドアンはスウェーデンのＮＡＴＯ加盟を承認することと引き換えにアメリカからF16戦闘機ブロック70の提供を求めていたが、26日にアメリカ政府は同機40機と関連装備をトルコに売却すると発表した。これをもってほぼエルドアンの思惑通りとなった。スウェーデンのＮＡＴＯ加盟に難色を示していたハンガリーのオルバーン首相も、2月23日に行われたクリステション首相との会談で、グリーペン戦闘機14機のリースとメンテナンス契約の延長に加えて、新たに4機売却で合意し、26日にハンガリー議会がスウェーデンのＮＡＴＯ加盟を可決した（賛成１８８：反対６）。ハンガリーの最終的な批准手続きが同国の内政事情で多少ずれ込んだが、２０２４年3月7日にワシントンでクリステション首相がブリンケン米国務長官に加盟のための関連文書一式を寄託したことで、スウェーデンは正式に第32番目のＮＡＴＯ加盟国となった。

（清水　謙）

37

スウェーデン、フィンランドのNATO加盟申請とトルコ

――★トルコ大統領エルドアンとスウェーデン外交の駆け引き★――

２０２２年２月24日にロシア大統領プーチンによる軍事作戦開始によって始まったウクライナ戦争を契機に、スウェーデンとフィンランドは、従来の非同盟政策の見直しをはかり、５月19日にＮＡＴＯ（北大西洋条約機構）への加盟を申請した。フィンランドに関しては、順調に加盟手続きが進み、２０２３年３月30日にトルコ議会が加盟国内の最後にあたる承認を済ませたが、スウェーデンの加盟に対しては、トルコ大統領エルドアンが、スウェーデン政府の「トルコのテロとの戦い」への非協力的な姿勢を理由に難色を示し、フィンランド加盟承認から１年４か月遅れて２０２３年７月12日のＮＡＴＯ加盟国会議で承認が発表された。ここでは、スウェーデンのＮＡＴＯ加盟に立ちはだかったトルコの姿勢の背景にあるものを考えたい。

スウェーデン、フィンランド両国の加盟申請に対して、当初に懸念されていたロシアの横槍はなく、２０２２年５月14日にベルリンで開催されたＮＡＴＯ外相会議は祝賀ムードに終わるはずであった。ところが前日からトルコのエルドアンが加盟不支持を表明し、14日の外相会議はトルコ外相チャヴシオールが、スウェーデン外相アン・Ｃ・リンデの示す「フェミニスト

外交」に苛立ち、声を荒げるなど不穏な雰囲気に包まれた。トルコ側は両国に対して安全保障に関する議論を持ちかけ、特にスウェーデンがクルド労働者党（ＰＫＫ）を支持していると非難した。しかしながら翌月に一転してエルドアンは両国に対する加盟反対を翻し、６月28日にトルコ、スウェーデン、フィンランドによる「三国覚書」が締結された。これはノルウェーの元首相ストルテンバルグＮＡＴＯ事務総長が仲立ちしたものであり、北欧の連帯が功を奏したともいえる進展であった。

覚書は、特にテロリスト、テロリズムという言葉を17回も繰り返し、ＰＫＫを名指しでテロリスト集団として非難した。これがＰＫＫに対する批判に彩られていた点で、一見トルコ側の外交上の成果であるようにも映る。しかしながら「テロへの戦い」におけるトルコとの協力は、スウェーデン、フィンランドにとって何ら新しい取り組みではなく、特にスウェーデンはすでに１９８４年の段階でＰＫＫをテロ組織として認定しており、それはトルコに次ぐ、国際的に２番目に早い対応であった。スウェーデン外相リンデは、エルドアンの自国への批判が根拠のないものであるという反論を行っている。

なお、当時のスウェーデン社会民主党政権首相アンデションは「三国覚書」に関して、具体的なテロリストの引き渡しへの言及はなく、引き渡し自体は今後国内法と国際法の定める範囲で行われると冷静な説明を行った。しかしエルドアンは73名のテロリストをスウェーデンがトルコに引き渡す旨を約束したと記者団に述べ、その後スウェーデンのヨーハンソン法務大臣によって、「（国内法で認められない）犯罪人の海外への引き渡しは、三国も署名している欧州の条約に従う時だけである」と否定された。このように、両国の覚書に対する姿勢は異なり、この違いが後の加盟問題に影を投げかけた。

さらに、こうした差異は双方の国内事情にも起因している。トルコでは、２０２３年６月に総選挙を控え、エルドアンが再選を勝ち取るために、政府の外交能力を示すことが何より重要であった。他方、スウェーデンでも22年９月に総選挙が予定されていたが、与党の社会民主党少数派内閣は他党との連立がうまくいかず、二度の不信任投票を受けながら政権を保ち、特に22年６月７日に提出された法相に対する不信任案では、提案成立に必要な１７５票に１票足りず、かろうじて政権崩壊を免れるという薄氷を履むような状態であった。ここでアンデション政権に貢献したのが、クルド系無所属議員アミネ・カカババであり、こうした経緯からアンデションはトルコがテロリストと見做すクルド民主統一党と連携の深化をカカババに約束していた。

カカババは少女時代にイラクのクルド人政党コマラに属し、19歳でスウェーデンに亡命した活動家で、その後スウェーデンでフェミニスト・反人種差別団体を立ち上げ、２００８年に国会議員に選出された。エルドアンに対する批判も公然と行い、彼の怒りを買っていたため、彼女に対する牽制がエルドアンの言動に現れていたことは明らかであろう。

スウェーデンにはクルド系の国会議員並びにその経験者も多いが、それぞれが社民党、緑の党、自由党、穏健党、スウェーデン民主党、無所属（カカベバ）と異なった政党に属している。自由党はパレスチナ問題ではイスラエルを支持し、スウェーデン民主党は排外的なナショナリズムを特徴とするなど、必ずしもクルド系として政治信条が統一されているわけではない。加えて北欧ではクルド系移民に限らず、マイノリティ一般に対する言語支援として、出版援助、あるいは母語教育が履行されているため、自然とクルド人コミュニティの形成が進んだが、それはクルド系のみを優遇した政策では

える傾向にある。

ない。しかし、トルコ政府は、クルド民族の自立心の高まりを恐れ、クルド語をトルコ語の方言として位置付けてその使用を認めてこなかったため、クルド語のできるクルド人コミュニティを脅威と捉える傾向にある。

さらに強調すべきは、カカバベをはじめ、スウェーデンの女性政治家が自立したフェミニストであり、エルドアンをはじめとするトルコ政府のパターナリズムを刺激してきたという点である。前記の覚書は三国の外相によって署名され、本来であればスウェーデン側はアン・リンデ外相がその後の交渉も担当するはずであったが、彼女は前任の外相ヴァルストゥルムが２０１４年に世界で初めて掲げた「フェミニスト外交」を継承し、トルコ政府との間に軋轢（あつれき）も多かったため、交渉は直接首相官邸が行うことになった。

２０２２年９月の総選挙でスウェーデンでは政権交代が起こり、スウェーデン民主党との連携も認めた穏健党の率いる三党連立政権が誕生した。新首相となったクリステションは、前首相アンデションにＮＡＴＯ加盟のためにトルコへの譲歩をこれ以上行うことはないと約束したが、他方で、スウェーデンの外交政策の要であったフェミニズム外交を捨てた。その後、スウェーデン民主党に近い極右団体は、移民排斥を訴えトルコ大使館前でコーランを燃やし、トルコ政府の怒りをかった。しかし、２０２３年７月のＮＡＴＯ首脳会議前日に、ストルテンバルグはエルドアンの支持を獲得した、と発表、トルコ議会での必要な手続きも経て、２０２４年初旬には加盟承認に至ることとなった。

そして、２０２４年３月７日、スウェーデンは正式に第32番目のＮＡＴＯ加盟国となった。

（大島美穂）

38

スウェーデンの原子力発電政策と環境問題

★エネルギー源からCO_2削減対策へ★

スウェーデンは第二次世界大戦後、「非同盟・中立」を標榜（ひょうぼう）すると共に、中立の信頼性を確保するため、兵器産業の育成・維持にも熱心であった。その一環として、1950年代には核兵器保有の選択肢も検討されたが、1972年の「核兵器の不拡散に関する条約（NPT）」への署名により放棄された。

スウェーデンは他の先進国に先駆けて、様々な環境対策を採ってきており、また、厳しい冬を過ごす国民は自然の恵みへの感謝の気持ちと共に、環境問題に関心が高い。1972年には「国連人間環境会議」を招致し、環境問題、特に世界は酸性雨の問題に緊急に取り組むべきであると訴えた。また、温暖化対策にも積極的に取り組んできたが、地球温暖化問題は政府や各党の原子力発電（以下「原発」。ただし、原子力発電所を指す場合もある）政策に影響を与え、また、温暖化対策に一定の役割を果たしてきたとされる。では、スウェーデンの原発政策はどのような過程を経て、今日に至っているのだろうか。

1947年、新しいエネルギー技術の開発をめざして、アトム・エネルギー社が設立された。当時、ウランの濃縮技術は米国に独占されていたため、フランス、英国などと同様、低濃縮のウランを使用する重水炉路線を採用し、1956年には原子力法も制定された。1964年から初の商業用原子炉での発電が開始され、また、核兵器開発の一環として、使用済み燃料の再処理や高速増殖炉の研究開発も行われていた。しかし、軽度の事故が発生するなど、高い安全基準を完全にクリアできず、また、米国の要請もあり、高濃縮ウランを使用する軽水炉路線にシフトしていった。1970／71年の国会決議で賛成多数により、11基の原子炉を建設することになり、1972年、スウェーデン初の軽水炉であるオスカシュハムン1号機の運転が開始された。ただし、最終的にはさらに1基が追加され、12基目の運転が1985年に始まった。

1971年頃までは国会に議席を有する全政党が原発の推進と原子炉の建設に合意していたが、実際に運転が始まると、原発に対する見解や政策に変化が起こった。原発に疑問を持つ中央党の国会議員やノーベル（ノベッル）物理学賞受賞者のアルヴェーン博士らの警告を通じ、中央党は反原発の立場に転じた。中央党と共産党（現在の左翼党）は既に運転中の原子炉を含め廃炉計画を作るよう政府に要求し、原発建設への反対意見を提出した。一方、原発に賛成あるいは容認派は社会民主党（以下「社民党」）政府、自由党及び穏健連合党であった。

現在も稼働しているリングハルス原子力発電所（スウェーデン・メディアの使用する無料サイトから入手）

中央党は1973年の選挙運動中から反原発キャンペーンを行い、また、1976年秋の総選挙で、1936年の約3ヵ月間を除く44年間続いてきた社民党政権に代わって、大躍進を遂げた中央党を中心に3党連立政権が誕生し、新政権下では経済と原発問題が焦点となった。1970年代は原発の発展期であると同時に、原子力に批判的な世論が定着した時期ともいえる。その間、放射性廃棄物の安全な処理方法の確立を義務付ける原子力条件法が1977年施行された。しかし、1979年に米国のスリーマイル島で原子炉事故が発生した影響もあり、同年、国会は翌年の3月に原発に関する国民投票を実施することになった。その投票結果から判断すると、一応国民は原発の漸進的廃止を選択したと受け取られたが、1980年6月、国会による解釈を確立し、全ての原子炉は2010年までに閉鎖することとなった。

1984年、「原子力条件法」は「原子力活動法」に統合され、使用済み核燃料の再処理を放棄し、国内の最終処分場に貯蔵する放射性廃棄物管理システムの方向性が確立された。他方、1973年の第三次中東戦争に端を発する石油危機の到来により、将来の石油の枯渇（こかつ）が心配され、また、石油価格の高騰（こうとう）もあり、原発に対し好意的な声が高まる傾向にあったが、86年、チェルノブイリ原発事故により、数千キロにわたり放射性物質が拡散し、スウェーデンにも飛来した。原発の危険が現実のものとなり、また、西海岸でのアザラシの大量死もあり、環境問題への関心の高まりを追い風に、原発問題や国民投票を機に1981年に設立された環境党・緑（以下「環境党」）が88年の選挙で初めて国会に議席を得た。

冷戦終結後の1992年にはブラジルで、「国連環境開発会議」が開催され、エネルギー政策に影響を与える「国連気候変動枠組み条約」が採択された。その後、経済及び環境上の観点から、２０１０年までの原発全廃の目標は取り消されたが、対岸のデンマークからの要請もあって運転年限に達していないバッシェベックの原子炉２基を順次閉鎖することとなり、「原発廃止法」が１９９８年に施行された。結局、最初の１基は１９９９年に、また、２基目は２００５年に閉鎖となり、それに伴う電力供給減を補うため、効率的な電力使用、再生可能エネルギーの生産・使用の促進及び原発による電力生産への課税による再生可能エネルギーへの転換を促進することとなった。

２００６年に四党連立政権へと交代後、脱原発から原発抑制へと舵取りがなされた。２０１０年には、すでに国会で議決された原発廃止法が撤廃され、原発10基の枠内での新規建設が認められたが、国庫からの原発への支援は廃止された。福島原発事故後、２０１４年に社民党が環境党と連立を組んで以降、原発への課税や安全基準が強化されて採算が悪化したため、一部批判はあったものの、稼働中の原発４基――１９７０年代に運転を始動し、運転期限前――が廃棄され、現在６基が運転中である。

スウェーデンの原発は予定外の停電や大きな事故もなく、高い稼働率を維持してきた。２０００年以降は「原子力ルネサンス」期とも呼ばれ、世界的に原発の建設が推進されてきた。原発に関する世論調査でも、１９８６年には原発賛成が12％、反対は75％であったが、２００９年前後には賛成が51％、反対31％へと変化した。そこへ、２０１１年の福島原発事故の発生で廃止賛成は44％に増えた。しかし、２０２２年、ロシアによるウクライナ侵攻後、スウェーデンでもエネルギーや原油不足、それに伴う電気料金の高騰に見舞われ、原発への回帰が再び始まっている。２０２２年の世論調査では、原発賛成派が反対派の約2倍の56％へと変化し、また、同年秋の選挙で再び3党連立の親原発政権が誕生したが、原発の新規建設には経済的合理性、気候変動対策、政権の原発政策など考慮すべき点が多々あり、今後の推移を見守る必要がある。

現在も稼働しているフォッシュマルク原子力発電所（スウェーデン・メディアの使用する無料サイトから入手）

なお、２００９年に高レベル放射性廃棄物の最終処分場はストックホルムから北方へ約１２０キロメートルにあるフォッシュマルク原発近辺のスーデルヴィーケンに建設と決定された。２０１２年に予定されていた建設許可のゴーサインは環境党への配慮から社民党政府の決定が遅れていたが、建設誘致に積極的なコミューン側からの強い要請で、22年初頭にやっと承認され、世界でフィンランドに次ぐ2例目として注目を浴びた。

（中嶋瑞枝）

39

2010年代のスウェーデン・中国関係

――★経済的友好関係から、警戒すべき相手へと移行★――

2001年の中国による世界貿易機関（WTO）加盟後、スウェーデンは経済的な可能性を求めて好意的に中国の発展を捉えていた。しかし2010年代半ば以降、他の欧州諸国と同様にスウェーデン国内での中国に対する警戒感が高まっている。今や複数の研究報告書によると、スウェーデン人の中国に対する姿勢が欧州で最も厳しいことが明らかとなっている。

2010年代前半までのスウェーデン・中国関係

1950年5月、スウェーデンはデンマークと共に西側諸国としては初めて中華人民共和国と国交を樹立した。しかし、朝鮮戦争で中国が北朝鮮側に立って参戦したことやその後の中国国内の情勢から、スウェーデン・中国の二国間関係は大きく発展しなかった。

転機は2001年の中国によるWTO加盟だった。人権観や政治体制が異なる中国だが、民主主義国との貿易を通じて中国も「学習」し、徐々に西側の価値観に近づくだろうとの見方が当時のスウェーデンでの主流だった。さらに、中国市場という経済的な可能性の大きさはスウェーデンにとって魅力的なものに映った。その結果、スウェーデン企業は積極的に中国市場へ進出した。

中国経済の発展は著しかった。そしてその中国経済の発展の象徴が、２０１０年の中国の自動車企業である吉利汽車によるボルボ・カーズ社（ヴォルヴォ・カーズ Volvo Cars）の買収だった。当初、民主主義国家ではない中国企業による買収は、スウェーデン国内では文化の違いに起因する懸念の声が存在した。だが、吉利汽車による買収でボルボ・カーズ社は雇用を拡大し、同社の成長に貢献したことから、徐々に中国企業による買収の「良いモデル」として受け入れられた。

立ち込める暗雲

◇桂民海氏にかかわる領事事案

経済面を中心とするスウェーデンと中国の良好な関係に暗雲が立ち込め始めたのが2010年代中頃だった。特にスウェーデンで重視されるのは桂民海（Gui Minghai）氏の「領事事案」だろう。

２０１５年10月、作家で出版関係者でもあるスウェーデン国籍の桂氏が旅行中のタイで消息を絶った。同氏は、中国本土の政治体制を批判する小説を香港で出版していた。２０１６年初頭に桂氏は、自身が以前に中国で罪を犯したこと、自身は中国籍を放棄したが、心は中国人であると中国国営テレビ（ＣＣＴＶ）で涙ながらに語った。それは当時ソ連が用いていた「問題当事者」のテレビでの告白の強要に類似していた。その後、２０１７年10月に桂氏の釈放が通知されたが、２０１８年１月、健康上の診察のためにスウェーデン人外交官２名と共に北京へ向かっていた最中に、桂氏は再び中国当局によって拘束された。

２０２０年２月、スパイ容疑で桂氏に対して禁錮10年の判決が言い渡され、同時に、桂氏が２０１８年に中国国籍の再取得を「要請」したことが伝えられた。しかし、スウェーデン外務省は同氏によるスウェーデン国籍の正式な放棄通告がなかったとして、現在も領事事案として中国側に対応を要求し続けている。

◇戦狼外交

スウェーデン国内での中国のイメージの悪化を加速させたのが、２０１７年から２０２１年まで在スウェーデンの中国大使を務めた桂従友（Gui Congyou）氏による「戦狼外交」だ。

桂大使は、中国政府と異なる見解を表明したスウェーデンのメディアやジャーナリスト、政党、研究者に対して繰り返し攻撃を加えた。その攻撃は、公のものもあれば、個人に対して直接行われることもあった。そのうちの有名なものは、２０２０年初頭にスウェーデンのメディアが中国における人権や報道の自由の欠如について報じた際の桂大使の反応だ。同大使はスウェーデンのメディアの姿勢を、軽量級ボクサーが重量級のボクサーに対して挑発しているようなものであると批判した。その発言を受けてスウェーデン外務省は直ちに同大使を召致し、抗議の意を伝えた。なお、同大使は在任期間中に約40回、スウェーデン外務省に召致されている。

◇直接投資

吉利汽車によるボルボ・カーズ社の買収は、未だに中国企業による直接投資の好例として挙げられているものの、全ての直接投資がスウェーデンにとって好ましいものではない。問題視されるのは、中国の民間企業が最終的には中国政府や軍と繋がりを持っている可能性が排除できない点である。

Gui Minhai's televised confession on CCTC in January 2016

フランス軍事学校戦略研究所（IRSEM）は、2021年報告書にて世界における中国の影響力工作を報告、桂民海氏事案について詳細な記述がある。

ドイツの「メルカトル中国研究所」の報告書によれば、２０００年から２０２０年の間の中国からスウェーデンへの直接投資額は、ＥＵと英国を合わせた28か国の中で７番目に多い。ただ、中国企業によるスウェーデン企業の買収は２０１７年を境として減少傾向にあり、直接投資額でも２０１８年を境に同様の傾向にある。これらは中国が対外投資の管理を強化したことと、欧米諸国で対内投資に関する規制が強化された結果である。

２０１８年頃よりスウェーデン国内では、中国による直接投資が安全保障上のリスクであるとの論調が強まっている。そして、２０１９年にスウェーデン国防研究所（ＦＯＩ）は中国企業によるスウェーデン企業の買収に関する調査を行った。同調査で明らかとなったのは、半導体や衛星測位システム等、中国政府が関心を持つ高い技術の分野で活動するスウェーデンの中小企業に対して中国企業が直接投資を行っていることだった。

スウェーデンの対応

２０１０年代後半以降、スウェーデン国内では中国に対して厳しい姿勢が取られた。２０１９年にスウェーデン政府の中国戦略が改訂され、中国国内での人権の欠如に対する批判や、中国が安全保障上の脅威である点が指摘された。そして、中国に関する知識が必要であるとして、ナレッジセンターの開設が決定された。また、戦略上の重要な分野に対する海外からの直接投資の審査をより厳格化する法制度が整えられ始めている。

スウェーデン政府の中国に対する警戒の最たる例が、2020年10月にスウェーデン郵政・通信局（PTS）が5Gネットワーク構築からファーウェイ等の中国の通信機器企業を排除したことである。PTSは軍や公安警察からの安全保障上のリスクがあるとの意見に従い、そうした決定を行った。

民間・文化交流にもスウェーデンと中国の関係の悪化は影響を及ぼしている。2019年にスウェーデンでは欧州で初めて、中国の言語や文化を学ぶ機関である孔子学院が全て閉鎖された。また、2020年4月にユーテボリ市は34年間続いた上海との姉妹都市協定を解消している。

しかし、中国との関係を全面的に解消することは不可能だ。スウェーデン政府もそのことを認めており、中国との環境分野等での協力は謳(うた)われている。また厳しい政治関係でも二国間の貿易は増加しているものの、スウェーデンと中国の関係は協力と対立の狭間(はざま)で激しく揺れ動いている。（鈴木悠史）

40

スウェーデンの王室

★バーナドット王朝★

スウェーデンの現国王、カール16世グスタヴ王は昨年（2023年）在位50周年を迎え、歴代の国王の中では最も在位期間が長くなった。奇しくも2023年は建国の父グスタヴ・ヴァーサがスウェーデン王に選出されてから500周年にあたるため、6月6日の建国の日には盛大な祝典が催された。

国王の正式名は、カール・グスタヴ・フォルケ・フバットゥス・バーナドットである。したがって、日本の天皇陛下とは異なり、姓があり、しかもバーナドットとフランス名を持つ。その理由は、1809年にクーデターが起こり、当時の国王グスタヴ4世が廃位に追い込まれ、国外追放になり、叔父のカール公爵がカール13世として即位する。しかし、嫡子がいなかったため、紆余曲折を経たのち最終的にその軍事的手腕を見込まれて、白羽の矢が立ったのが、ナポレオン時代に元帥まで昇進した軍人、ジャン・バティスト・ジュール・ベルナドット（フランス語読み）であった。それは時の強国フランスの援助を得ることを期待してのことでもあった。彼は、スウェーデンでカール・ヨーハンと改名し、その後カール14世ヨーハンとして王位を継承し、ここにバーナドット王朝が始まる。現国王は、バーナドット王朝では第7番目の国王である。しかしながら、それまでのスウェーデン王家とは全く関わりがない訳ではなく、グスタヴ5世（現国王の曾祖父）の王妃ヴィクトーリアの父フリードリヒ1世は、追放されたグスタヴ4世アードルフの外孫であるため、スウェーデンの前王家ホルシュタイン＝ゴットルプ家の血が引き継がれたことになる。

カール16世グスタヴ王（1946年4月30日生）と王妃シルヴィア（1943年9月23日生）には3人の子がいる。王女ヴィクトーリア（1977年7月14日生）、王子カール・フィーリップ（1979年5月13日生）、王女マデレーン（1982年6月10日生）である。

ユーテボリ大学、SOM（Samhälle Opinion Medier）研究所は年に一度、政治体制としての君主制への国民の支持調査を行っているが、王室への支持は、2004年のブルネイ訪問の際の国王の発言や2010年の暴露本の出版など、個々の出来事に一過性的な影響は受けるものの、過去15年間ずっと安定している（SOM、Ulrika Andersson）。王室への支持は50％を超えており、王族個人として、国王とヴィクトーリア王太子へ強い信頼感も40％を超えている。

王室への継続的な支持の原因は、時代に適応できる行政機関であることが大きな原因であるらしい。スウェーデンは1980年に王位継承法の改正を行い、それまでは嫡出の長子継承による男系の男子孫の世襲制をとっていたが、君主の第一子が男女を問わず王位継承順位1位となる事が決まった。

ストックホルム大学のセシーリア・オーセ教授も、王位継承が単に男子に限られているとすれば、王制の正当性を維持するのは難しかっただろうと述べている。スウェーデンは「男女平等ランキング2022」で第5位の国でもあり（2022年、世界経済フォーラムWEF）、従来の継承法が疑問視され

現国王＆未来の王位継承者（２代続く女王）
出典： Thron Ullberg/Kungl. Hovstaterna
https://www.kungahuset.se/

たかもしれない。

　１９８０年の改正により継承順位が変更され、王太子の地位が、カール・フィーリップ王子から長子のヴィクトーリア王女に移行した。カール16世グスタヴ王は、改正の際にも、そして２０２３年１月にも改正への遺憾の念を表明して、痛烈な批判を受けている。しかし、国王はその後ヴィクトーリア王女を全面的に支持しているだけでなく、ヴィクトーリア王女がスウェーデン国のために素晴らしい仕事をしていることに異論はなく、法というものが、波及的に適用されたことに遺憾の意を表明しているだけだと主張している。

　スウェーデン王国は２代に渡り女王が誕生することになる。ヴィクトーリア王太子には２人の子がいるが、第一子は王女エステル（２０１２年２月23日生）だからである。スウェーデンの歴史上初めて、出生した時点で王太子になることが確定している王女である。

　王家は開かれた王室として知られている。国王と王妃の執務室のあるストックホルムの王宮や住居であるドロットニングホルム宮殿は早くから一般公開がされている。国王が難読症というハンディキャップを持つことは、国民の間では周知の事実であり、３人の子ども達も難読症であることを認めている。しかも、将来女王となるヴィクトーリア王女は、非常に稀（まれ）な相貌失認（そうぼう）（Prosopagnosia，俗に失顔症）という障害を持つことも認めている。

王室が国民の支持を失うことは、余程のことが起こらない限り、あり得そうもない。いずれヴィクトーリア王太子が王位を継承するわけだが、ヴィクトーリア王女は、王族個人として、国民の間で最も信頼が厚く、人気も高いので、継承後は王室への支持がさらに大きくなると予想されている。

ファクトシート

国王は国家元首であり、刑事責任を問われることはないが、民事責任はある。したがって、窃盗、スピード違反、殺人などの罪で訴追されることはないが、近隣紛争では責任を負う。スウェーデンは国際刑事裁判所に関するローマ規程の締約国なので、集団殺害犯罪（ジェノサイド）、人道に対する犯罪、戦争犯罪、侵略犯罪についてはその責任を問われる。他の王族には訴追を免れる特権はない。王位は嫡子によってのみ継承され、婚姻の際は政府の承認が必要である。国家元首は外国訪問の際には、首相と協議を行うこと。国家元首は政治的発言をしてはいけない（日刊紙DN）。

（オストルンド・タズコ）

VI

スウェーデンの社会

41

スウェーデンの家族政策

★子育て支援と社会的包摂の視点から★

スウェーデンにおける子育ての経済的支援を包括する家族政策の誕生は1930年代に遡(さかのぼ)る。19世紀終わりから20世紀初めにかけて、同国の女性は生涯に平均4人前後の子どもを出産していたとされるが、やがて都市部に人口が流入し、劣悪な居住環境での暮らしを余儀なくされる生活困窮者が増加した。出生率は低下の一途を辿(たど)り、1934年には当時として危機的な1・7弱まで落ち込んだ。その情勢に警鐘を鳴らしたのは、『人口問題の危機』（1934）を著したアルヴァ・ミュルダール（ミーダール）とグンナル・ミュルダール夫妻である。出生率の低下は人口の高齢化と労働人口の低下を引き起こすため、女性も働いて子どもを生み育てることができるよう、労働環境の整備の必要性を指摘した。経済格差の部分的な是正や、短期的視野からの人口政策では不十分で、「社会全体の抜本的改革」を行うべきと説いた。

ミュルダール夫妻の提言を受け、スウェーデン政府は、1935年に人口問題審議会（のちの人口問題委員会）を設置し、少子化対策に着手した。当時は社会民主労働者党が単独政権を樹立し、福祉国家の礎(いしずえ)が築かれた時代で、「子どもの福祉」と「雇用の安定化」は、重要な政策課題として位置づけられた。

低出生率に直面した1930年代、主に人口問題の視点から整備された家族政策は、時代につれて変遷を遂げていく。1940年代、子どものいる家族、特に多子家族とそれ以外の家族との経済格差の是正を目指し、子育てにかかる負担の軽減措置を講じて、1948年には所得制限のないユニバーサルな児童手当を導入した。産業構造の変化に伴い、社会経済システムがより複雑化した1960年代には、教育関連政策に力を注いだ。高等教育を受けた人材が求められる時代になると、教育の機会均等に向けて支援策を打ち出した。学校教育の無償化に加え、子どもの福祉を重視し、妊娠・出産に伴う医療の無償化、出産手当の導入など、多角的な施策が講じられた。

1960年初頭、従来の性別役割分業は社会構造上の問題であると提起し、1970年代に入ると、男女機会均等の観点から、仕事とケアワークの分担を政策課題として掲げた。家族政策は、「男女とも仕事、家庭、社会における活動に関して平等な権利・義務・可能性を有すること」という男女平等理念に基づいて展開されていく。1971年の所得税制改革で、夫婦合算方式から個人を単位とする課税方式へと移行したのを皮切りに、1974年には世界で初めて男性にも育児休業の権利を付与し、男女双方を対象とする親保険制度（本書第44章参照）を導入した。女性の就労を促進するため、公的保育の拡充も進められた。いわゆる「男性稼ぎ主」を規範とする社会から「共働き」社会へと転換するにあたり、女性の労働市場参画と並行して男性の育児参画を促していた点はスウェーデンの家族政策の特徴である。

1970年代終盤になると、家族政策の原則としての「子どもの最善の利益」は、親責任における

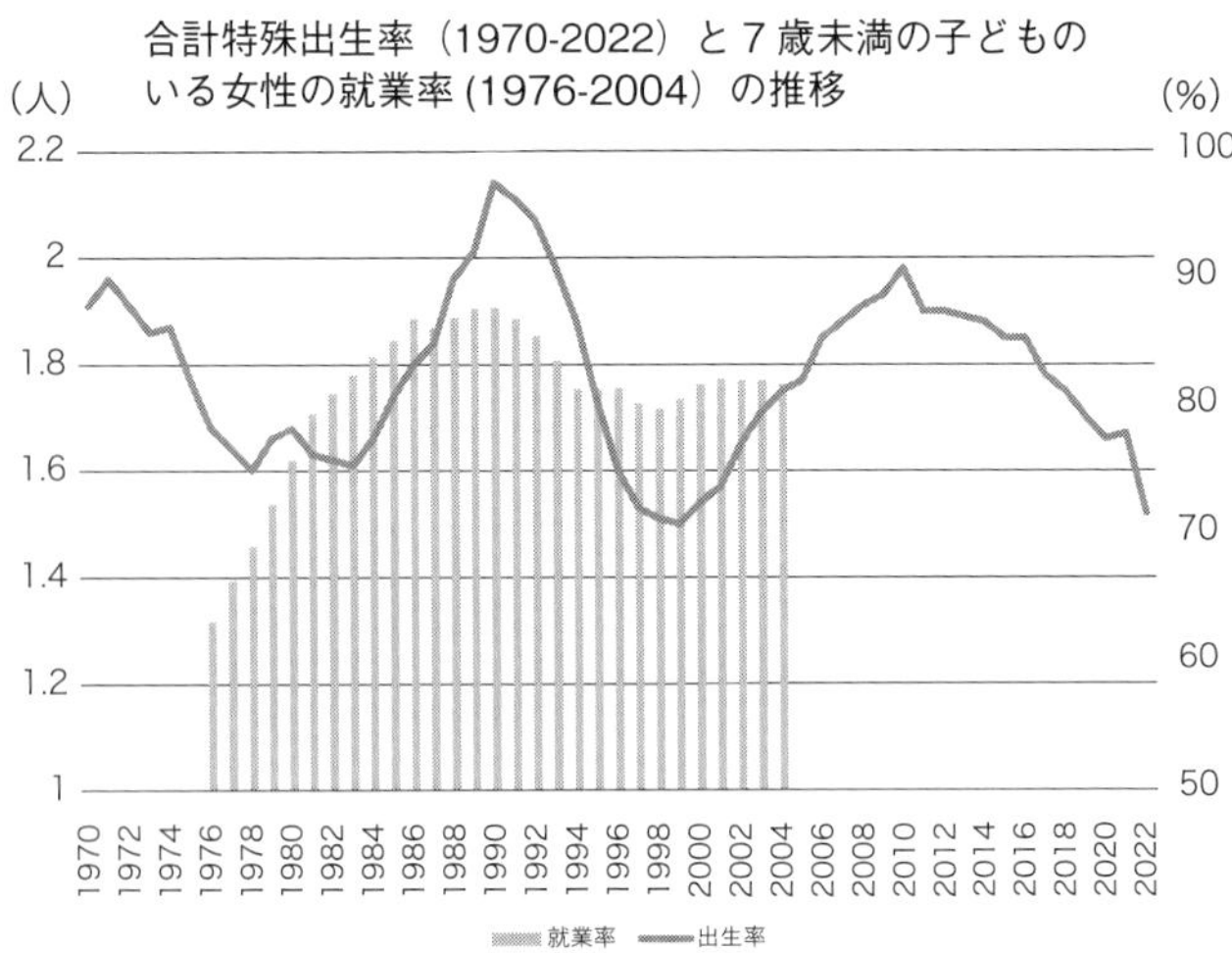

SCB. Statistikdatabasen のデータを基に筆者作成作成。

ジェンダー平等と同様に重要な理念として導入された。１９９０年代以降は、子どもの権利の視点から子どもの最善の利益の擁護を第一義として子ども・子育て支援策を講じている。子どもにとって両親と過ごす時間はかけがえのないもので、両親のケアを受けることは子どもの権利であると捉えている。２０２０年１月には国連の子どもの権利条約が法制化されるなど、先駆的な取り組みを行っている。

２００９年に婚姻法が改正され、同性婚が承認されて以降、親保険制度において、「父」、「母」の代わりに、性別に中立な「親」という表現が用いられている。

スウェーデンの国民負担率は相対的に高いが（56・4％、２０１９年）、還元される社会保障水準も高く、家族関係社会支出の対ＧＤＰ比は３・42％（２０１９年）である（国立社会保障・人口問題研究所２０２０年「社会保障費用統計」）。子どもと子育て家族を支援する関連施策は、生活保障（現金給付）、経済

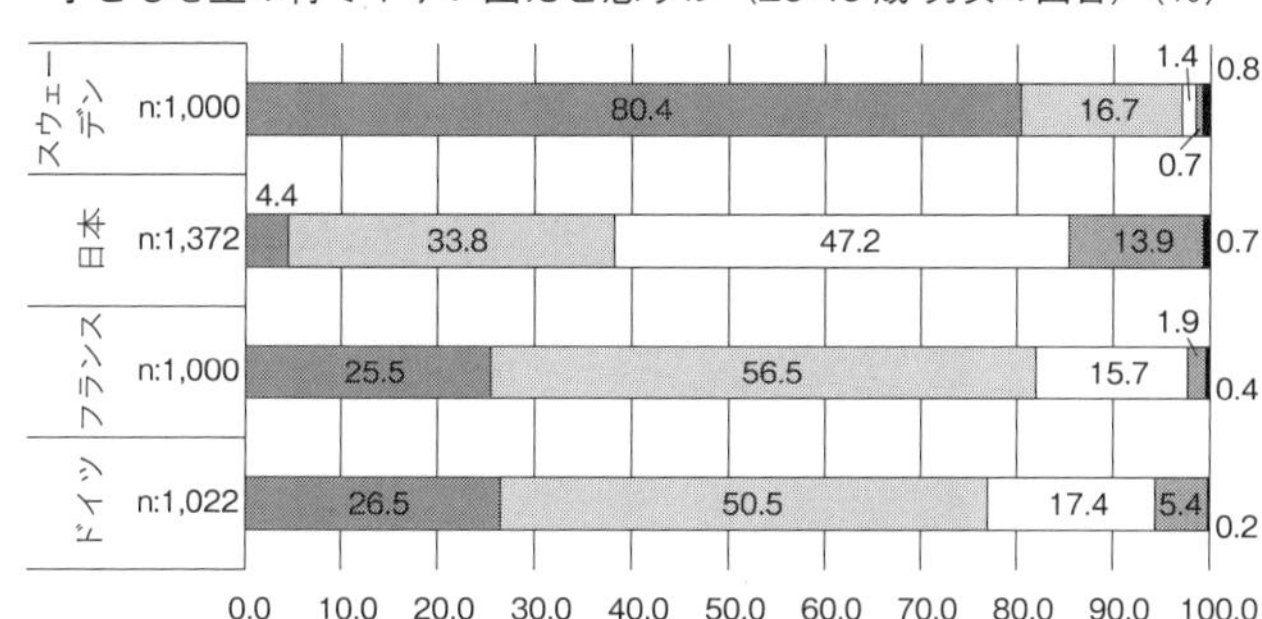

出典：内閣府「令和２年度　少子化社会に関する国際意識調査報告書」2021，図Ⅵ－１

的負担の軽減措置、子ども・子育て支援事業（現物給付）、税額控除という４つの枠組みから成る。その中でも特徴的な施策は、先述した「児童手当」で、16歳未満のすべての子どもが対象となり（高校在学者は20歳に達するまで就学手当として受給）、２人目以降は加算手当が付く（第１子月額１２５０クローナ、１クローナ≒約14円。２０２４年２月）。両親の婚姻・同居の有無にかかわらず、ふたりとも養育者（日本の親権者に相当）の場合は、親それぞれが児童手当の半額を受給する。公的保育は有料だが、基本的に保育料の上限（第一子で世帯収入の３％）が設定されている。義務教育から大学までの学費の無償化は、子育て支援における重要な施策の一つである。

１９３０年代半ば、３人以上の子どもがいて賃貸住宅に暮らす家族を対象に導入された「住宅手当」は、１９６０年代終わりには子育て環境の向上を目指す家族政策の一環となった。現行の住宅手当制度では所得制限はあるものの、賃貸か持ち家かにかか

森の中のセカンドハウスで過ごす週末［筆者撮影］

わらず子どものいる世帯と28歳以下の若者世帯に支給されている。児童手当と親保険、住宅手当等の子育て支援施策は、離別・離婚家族、養子縁組した家族、同性カップル家族、移民家族など、多様な家族を包摂（ほうせつ）している。

近年の不安定な社会経済情勢により、スウェーデンにおいても出生率は再び低下に転じているが（2022年は1・52）、自国について「子どもを生み育てやすい」と思う人が、大多数を占めることは特筆に値する。そのように実感できる社会風土は、子どもと子育て世代のウェルビーイングの実現を目指す家族政策と関連政策との分野を横断した不断の取り組みによって醸成されたものといえる。

（高橋美恵子）

42

この30年における スウェーデン社会の変化

★日常からの回想と展望★

ベルリンの壁崩壊以来の30年余、世界中で多彩かつ劇的な出来事が続いている。スウェーデンも例外なくそれらの影響を受けてきたが、２０２３年現在、さらなる荒波に揉まれている感がある。１９９０年代から生活してきた者としては、社会のデジタル化は言うまでもなく、政情も国のイメージも変わったと感じざるを得ない。スウェーデンについて語ること自体が困難になってきた。これまでの言説をそのまま利用できないということもあるし、次々と起こる変化を追うのも容易ではない。

「ＮＡＴＯ加盟により、中立国として世界平和に貢献する伝統が絶える」と溜息をつく元外交官。「スウェーデンから来たと言うと昔は好意的に受け止められたが今は危険である」と気づいたジャーナリスト。「こんなに暴力がエスカレートする傾向は初めて見た」と衝撃を隠さぬ警察官。一種のアイデンティティ・クライシスと言ってよいかもしれない。

「高騰する住宅価格、株式市場に殺到する何十万人ものスウェーデン人、24か月の間に台頭した３３０人以上もの新たな億万長者、不動産売買で何億も稼ぐ元地方自治体の政治家。一体スウェーデンで何が起こったのか？」。これは、２０２２年に出版されたスウェーデンの経済記者アンドレアス・セルヴェンカの著書『欲深スウェーデン』(Girig-Sverige) の広告文である。スウェーデンでここ25年ほどの間に起こった変化の一面を集約している。一体何が、と興味をそそる問いかけであるが、端的に言うと、貧富の差が拡大したということだ。お金は誰かが持っているらしいが、どこにあるのか、一般人には見えにくくなった。

国家個人主義 (statsindividualism)、つまり個人が国と直接的に契約を結んで自身の自由を確保するというメンタリティーが人々の意識の根底にあるスウェーデンでは、高齢者ケアや身障者補助が制度化されている。そういったサービスや医療機関の民営化が１９９０年代から進んできた。公費で賄われるのでこれはかなり確実なビジネスである。学校も私学が増えたが、教育費無料のこの国では親から授業料を取るのではなく公費が経営者に降りるので、これも稀有なビジネスの土台を作っている。「税金で私企業を肥やす」仕組みだとして反対する側と、「選択の自由」を標榜する側との対立は激しい。企業やサービスの質はまちまちである。

社会サービスの「自由化」は、都市部では私営の医院や薬局が過密状態となる結果を招き、一方で、人口が少ないためそのような市場に適さない地方の小都市や町村では選択の自由どころか、サービスの「悪化」に繋がった。同時に保険事務所や職安などの公共サービス機関も都市部に集約され、過疎地から去っていった。若い層は将来の希望を求め都市を目指す。住民の不満度を調査したシンクタンク、アレーナ・イデーによると、残った住民の生活環境に対する不安や不満が排他主義的な右派政党支持の基盤になっている。ここで注目されるのは、伝統的に高かった公的機関に対する信頼度、また住民相互の信頼度が低下傾向にあることだ。社会に信頼をおけなくなった層が既存の政党を見放したのだ。2022年の総選挙でそれは表面化した。

都市部では、1980年代から続く法改正により、長年自治体の公団が所有してきた賃貸住宅の多くが居住者や私企業に安く売られ続け、住宅難に拍車をかけた。安く買って高く売る機会を棚ぼた式に得た人とそうでない人との間に、理不尽な差がついた。経済的な「勝者」と「敗者」を作る社会に「信頼度の高さ」は期待できるだろうか。

日常生活においてよく話題になる全国的なインフラストラクチャーに視点を置くとどうであろう。頻繁な鉄道ダイヤの乱れは、これまた批判の降り注ぐ郵便制度と並んで公的サービス破綻（はたん）の代名詞のようになった。これらは政治的立場に関わらず誰でも被害者となりうるため、サービスの向上を求める国民の意思は一致しているはずなのに、事態はなかなか改善されない。原因は1988年に電車とレールの管轄（かんかつ）が分離されたことだろうか。あるいはただのモラルの低下だろうか。機能すべきものが機能しないと、これも社会に対する信頼度が下がる原因となるだろう。

しかし、さらに深刻なのは凶悪犯罪の増加と、その解決口が見当たらないことかもしれない。比較的治安が良いと言われてきたスウェーデンだが、新たに欧州で戦争が勃発する最中、過去のバルカン戦争から流入した武器が、近年、過激化した犯罪者同士の争いに使われ、まさかと思うような場所で、頻繁に一般人をも巻き込む被害を出している。たった15歳前後の若者までが銃撃・銃殺事件、住宅を含む建物の爆破などに関与しているのである。身近な場所や人が被害を受けることに愕然（がくぜん）とし、もうどこにも安全な場所は無いのだと覚悟を迫られる。被害者の負う傷の深さは計り知れない。防犯のための盗聴や監視の必要性が声高に叫ばれ始め、基本的人権に重点を置いた法治国家の行方を憂う声もある。

数年前、「何かが壊れかけている」という表現が政治家の間で流行ったが、その表現を借りれば、兆しを感知していたにもかかわらず、無策のうちにその「何か」が壊れたのだと言ってよいかもしれない。何が壊れたのかは人により解釈が異なるだろうが、かつて、この国は性善説を基盤としているのではないかと思われるほど高かった社会生活における「信頼度」が、いたる所で低下しつつあるという実感から出た言葉だったような気がする。

しかし、昔の方がよかったというわけではない。以前は隠蔽されたり、忘れられていた問題で、近年になって議論の俎上に載った重要事項は多い。先住民サーミの人々に対する植民地主義的な扱いはその一例であり、2021年のスウェーデン教会による謝罪表明は象徴的な出来事であった。いわゆるＭｅ ｔｏｏ運動では両性が平等であるはずの社会に隠されていた多くの事案が告発された。また、若い世代は自らの将来に関わる環境問題に対する意識が比較的高い。古い世代と異なり、社会的マイノリティーの存在にも慣れている。また世代に関わらず、一躍有名になったグレタ・テューンバリのほかにも多数、職業や文化活動あるいは日常生活を通じ、自らの行動が社会に影響を与える可能性を信じて改善を模索し、実行する人々や、それを支持する人々がいる。独裁主義に陥った国々とは相反し、そのような人々を抑圧することのない国である限り、いかに変わろうと、スウェーデンの行く手は開かれていると思う。

（兼松麻紀子）

43

移民対応を含めた近年のスウェーデン教育事情

★外国につながりのある子どもやニューカマー対応★

本章では、スウェーデンの学校制度を確認し、とくに通常学級における外国につながりのある子どもや「ニューカマー」対応、スウェーデン語支援について紹介する。

スウェーデンの義務教育と特別な支援に関する学校制度

スウェーデンの義務教育は7歳からであるが、0学年としての6歳児就学前学級が1991年に開始された。1997年からは就学前学級を希望する全ての6歳児に対して基礎自治体が教育活動を保障する義務を負っている。2022／23年度（本章は全て2022／23年度の数値）は96・7％の子どもが就学前学級に登録している。

義務教育は7～16歳の9年間であり、83・8％が基礎自治体立、16・2％が私立である。ちなみに義務教育学校としての基礎学校は、1980年以降教員による画一的な一斉指導を手放し、学年や学級をワーキングチームやワーキングユニットとして、柔軟な学習集団を編成するようになった。また全ての子どもが個別計画を持っており、その上で個別指導が必要な場合は、特別な支援や対応プログラムの対象として、一時的な小集団が編成されたりする。2022／23年度には全就学児の5・9％（6万5200人）の子どもに対応プログラムを作成していた。1年生から6年生にかけて対応プログラムを持つ子どもの割合が増加し、その後割合は減少するものの、再び増加して対応プログラムを持つ子どもの割合が最も高いのは9年生で、2022／23年度には9・3％の子どもが対応プログラムを持つ。

対応プログラムで具体化される特別な支援としては個別指導（割合は0・8％、9000人強）、特別教育グループ（1・3％、1万4200人強）、子どもに適合させた学習コース（1・3％、1万4100人強）などがその例である。その他に母語による学習指導を受けている子どもが全体の2・8％、3万6000人強在籍している。母語による支援を受ける子どもは、対応プログラムの対象となる可能性もあるが、その限りではない。

日本の学習指導要領に当たるナショナルカリキュラムにおいては3年生まで、6年生まで、9年生までで習得すべき知識内容が示されており、成績は6年生から評価される。評価にはA～Eそして不可としてのFもあり、スウェーデン語、英語、算数・数学等で不可があった場合には高等学校には入学できず、高等学校の導入プログラムもしくは基礎自治体立成人学校で補習を受けて単位取得をめざす。

スウェーデンには移民を対象とした住居があり、保護者のいない単身未成年移民も受け入れる。スウェーデンの義務教育を修了していない、もしくは特定教科でA～Eの評価を得ていない場合、高等学校には入学できないため、導入プログラムを受けることになる。結果として、外国につながりのある子どもの導入プログラム履修割合は高くなる傾向がある。2023年3月に訪問した高等学校では導入プログラム履修者の7割から8割が外国につながりのある子どもであった。成人移民には移民のためのスウェーデン語が、基礎自治体立成人学校で保障される。

特別な学校としては、少数先住民族サーミのための6年制の国立サーミ学校と国立・地域立聴覚障害・重複障害特別学校、基礎自治体立知的障害特別学校のみが維持されており、肢体不自由と病弱、そして視覚障害の特別な学校はない。知的障害特別学校は基礎学校と同じ敷地内に設置される「場の統合」が進んでいる。そのため特別学級はなく、関係学校長と保護者の同意があれば、知的障害特別学校の子どもが基礎学校で教育を受けたり、基礎学校の子どもが知的障害特別学校で教育を受けたりする「統合児」も認められる。2022／23年度には1710人が統合児として通常学級で学んでいた。より統合を推進するために、知的障害特別学校の名称は2023年7月以降、支援付基礎学校に変更された。

では次にスウェーデンの教育の実際を移民対応という観点で現地調査をふまえて紹介する。

通常学級における外国につながりのある子ども

2022年9月および2023年3月に訪問したA基礎学校の1年生学級（以下、B学級）には、母語がスウェーデン語以外の子どもや外国につながりのある子どもが多数学んでいた。A基礎学校は第2の都市ユーテボリの中心地に位置しており、移民が集住する「脆弱地域（ぜいじゃくちいき）」ではないため、一般的な事例と言えよう。スウェーデンでは2021年現在で人口の26・3％が外国生まれの両親を持つ、もしくは自身が外国生まれなどの外国に背景のある国民であり、就学時に外国とのつながりがあることは珍しくはない。例えばB学級で学ぶ中国人の双子は、保護者も中国人で母語は中国語である。双子は中国に住んでいる期間もあった。保護者の教育に関する意識は高く、スウェーデン語習得をはじめとして学習に課題はない。スウェーデン語の読み課題では3段階ある教科書のうち、難易度の最も高い教科書を読んでいた。したがって外国とのつながりがある子ども全てがスウェーデン語支援が必要な子どもではない。他にもB学級には、母がボスニア出身、父がセルビア出身でボスニアでの戦争のためスウェーデンに来た、と自己紹介する子どもや母がイギリス出身という子どもがいたり、親戚がスコットランドやフィンランド、ノルウェー出身であったりなど、さらに親戚にまで話が展開すると、ほぼ全員が何らかの外国とのつながりを話していた。学校教育においては随時スウェーデンは多様な国の出身者によって構成されていることを意識させているようであった。さらにスウェーデンにおいて子どもの服装は自由であり、ピアスをつけている子どももいればドレスのような洋服の子どももいる。これは義務教育、非義務教育共通であるため制服指導は必要なく、宗教服の問題も生じない。

通常学級における「ニューカマー」対応とスウェーデン語支援

他にも「ニューカマーの人は？」との学級担任E（以下、E教員）の問いかけに手を挙げる子どももいた。スウェーデンの学校法が示す「ニューカマー」とは、「外国に住んでいた子どもで、現在スウェーデンに居住しているとみなされるもの、またスウェーデンでの就学義務が開始される7歳の秋学期以降にスウェーデンでの修学を開始して、修学期間が4年未満の子ども」である。ニューカマーへの対応は2年間を上限とする準備学級の設置や母語教育の保障を含めて、具体的に学校庁ウェブサイトに示されている。移民や難民、そして例えば日本人の海外勤務者も含めた一時滞在にかかわらず、ニューカマーとしての特別な教育的ニーズに応じる枠組みがある。ちなみにA基礎学校には準備学級は設置されていなかったため、ニューカマーの子どもも直接B学級に就学していた。

B学級は2022年9月には18人でスタートしたが、2023年3月には3人のスウェーデン語理解の支援が必要なニューカマーが就学して21人になっていた。学級を担任するのはE教員1人であり、必要に応じてニューカマー3人のうち英語がわかる1人には英語で話しかけ、アラビア語でコミュニケーションする必要がある2人には、E教員自身のスマートフォンのGoogle翻訳を用いつつ、指示を伝えていた。文字もしくは音声入力した文章をアラビア語に変換して「次の体育は体育館で行います。体操服は持ってきていますか?」など、随時情報を伝え、意思確認するのである。

写真1　スウェーデン語絵本の文書を打ち込む課題［筆者撮影］

低学年を中心に、学童保育を主に担当する余暇教員が授業に支援として入ることがある。A基礎学校の基礎自治体において学童保育は6年生まで保障されており、A基礎学校では朝6時から子どもを受け入れる朝の学童保育も行っていた。朝の学童保育では簡単な朝食も提供され、B学級1年生では2022年9月の新学期開始当初に3人が朝の学童保育を利用していた。

読書の際にスウェーデン語の本が難しいニューカマーの子ども

は、クロームブックやｉＰａｄで母語の電子書籍を、読み上げ機能も用いて読んでいた。他にもスウェーデン語の学習が難しいニューカマーの子どもには、写真1のように簡単なスウェーデン語絵本の文書を打ち込む課題で、スウェーデン語の文字や読みに親しむ学習を保障していた。

このように通常学級での多様な教育的ニーズに対応するために、移民対応を含む「通常の指導では十分ではない子ども」の課題と通常の課題があり、そしてギフテッドを含むより高次の課題も準備されていた。B学級には外国につながりのある子どものみならず、視覚支援を用いてスケジュールを確認する自閉傾向のある子どもや多動の子ども、低学力の子ども等、多様な子どもが在籍していた。

E教員によると1年生には成績評価はないが、２０２２年9月に訪問した翌週から、子どもと保護者との面談があり、その時に子どもの個別計画や実態について話をする、とのことであった。また0年から6年まで就学できるA基礎学校では、以前の1～3年担当教員、4～6年担当教員区分が一定程度残っているため、1年生から3年生までの3年間、同じ担任が同じ学習集団を担当することもあり、教員が柔軟に裁量を発揮できる、との説明もあった。そのため移民の子どもが直接B学級に就学したとしても、じっくり実態把握ができるようである。

このように移民であることも特別な教育的ニーズの対象となり、支援を受ける権利がある。制度的にはその内容は、最長2年間の準備学級、期間限定のない母語による学習支援、最長1年のスウェーデン語授業を多くする調整学習時間割、特別な支援のための能力評価、必要であれば学習・進路カウンセラーや学校組織としての子ども健康チームと協力して作成する個別の学習計画の作成、そして母語教育が保障される。そのために母語教員（２０２２／２３年度４３３４人）や亡命申請中の子どものための教員（2022／23年度393人）が雇用されている。しかし実際はB学級のように直接通常学級で学習する子どももいる。

スウェーデンにおいては特別な教育的ニーズのある子どもを包摂（ほうせつ）するインクルーシブ教育が常に追求されているが、近年の特別な教育的ニーズとしては移民対応が欠かせない。制度的な保障と実際に就学する学校における資源のバランス調整が常に求められている。今回は通常学級におけるスウェーデン語支援を中心に紹介したが、スウェーデン社会へのインクルージョンとともに母語や母国の文化保障の同時追求も課題である。

（是永かな子）

44

スウェーデンにおけるワーク・ライフ・バランス

★働く人すべてのディーセント・ワークを目指す★

ＯＥＣＤが２０１１年より発表している「より良い暮らし指標」最新版によると、対象国41ヵ国中、スウェーデンは総合4位で、ワーク・ライフ・バランス（以下、適宜ＷＬＢと記す）の達成度は7位である。ＥＵでは、２０２０年8月から「ワーク・ライフ・バランス指令」が適用され、子どもの出生時に10日間の父親休暇を新設し、育児休業のうち両親それぞれに割り当てる期間を2ヵ月に延長した。ほぼ半世紀前（１９７４年）、各国に先駆けて男性も対象とする育児休業制度を導入し、稼得（かとく）・ケア共同型（dual earner, dual carer）社会へとシフトしたスウェーデンは、この新しい潮流を牽引（けんいん）してきたといえる。

スウェーデンのＷＬＢを高めてきた特徴として、①働く人すべてのディーセント・ワーク（働きがいのある人間らしい仕事）を視野に入れた男女とも仕事と家庭生活とのバランスが取れる労働環境、②多様で柔軟な働き方の選択が可能、③子どもの権利とウェルビーイングの視点から整備された公的保育と子育ち環境、が挙げられる。本章では、①と②に着目していく。

早くから平等と連帯の理念を掲げ、労働者の権利保障と労働環境の整備に力を注ぎ、働く人すべてのディーセント・ワークを包摂（ほうせつ）する仕組みがある程度整えられてから、子育て世代の男女の仕事と育児の両立問題が提起された点も同国の特徴といえる。WLBについては、日常レベルの仕事と家庭生活のバランス、さらにライフステージにおけるバランス、という二つの側面から捉えることができる。子どもが小さい間は家族との生活に比重を置いて仕事をセーブするが、子どもの成長に応じて仕事の比重を増やし、キャリアアップを図る、といった生き方・働き方は後者の一例である。いわゆるジョブ型雇用で、職務によって人材が雇用され、それぞれの職務と責任が明確化されている。転職を通じたキャリア形成が主流で、単身者だけでなく、配偶者や子どもがいる人も、学び直す・やり直すという選択が可能な仕組みとなっている。

まず、WLBの布石としての労働環境の整備状況をみていこう。労使間の協議による「サルトシュバーデンの労使協定」を締結（ていけつ）した1938年に2週間の年次有給休暇を導入し、連続取得する権利が保障され、現在では最低5週間が付与されている（1978年施行）。法定労働時間は週40時間（1973年施行）で、所定労働時間や年次有給休暇日数など就業規則の詳細は、産業別の労働協約で取り決められる。民間企業に勤務するホワイトカラー従業員の所定労働時間は38・5時間と規定されている。労働時間法により、時間外労働の上限は4週間で48時間あるいは1か月で50時間と定めている。さらに、1日24時間につき最低連続11時間の休息時間（勤務間インターバル）が設定されている。

フレックスタイム制やテレワーク制度等の導入については、労働協約で取り決められるため、業種・職種によって条件は異なる。労働協約は締結せず、独自の制度を導入している企業もある。一般的なフレックスタイム制では、朝7時から9時、16時から18時といった枠が設定され、枠内では柔軟に出勤・退勤が可能である。「フレックスタイム・バンク」制度により、フレックスタイム枠で働いた余剰時間を充(あ)てて、別の日の勤務時間を減らすことができる。職場レベルでの働き方の柔軟性を高めるこうした施策は、子どものいない従業員も対象となる。

統計局の労働力調査(ＡＫＵ、ＳＣＢ)によると、２０２２年の全労働者(16～64歳)の平均所定労働時間は、男性で週38・7時間、女性は週36・5時間で、平均実労働時間はそれより短く、男性で週32・5時間、女性では週28・1時間である。雇用者(16～64歳、２０２２年)のうち、正規雇用の割合は高く、男性で87・０％、女性83・6％を占める。雇用保護法で、5年間のうち就労期間が2年以上の非正規雇用者に正規雇用へ移行する権利を保障しており、パートタイム(フルタイムより短い勤務時間)の正規雇用者もいる。キャリア形成途上ともいえる若年層の正規雇用率は相対的に低く、20～24歳の男性では64・０％、同女性44・2％に留まるが、25～34歳では男性84・3％、女性81・8％に上昇する。45～64歳の雇用者の正規雇用率は男女とも9割を超えている。

次に、子育て世代のＷＬＢに視点を移すと、重要な推進策として、出産・育児休業制度と労働時間短縮制度が挙げられる。出産・育児に伴い18か月まで休業する権利が付与され、育児休業給付金である「親保険」の支給期間はそのうち４８０日間(約16か月)である。３９０日間は所得の約80％(但し上限1日１１１6クローナ。1クローナは約14円。２０２４年2月)、残りの90日間は日額一律１８０クローナが支給される。親保険の主な財源は、雇用主が負担する社会保障拠出金(親保険への拠出は従業員給与の2・6％分)である。

出産予定日の10日前(出産前は母親のみ対象)から子どもが12歳(２０１３年以前の出生児は8歳)に達す

るまで、時間単位で分割取得できる（最小単位は1労働日の8分の1。1日8時間労働の場合1時間）。子どもが8歳に達するまで、勤務時間を75％まで短縮する権利が保障され、親保険を時間単位で受給しながら時短勤務も可能である。

親保険制度上は、480日を2分割した240日ずつを親それぞれに付与し、うち90日は相手に譲渡できない。このいわゆる「パパクォータ制」を導入した1995年には、両親に1か月ずつ割当て、2002年には60日に、2016年に90日へと引き上げた。2006年には育児休業等を利用とする不利益取扱いを禁止する規定が導入された。

筆者らが、スウェーデンで子育て世代の働く男女と民間企業を対象に実施したインタビュー調査時（2016〜2018）、ホワイトカラーの男性が6か月程度の育児休業を取得するのは一般的となっていた。ただその内実は、母親の育児休業期間は12か月程度であるのに対し、父親は「育児休業5か月と有給休暇1か月」である場合が多く、休業中でも親保険を100％受給しているとは限らない。ヨーロッパの「働きやすい職場」ランキング上位に入った実績のある不動産業のB社では、幼い子どもの父親である社長自らが、午前中出社して午後は育児休業を取得し、勤務時間を調整しながら責務をこなしていた。

育児休業中の経済的損失は、高収入の人ほど大きくなる。優秀な人材を確保するためにも、多くの企業で、給与額と親保険額との差額を補填する制度を導入している。自動車部品メーカーC社では、労働協約により、給料の90％に相当する額までの補填を勤務2年以上の従業員には6か月間、勤務2年未満の者には2か月間保障していた。先のB社では、休業中の月収が5万クローナとなるように、

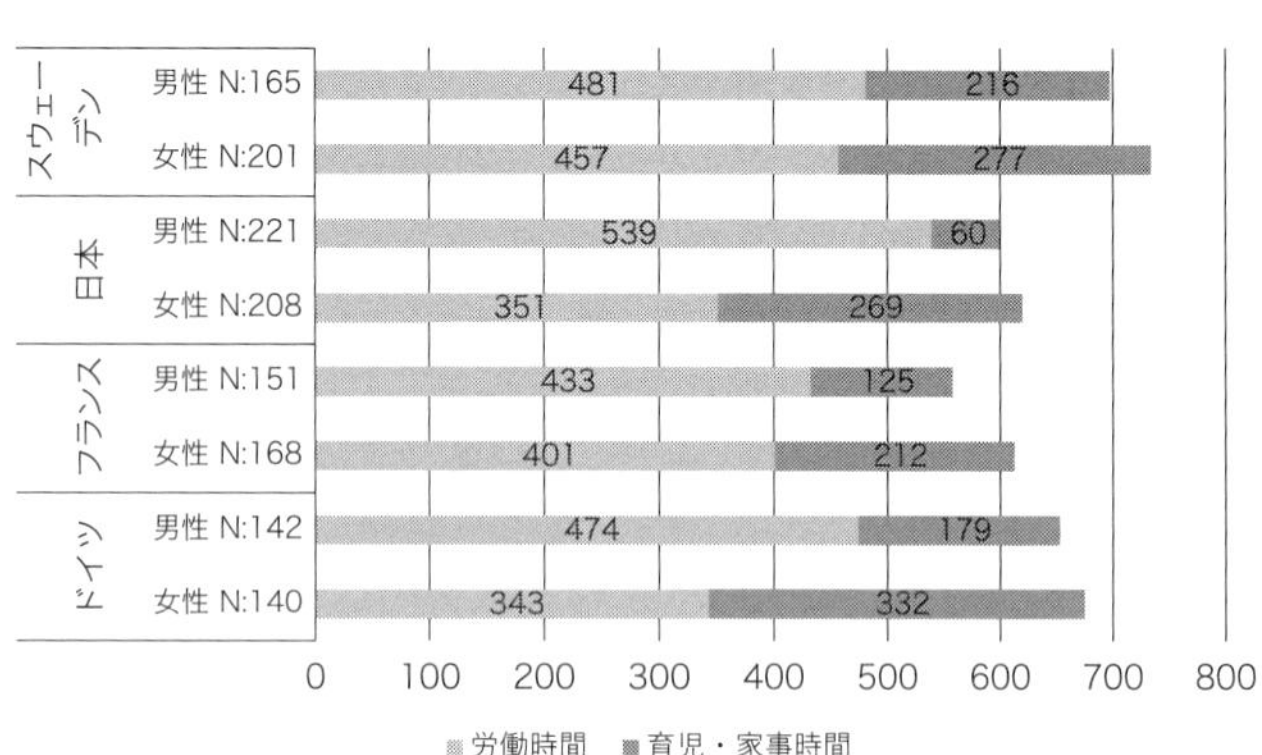

出典：高橋 2021，内閣府 子ども・子育て本部『令和２年度少子化社会に関する国際意識調査報告書』p.154 図１

親保険との差額分を補填する独自の制度を設けていた（２０１６年時点での最高補填月額は2万１７４０クローナ）。育児休業経験者は広い視野から物事を捉えることができる有能な人材で、休業取得後は必ず職場に戻ってきてもらいたい、とB社では考えていた。育児休業中に次のキャリアを検討し、転職活動を行う人も少なくないからである。

先述の労働力調査（ＡＫＵ）によると、18歳以下の子どもをもつ就業者の２０２２年の平均実労働時間は、男性で週33・7時間、女性は週27・4時間である。内閣府の「令和2年度 少子化社会に関する国際意識調査」のデータを用いた筆者の分析結果は、子ども（12歳以下）のいる就業者の1日の平均労働時間と平日の平均家事・育児時間それぞれの男女差が、対象国4か国中、スウェーデンで最も少ないことを示している。

仕事と家庭生活におけるジェンダー平等の実現に向けて先陣を切ったスウェーデンの実践は、日本の実状と比べると理想的であるようにみえる。しかし、スウェーデンにおいても、ＷＬＢの目標はまだ達成されていない。子育て期の女性の二重負担は解消されておらず、生活時間や生涯賃金をめぐるジェンダー格差も残る。コロナ禍を経て、社会が急激に変化する中、ＷＬＢをめぐる新たな格差も生じている。スウェーデンが今後どのような対応策を打ち出すのか、注視していく必要があるだろう。

（高橋美恵子）

45

グレータ・テューンバリが象徴するもの

★若者たちによる環境保護が大人への抗議に変わるまで★

2018年8月20日、総選挙まで3週間を切り、スウェーデン国内では選挙モード一色となる中、少女がたったひとりでプラカードを掲げて国会の前で立っていた。

「私の名前はグレータ・テューンバリ、9年生（注：日本でいうところの中学3年生）。選挙当日まで、気候のための学校ストライキをします。」

スウェーデン国会前に座りこむ様子は瞬く間にソーシャル・ネットワーキング・サービス（SNS）上で拡散され、その少女は世界でも注目の的となった。彼女が始めた気候のためのストライキは、その後、毎週金曜日に開催される若者のデモ活動となり、世界各国で実施された。約1年後には、日本を含む世界160か国以上で400万人がデモに参加したといわれている。

2019年にはヨットで大西洋を横断し、9月にニューヨークで開催された気候変動サミットに出席した。その場で気候変動危機に対して真剣に取り組まない大人たちに対して、グレー

第45章

グレータ・テューンバリが象徴するもの

タ・テューンバリは怒りに満ちてこう訴えかけた。

「あなた方は私たちを見捨てようとしています。若い人たちはその裏切りを理解し始めています。すべての将来世代の目は、あなた方に向けられているのです。そして、もし、あなた方が私たちを見捨てることを選ぶのなら、私は言います。あなた方を絶対に許さないと。」

1972年にストックホルムで開催された国連人間環境会議は、世界初の大規模な政府間の環境会議だった。その約半世紀後にグレータ・テューンバリが世界に対して与えた影響は小さくない。本章は、グレータ・テューンバリの登場が象徴する、スウェーデンの若者による環境保護の歴史と国際社会の流れについて論じてみたい。

グレータ・テューンバリは、2003年にオペラ歌手の母マレーナと役者の父スヴァンテとの間に生まれた。彼女によれば、8歳の時に授業で鑑賞した海に浮遊する大量のごみに関する映画が環境問題に関心を持つ契機となった。彼女は気候変動に関する問題を知り、悩み続けた。そして2014年に摂食（せっしょく）障害になると、2015年初頭にはアスペルガー症候群であると診断を受けた。

その後も彼女は環境問題に関する勉強を続けた。そして2017年に米国の若者が立ち上げた、気候変動問題に対して政治家が取り組むよう要求する運動である「ゼロ・アワー」からヒントを得て、彼女は気候のための「登校ストライキ」の実施を決意したのだった。

スウェーデンの若者による環境への取り組みの始まりは1940年代である。1947年、ス

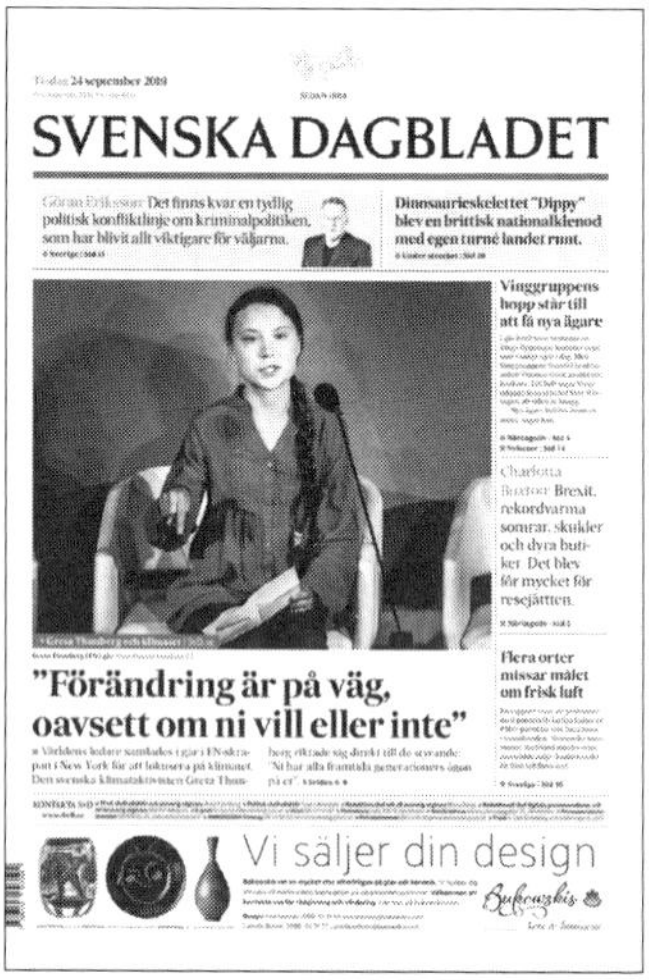
Tisdag 24 september 2019

SVENSKA DAGBLADET

Göran Eriksson: Det finns kvar en tydlig politisk konfliktlinje om kriminalpolitiken, som har blivit allt viktigare för väljarna.

Dinosaurieskelettet "Dippy" blev en brittisk nationalklenod med egen turné landet runt.

Vinggruppens hopp står till att få nya ägare

Charlotta Buxton: Brexit, rekordvarma somrar, skulder och dyra butiker. Det blev för mycket för resejätten.

Flera orter missar målet om frisk luft

"Förändring är på väg, oavsett om ni vill eller inte"

Vi säljer din design

Bukowskis

2019年9月24日付のスウェーデンの日刊紙スヴェンスカ・ダーグブラーデット紙（デジタル版）の一面。グレータ・テューンバリは、国連の気候変動サミットで世界のリーダーに向けて怒りのスピーチを行った。

ウェーデンの自然保護協会(Naturskyddsföreningen)の若者団体として、フェルトビオローゲナ(Fältbiologerna「野原」を意味するフェルトと「生物学者たち」を意味するビオローゲナの合成語)が誕生した。そもそも自然保護協会は、環境保護のための国民運動を目指して1909年に創設されたものだったが、1950年代半ばまでは会員数が5000人にも満たない、自然科学に従事する研究者やエリートたちの集団だった。

フェルトビオローゲナの活動は地域レベルのクラブで実施され、集会やフィールドワークを通じて7歳から25歳の若者に対して環境保護に関する知識を普及した。彼らの活動の様子は、学校を通じた積極的な広報活動で徐々に知れ渡るようになり、1960年代半ばには約30000人の会員数を有していた。

1950年代後半の生活水準の向上により、スウェーデンは世界でも裕福な国の一つとなった。その中でフェルトビオローゲナは、人間と自然との繋がりが失われることを危惧していた。そのため、自然と接触する機会が増えるのであれば、フェルトビオローゲナにとって車の普及も望ましいことだった。問題は車の乗り捨て等を行うドライバーたちの行動だった。

1960年代半ばまでのフェルトビオローゲナは大人たちとの協力を重視していた。彼らの活動で大きな注目を集めたのが、1966年3月にスウェーデン最南部のスコーネ地方で西海岸を掃除したことだった。「海岸を掃除する（Att städa en strand）」と名付けられたこの活動は、地元の土地所有者や地方政治家と共に行われ、メディアでも取り上げられた。当時のフェルトビオローゲナは、知識と自然に対する愛情を通じて社会に貢献することを望んでいた。

その一方で、徐々に社会に対する批判的な活動も芽生えていた。そのきっかけは1962年に出版されたレイチェル・カーソンの『沈黙の春』である。この世界的な著作によりスウェーデンでも殺虫剤や農薬が自然に与える影響の証拠を集める動きが始まった。1963年から2年間にわたり、フェルトビオローゲナの会員は地上で見つけた全ての遺骸（いがい）を集め、研究者に送付する活動を実施し、科学的な証拠の集積に貢献した。

スウェーデンにおいて環境保護運動の変化の始まりは1967年である。研究者が行った意識調査において、自然保護に関する若者の考えが、自然の中でのごみの廃棄にのみ集中していることがわかった。フェルトビオローゲナの中心メンバーはその状態に危機感を抱き、ごみの廃棄にのみ焦点を当てた活動をする自然保護協会や、政治家といった「大人たち」への批判を始めた。

興味深いのは、大学生ほどの年代の若者による社会運動が、先進国を中心に1968年に同時多発的に起こったということだ。スウェーデンも例外ではなかった。フランスで学生が主導した「5月革命」の余波を受け、スウェーデンでも学生が自由を求めて声を上げた。ストックホルム大学の学生連合の建物は、そうした若者たちが占拠し、トップ主導の大学改革を進める政府の提案について議論を行った。学生からの招待を受け、当時のオーロフ・パルメ教育大臣（後の首相）が深夜に学生たちと討論したことは有名である。

この若者たちによる大人への抵抗は、環境保護運動にも大きな影響を与えた。1969年3月にフェルトビオローゲナはスウェーデン北部での水力発電建設に反対するデモをストックホルム中心部で実施した。その規模はスウェーデンのメディアも通常とは異なる形の抗議活動として報じている。フェルトビオローゲナが政府のエスタブリッシュメントや「大人たち」への批判路線に転じたことは、その後のスウェーデンにおける環境保護運動にとって重大な意味を持った。彼らの中から多くの環境活動家が誕生したのである。そしてフェルトビオローゲナの会員数は、1970年代初頭に1万人を超えていた。

政治による環境問題の解決を求めていた時代が長く続いたが、その成果は乏しかった。そして2000年代に入ると、環境保護に関する個人の活動に焦点が当たり始める。その最たる例は2006年のかつての米副大統領アル・ゴアの講演を映画化した『不都合な真実』である。このドキュメンタリー映画は、温暖化がもたらす気候問題の深刻さを世界中の人々に知らしめ、2009年の国連気候変動会議（COP15）では国連史上最多の首脳が参加することとなった。

環境活動家「グレータ・テューンバリ」が誕生する素地は他の分野にも存在した。それは、タリバンによる女子校の破壊活動を英国公共放送BBCのブログに匿名で告発した14歳の少女マララ・ユスフザイの銃撃事件である。事件後、彼女はイギリスで治療を受け、2013年には国連本部で演説し、少女が安心して学べる環境をつくるための支援活動である「マララ財団」を設立する。たったひとりの少女が世界に対して影響を及ぼした一例だった。後にグレータ・テューンバリはマララ・ユスフザイと面会し、模範となる人物として紹介している。

グレータ・テューンバリが行った「登校ストライキ」に対する賛否の声は世界中で聞かれた。地球の温暖化問題を「でっち上げ」と主張するドナルド・トランプ米大統領（当時）は、冒頭にも挙げた2019年の国連でのグレータ・テューンバリによる怒りに満ちた演説について、「明るく素晴らしい未来を夢見る、とても朗らかな少女のようだ」とSNS上にコメントし、彼女を揶揄（やゆ）した。

主張に賛否はあるが、グレータ・テューンバリが世界での環境保護運動に与えた影響は大きい。それは、1960年代終盤に「大人たち」に異議申し立てを行った活動に類似している。50年の時を経ても人間による環境破壊は進行していると、グレータ・テューンバリは「大人たち」に対して行動を求めたといえるかもしれない。若者の声にどこまで耳を傾けるか、「大人たち」は問われているのだ。

（鈴木悠史）

46

オットー・サロモンと「教育的スロイド」

★ネース・スロイド教員養成所で学んだ2人の日本人のこと★

「その講習所は外国にまでも知れわたるようになった。世界中から学校の教師たちが手の教育をどのように行うのかを学ぶためにネースにやってきた。スウェーデンの国内にはネースほど外国に知られた場所は他にはなかった。そして、ネースのスロイド教員養成所の所長ほど、全世界に多くの友だちをもっているスウェーデン人は他にいなかった。」（Selma Lagerlöf *Nils Holgerssons underbara resa genom Sverige*）

冒頭に掲げたのは、スウェーデンで最初にノーベル（ノベッル）文学賞を受賞したセルマ・ラーゲルルーヴの有名な児童文学『ニルスのふしぎな旅』52章「大きな屋敷」に出てくる文章である。文学作品ではあるが、この箇所は実話に基づいている。この章で取り上げられた事例は、かつてネース（Nääs）にあったスロイド教員養成所のことである。ネースは、ユーテボリ中央駅から東の方向に約30キロ移動したところにあるフローダ駅から4キロ離れたところにある。このスロイド教員養成所（1880年代からは6週間程度の講習会が年4回実施されていた）のことは、1876年のロンドン万国博覧会が開催された頃から世界に知られるようになっていった。それは各国で初等教育制度が整備されていった時期と重なる。つまり小学校の教育課程に実技教科（図画、手工、体操など）が導入されていった時期において、スロイド（手工）の授業を担当する教員の養成が求められていた。当時の初等教員養成所（セミナーリウム）の教育課程には手工教授法は存在しなかった。またこの手工を担当するのは、職人であるのか、小学校の教師であるのかも意見が分かれていた。そのような状況の中で、世界で最初に手工の教員の養成に取り組んだのが、スウェーデンのネース・スロイド教員養成所（Nääs Slöjdlärarseminarium）であった。万国博覧会などにおいて、スロイド（手工）の教育に関する展示により、多くの国の教育関係者がスウェーデンの取り組みに注目するようになり、1880年代になるとヨーロッパの国々から教育関係者がネースに派遣されるようになった。日本の文部省は1886年の小学校令改正において、高等小学校（第5学年から第8学年）の教育課程に手工科を「加設科目」（学校ごとに教科の設置を決めることができた）として導入したものの、その実施はなかなか進まなかった。手島精一（当時は教育博物館長）の提言により、文部省は1888年8月に後藤牧太（1853～1930）と野尻精一（1860～1932）をネースのスロイド講習会に派遣した。彼らは、6週間にわたる講習会の最初の2週間は出席できなかったが、ほぼ4週間の滞在によって、スウェーデンのスロイド教育の教育原理などを中心に学ぶことができた。野尻は

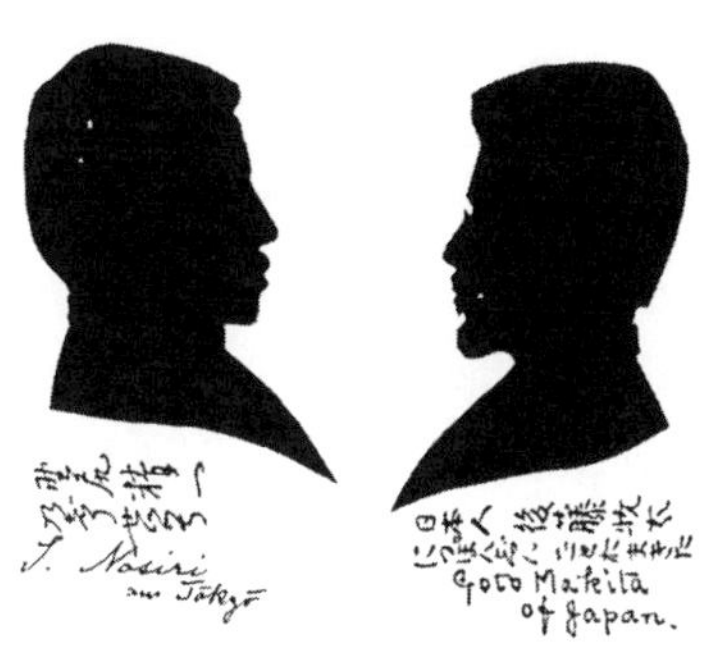

出典：Landsarkivet i Göteborg

ネースに来る直前までドイツにおいて3年間教育学を研究していた。後藤は同様にイギリスにおいて3年間物理学を研究していた。ネースのスロイド教員養成所の所長であったオットー・サロモン（オットー・サロモン Otto Salomon, 1849〜1907）は、海外からの参加者に対して英語による講義とドイツ語による講義をおこなったので、二人の日本人は午前中のサロモンの講義の内容を十分に理解したようである。また午後からの実習によって、スロイド教育の実際も体験的に学ぶことができた。さらに海外からの参加者との交流によって、視野をさらに広めたであろう。二人の日本人が参加した時期には、実習については、木工を中心としたコースだけであったが、その後金属加工のコースやテキスタイルのコース、女性のための木工コース、家庭調理のコース、遊び（クリケットなど）のコース。園芸のコースなどが組織されていった。当時の初等教育の課題に応えるようにこれらのコースが設置されたものと思われる。

Lecture by Otto Salomon（1903）

冒頭に掲げた文章の内容を裏付ける事実を次に示しておく。それは、ネースでの講習会への海外からの国別の参加者数である（1903年の第100回目の講習会以降の参加者について、サロモンらによって集計された数）。

スウェーデン2872名、ノルウェー70名、エチオピア（アビシニア）1名、アルゼンチン3

名、ベルギー3名、ブラジル1名、ブルガリア12名、カナダ2名、チリ1名、デンマーク65名、エジプト4名、イングランド399名、フィンランド74名、フランス3名、ギリシア1名、オランダ60名、アイルランド6名、アイスランド3名、イタリア17名、日本2名、ケープ植民地（英領）1名、ナタール（英領ナタール植民地）1名、東インド諸島（蘭領）6名、ポーランド6名、ルーマニア5名、ロシア33名、スイス3名、スコットランド86名、セルビア1名、スペイン1名、ドイツ28名、アメリカ93名、ハンガリー17名、ウルグアイ2名、オーストリア27名。

なぜ、これほど多くの国の政府がネースのスロイド教育を学ぶために自国の教師を派遣したのであろうか？　その背景にあったものとして、19世紀後半から20世紀にかけて多くの国で初等教育の教育内容の近代化という課題に直面していたこと、スウェーデンにおいて手工を教える教員の養成が最初に取り組まれていたことがある。さらに、その教授法の核心であるネース・モデルシリーズは、ネース・スロイド講習会の参加者とともに、さらに精緻（せいち）に作り上げられて改善されていった。その改訂版には、経験に裏打ちされた集団的英知が反映されており、「教育的スロイド」という名前にふさわしい、つまり教育学的原理に基づく教材が開発されたものになったことがあろう。それらは「ネース・モデルシリーズ」としてスウェーデン国内で普及・定着し、海外においては、各国の参加者が自分の国に持ち帰って、その国の条件にあったモデルシリーズを作り上げていった。その点で、ネース・スロイド教員養成所で開催された講習会は世界の初等教育史において大きな役割を果たしたことは間違いがないであろう。

（横山悦生）

47

ノーベル賞

★ノーベルが後世に遺したかったもの★

毎年10月から12月の間、スウェーデンとノルウェーは世界中から注目を浴びる。通常、10月上旬にノーベル賞受賞者が生理学・医学賞から経済学賞まで1週間にわたり毎日順番に発表される。また、賞の創設者、アルフレッド・ノーベル（スウェーデン語読みでは「ノベッル」の表記に近いが、日本で定着しているノーベルの表記で統一）の命日である12月10日には授賞式、晩餐会が開催され、世界中に中継される。日本人が受賞者に選ばれていれば、この期間、国を挙げて大騒ぎとなり、受賞者の動静が毎日のようにニュースとなる。

ノーベル賞は、よく知られているようにスウェーデンの実業家、ノーベルの遺言に基づき、その遺産を原資として始まった賞である。1833年にストックホルムで生まれたノーベルは、爆薬のニトログリセリンの改良に成功し、これを「ダイナマイト」と名付け、その後もより安全で扱いやすい爆薬の開発を続けた。これらの爆薬は土木工事などで平和的に利用されるだけでなく、軍事的にも利用され、世界中から注文が殺到した。こうして数多くの特許を取得し、国際的な大企業のトップとなったノーベルは莫大な富を手にした。

第47章
ノーベル賞

ノーベルは、1896年12月10日、イタリア・サンレモの自宅で死去した（享年63歳）。生涯、独身で子どももいなかったノーベルは自分の遺産の扱いについて頭を悩ませ、巨額の相続財産が不幸の種になると考え、親族にはわずかな額しか遺さなかった。遺言は、残る大半の遺産を基金とし、安全な有価証券に投資し、その利子を「その前年に人類に最大の利益をもたらした人たちに、賞の形で毎年分配されるものとする」と規定していた。

さらに賞金が授与される5分野も具体的に明記している。すなわち、「物理学の分野で最も重要な発見または発明をした人物」、「最も重要な化学上の発見または改良をなした人物」、「生理学または医学の領域で最も重要な発見をした人物」、「文学で理想主義的な傾向の最もすぐれた作品を創作した人物」、「諸国家間の友好、常備軍の廃止または削減、平和会議の開催や推進のために最大もしくは最善の活動をした人物」である。

ノーベルは遺言において受賞者の国籍についても特に言及し、スカンディナヴィア人であるかどうかは関係なく、国籍を全く考慮しないことを条件として求めていた。また、遺言は各賞の選考母体についても言及している。物理学賞、化学賞は「スウェーデン科学アカデミー」、生理学・医学賞は「ストックホルムのカロリンスカ研究所」、文学賞は「ストックホルムのアカデミー」、平和賞は「ノルウェー国会が選出する5名の委員会」としていた。

以上の遺言に示されるように、その後、ノーベル賞として実現される賞の骨格はすべて詳細に記されていた。その当時、同種の国際的な賞は存在せず、画期的な提案といってよいものであった。その分、親族やスウェーデン国民の中には、不満をもつものもあった。遺言は、遺産執行者に指定されたノーベルの助手、ラグナル・ソールマンらが苦労の末に実行に移した。基金の管理、賞の運営を行う母体としてストックホルムに「ノーベル財団」が新設された（１９００年6月29日付けでスウェーデン国王オスカル2世が認可）。賞の種類と授賞対象理由は、ノーベルの遺言がそのまま活かされた。選考母体についても、各団体から賞の選考に関して了解が得られた。表現が不明確であった文学賞の選考母体は、「スウェーデン・アカデミー」（詳細は、第48章参照）として処理された。

こうして、ようやくノーベル賞を実際に選考、授与する体制が整い、ノーベルの死去から5年後の命日である１９０１年12月10日、第1回目のノーベル賞が授与された。ノーベル賞はまさに20世紀最初の年に産声を上げたのである。賞は、遺言の通り「物理学賞」、「化学賞」、「生理学・医学賞」、「文学賞」、「平和賞」の五つであった。

ノーベル平和賞の選考は、遺言に「ノルウェー国会が選出する5名の委員会」と規定されていた。そのため、第1回から平和賞の選考、発表、授賞式、晩餐会はノルウェーのオスロで実施されている。ノーベルの存命中、スウェーデンとノルウェーは同君連合として一つの国家を形成していた。しかし、ノルウェーは１９０５年に連合から離脱して独立したため、以後、平和賞だけがスウェーデンとは異なる国で実施されることになった。

また、経済学賞はノーベルの遺言に記されておらず、厳密には「ノーベル賞」ではない。１９６８年、スウェーデン銀行（中央銀行）が創立３００周年を記念して同行出資の基金に基づく「経済学賞」をノーベル財団に提案し、それが認められたものである。そのため、ノーベル賞に準ずる賞として１９６９年から授与が開始された。正式名称は「アルフレッド・ノーベルを記念するスウェーデン

第47章　ノーベル賞

銀行経済学賞」である。

ノーベル賞は、世界中にある多くの賞の中で最も成功した賞であろう。ノーベル賞は幅広い分野を対象とし、すでに120年以上にわたり継続して賞を出してきた歴史をもつ。また、各分野で最もふさわしい人物、団体に賞を授与してきた選考の厳正さもその評価を時代とともに高め、今や絶大な権威を獲得するに至っている。

それと同時に、ノーベル財団による基金の管理が成功し、財政基盤が安定していることも見逃せない。基金は、第一次世界大戦、大恐慌、第二次世界大戦を経験し、21世紀でもリーマン・ショック、コロナ禍などの困難に直面した。そのため、賞金額に変動はあったものの、ノーベル財団が基金を維持、発展させてきた手腕は高く評価されてよい。現在の賞金額は、2010年代の減額の時期を脱し、分野ごとに1000万クローナとなり、史上最高額に戻っている（2023年4月現在のレートで約1億3000万円）。

今日、ノーベル賞の成功は、弊害も生み出しているのかもしれない。賞の権威があまりにも高くなり、受賞を目標にして研究を進め、活動をする人々、また受賞を国力の象徴として奨励し、重点的に支援する国家もある。賞に振り回され、授賞者発表に一喜一憂する個人、ナショナリズムの道具として利用しようとする国家は、ノーベルが想定していたものではないであろう。国籍に関係なく、学術、文化の発展、平和の促進を通じて人類に最大の利益をもたらした人物を支援したいというノーベルの遺志を改めて確認すべき時かもしれない。

（吉武信彦）

VII

スウェーデンの文学・芸術

48

スウェーデン・アカデミーの危機

★経緯とその後から見るスウェーデン文学の現在★

スウェーデン・アカデミーは、良くも悪くも、スウェーデン文学を特徴づける存在だ。ノーベル（ノベッル）文学賞の選考団体として知られる同組織は、２０１７年秋から２０１８年夏にかけて深刻な「危機」に陥った。本章では、同組織の役割と「危機」に至る流れを通じ、現在のスウェーデン文学を取り巻く状況の一端を見てみたい。

スウェーデン・アカデミーは、１７８６年、国王グスタヴ３世により、アカデミー・フランセーズをモデルに創設された。会員18名は、創設時には「作家」「学者」「紳士」という３カテゴリーで構成され、王自身が13名を選出、その13会員が残り５名を選出していた。現在は、作家や詩人、言語文化研究者らで構成され、会員の投票で選出される。『スウェーデン・アカデミー辞典』（約50万語）および『スウェーデン・アカデミー語彙リスト』（約12万６０００語）の編纂、スウェーデン語・文学を対象とする賞（２７４頁）や助成金の選考を行い、スウェーデン語文化の保護・発展に寄与してきた。１９０１年からは、アルフレッド・ノーベル（ノベッル）の遺言により、ノーベル文学賞の選考も手掛けている。

「スウェーデン・アカデミーの危機」の始まりは、２０１７年11月21日に日刊紙『ダーゲンス・ニーヘーテル』に掲載された記事「女性18名　文化人がわたしたちを侵害した」である。＃ｍｅｔｏｏ運動を背景に、（奇しくも会員と同数の）18名の女性が「文化人」ことジャン＝クロード・アルノーから受けた性被害を証言した。フランス出身の芸術家アルノーは、詩人でスウェーデン・アカデミー会員のカタリーナ・フロステンソンの夫で、夫婦は文化施設「フォーラム」を運営していた。同施設は文化界の社交の場として、２０１０年以降、スウェーデン・アカデミーから年間１２６０００クローナ（約１６０万円）の資金援助を受けた。アルノーは、フォーラムで築いた強い人脈を背景に、数十年にわたり、複数の女性に性加害を繰り返した。報道を受け、アルノーの過去の性加害への告発やスウェーデン・アカデミーの対応も改めて報道された。

『スウェーデン・アカデミー辞典』の一部。1898年に編纂が始まり、2023年12月20日に最終第39巻（Ä-Ö）が刊行された。
出典：Paracel63, CC BY-SA 3.0, via Wikimedia Commons

スウェーデン・アカデミー会員は、前任者から「椅子番号」を引き継ぐ。当時の事務局長サーラ・ダーニウスは、初の女性会員（かつ女性初のノーベル文学賞受賞者）セルマ・ラーゲルルーヴと同じ「椅子番号７」の会員として、初の女性議長として、同組織における女性活躍の象徴的な存在だった。ダーニウスは、第三者機関である弁護士事務所に調査を依頼した。その結果、アルノーの性加害だけ

ストックホルム・ガムラスタンにあるスウェーデン・アカデミー
［2011年3月16日筆者撮影］

でなく、スウェーデン・アカデミーの事業への介入や、便宜供与を受けたこと、ノーベル文学賞受賞者の事前漏洩（ろうえい）が明らかになった。２０１８年春以降、情報漏洩に関わったフロステンソンへの対応をめぐる内部対立が深刻化・表面化した。除名をめぐり、賛成派会員、反対派会員の双方が各種メディアで意見を表明し、会員3名が「活動停止」を宣言した。彼らが「活動停止」したのは、終身会員制の同組織では、会議の欠席はできても、辞任はできないからだ。4月12日の定例会で、フロステンソンの活動停止、ダーニウスの事務局長辞任と活動停止が決定した。さらにダーニウスを支持するサラ・ストリッツバリも活動停止を表明した。ダーニウスがリボン付きのブラウスを好んで着ていたことにちなみ、SNSでは首元にリボンを結んだ自撮り写真を投稿することでダーニウスを支持する「サーラのためのリボンブラウス運動」が起こった。「危機」以前に、すでに2名が活動停止していた。たとえばノーベル文学賞の決定には（会議参加者ではなく）会員の過半数（10名）、新会員の選出には3分の2（12名）以上の賛成が必要だ。計8名が活動停止し、後任が補充できない状態では決定が行えない。これを受けて退会規定が設けられ、創立以来の終身制は廃止された。２０１８年のノーベル文学賞の発表延期も決定した。

「スウェーデン・アカデミーの危機」が提示したのは、以下に二点を示す通り、スウェーデン文学が抱える構造的な問題と、その解決の困難さである。一点目は、女性蔑視である。確かにスウェーデン・アカデミーは、女性参政権に先立つ１９１４年に初の女性会員を選出し、「危機」時にも18名中7名が女性会員だった。しかし、2番目の女性会員エリン・ヴェグナーは１９４４年に選出、3番目の女性会員チャシュティン・エークマンは１９７８年に選出され、１９８９年に活動停止した。初の女性事務局長ダーニウスの選出が２０１５年。ダーニウスを支持し活動停止・辞任したストリッツバリは、女性前任者の「椅子番号」を直接引き継いだ初の女性会員だった。退会規定設定後、「危機」以前からの活動停止者も含め、7名中6名の女性会員が辞任した。ただし、注意しておきたいのは、対立の直接の原因はアルノーではなくフロステンソンへの対応をめぐるものであったことと、その対立において、双方の立場に様々なジェンダーや年代や思想の持ち主がいたことだ。ミソジニーの問題は、若年女性対高齢男性といった単純な二項対立で片づけられない、根深く、複層的な問題である。

2点目は、スウェーデンの文化界における「身内贔屓」だ。話者人口が１０００万人程度のスウェーデン語での作家活動、芸術活動、研究活動は、親戚・交友関係を含む狭い範囲で展開される。それは、多くの文化人が、少なくとも噂としてはアルノーの性加害を知りながら放置した背景でもあ

スウェーデン・アカデミーが選考する賞（抜粋）

名称	創設年	概要・対象
大賞	1786	グスタヴ３世が創設。当初は詩芸術に対して２つの金メダルを授与、現在はアカデミーの関心分野での活動に対し、１つの金メダルを授与。
シーベット賞	1815	クリストッフェル・ボーギスラウス・シーベットの寄付で設立。当初はグスタフ３世への貢献に対する賞と、一般的な愛国的・国家保全的精神に対する賞の２賞だったが、現在は、作家奨励などのために活用される。1836年に廃止され、1924年に復興した。
王立賞	1835	カール14世ヨーハンが創設、国王が授与。現在は、アカデミーの関心分野に貢献があった人物に授与。
ノーベル文学賞	1901	アルフレッド・ノーベルの遺産に基づく基金を財源とする。基金の管理はノーベル財団、選考はスウェーデン・アカデミー。
ベルマン賞	1920	画家アンデシュ・ソーンと妻が創設。スウェーデンの詩人に授与。
ドップロウ賞	1944	スウェーデンおよびノルウェーの純文学・文学史研究に授与。
シック賞	1946	文学史的著作活動に授与。
スウェーデン・アカデミー言語保全賞	1953	スウェーデン語の研究・保護への功績に授与。
スウェーデン・アカデミー翻訳者賞	1953	スウェーデン語への翻訳に対して授与。主に純文学を対象とするが、人文学研究書も対象となる。
ビリエル・シュルドストゥルム賞	1960	文学史・人物史の研究に授与。
シグネ・エークブラード＝エルド賞	1960	純文学作家に授与。
スウェーデン・アカデミー演劇賞	1963	王立劇場創立175年を記念して創設。舞台芸術家、演出家、劇作家に授与。
スウェーデン・アカデミー・フィンランド賞	1966	フィンランドのスウェーデン言語文化への功績に授与。
スウェーデン・アカデミー翻訳賞	1965	スウェーデン語の創作・詩作の外国語翻訳への功績に授与。
アクセル・ヒルシュ賞	1967	芸術的・文化史的価値の高い伝記もしくは重要な歴史作品に授与。
カーリン・ギーロヴ賞	1976	ギーロヴ夫妻の基金により設立。当初の教育活動賞、表現芸術賞が1998年に１つの賞に統合。
チェルグレン賞	1979	ギーロヴ夫妻の基金により設立。アカデミーの活動への貢献に対し、会員もしくは非会員に授与。
マルギット・ポールソン賞	1981	スウェーデン語に対して貢献した人物に授与。
ナトゥア・オ・クルトゥア財団翻訳者賞	1985	スウェーデン語への翻訳もしくはスウェーデン語からの翻訳をした人物に授与。
スウェーデン・アカデミー北欧賞	1986	創立200年を記念して設立。アカデミーの活動・関心分野に貢献した北欧人に授与。
スウェーデン・アカデミーのスウェーデン語教員賞	1987	若い世代にスウェーデンの言語と文学への関心を喚起した教員に授与。
ジェーラル・ボニエル賞	1988	アカデミーの関心分野で活動する作家に授与。
外国へのスウェーデン文化紹介のためのスウェーデン・アカデミー賞	1992	スウェーデン文化を海外に紹介した功績に授与。
児童文学・ヤングアダルト文学のためのシュルストゥルム賞	2002	チャシュティン・シュルストゥルムの寄付で設立。児童文学・ヤングアダルト文学の作家に授与。
スウェーデン・アカデミー司書賞	2005	古典文学・現代文学の関心を喚起したスウェーデンの公立図書館の司書に授与。
スウェーデン・アカデミー言語研究者賞	2006	古いスウェーデン語もしくは現在のスウェーデン語の研究者に授与。
スウェーデン・アカデミー児童文学・ヤングアダルト文学作家賞	2021	すぐれた児童文学・ヤングアダルト文学の作家に授与

る。狭い人間関係の中で巨額の資金が動く状況は現在も存続している。問題解決を更に困難にするのは、その権力構造と狭い人間関係こそが、これまでのスウェーデン・アカデミーの活動の質を担保してきたという事実である。「危機」では、スウェーデン・アカデミーの秘密主義・保守主義が改めて批判された。2018年のノーベル文学賞の発表延期を受け、スウェーデンでは、文学関係の有志が、1年限りの文学賞「新アカデミー文学賞」を創設した。受賞したマリーズ・コンデは、実力ある作家である。しかし、ノミネートされた作家の大半は、スウェーデン語もしくは英語作家だった。一般読者が投票に参加し、透明・公平な選考をすると、人気作家や市場の大きいメジャー言語作家ばかりが対象となる。これまでのノーベル文学賞は、早い段階で、女性作家、欧米以外の地域や言語、クレオール、移民作家、近年ではジャーナリストやシンガーソングライターに授与されることで、新しい文学の潮流を作り、市場を開拓してきた。世論にとらわれない、新規性のある選考は、少数のエリートが密室で行うからこそ可能だったのである。

こうした状況下で根本的な解決策を見つけるのは困難だ。それでも、「危機」の後、スウェーデン・アカデミーは、体制を刷新した。退会者・物故者の後任に、外国の出身者や長期滞在経験者など多様なルーツを持つスウェーデン人たちを選出し、ノーベル文学賞の選考には委員会の任期制と外部有識者の助言を導入した。わたしはこのことを、解決困難な問題を前に、諦(あきら)めるのでも、極論に走るのでもなく、具体的な対策を講じたと評価する。この知的活動が、スウェーデン文学の新たな可能性を開くことを期待している。

（中丸禎子）

49

「冬のムーミン」とトゥーティッキのプウッコ

★トーベ・ヤンソンとフィンランド★

トーベ・ヤンソン（トーヴェ・ヤーンソン）は、この10年で大きくイメージが変わった北欧作家である。2014年、生誕100年を記念して、展覧会、評伝の翻訳、雑誌の特集、衣類や小物とのタイアップ、ドキュメンタリー映画の上映など多様な媒体（ばいたい）で情報が発信された。その後も、「ムーミン」のテーマパーク創設、展覧会、アニメ新シリーズ、各商品とのタイアップが続き、映画『TOVE トーベ』（2021）をはじめLGBTQ作家として紹介される機会も増えた。わたしは2014年に雑誌『ユリイカ』の特集「ムーミンとトーベ・ヤンソン」に関わって以来、文章、市民講座、大学の授業での発信とともに、右記の受容者としてヤンソン作品と接してきた。ヤンソン作品をテーマとする卒業論文や授業レポートを読む機会にも恵まれた。その結果、作者におけるフィンランドの位置づけについて、10年前とは異なるイメージを抱いている。

現在の理解から自戒を込めて振り返っておきたいのが、2018年1月実施の大学入試センター試験「地理B」第4問・問4に対する、わたしを含む北欧学者たちの反応である。アニメ3本が提示され、「フィンランドに関するアニメーションと言語との正しい組合わせ」が問われた。大きな話題はすぐに批判へと変わり、北欧学者たちも加わった。第4問は、問1~問3で地形と気候、エネルギー源、貿易、当該の問4で言語と作品、問5で租税負担率について、ノルウェー、スウェーデン、フィンランドの「違い」を答えさせる問題だった。「北欧」はしばしば、内部の差異を捨象され、各国・各地域の良い部分を組み合わせて理想化される。第4問は国同士の差異に着目した良問であり、問4は、アニメという身近な題材を起点に、フィンランド語が他の2言語と違うウラル語族だという知識から正答を導く、挑戦的な問題だった。当時のわたしは、第4問全体を評価する一方、問4がスウェーデン語で執筆された『ムーミン』とフィンランド語を結びつけること、フィンランドの中の言語の差異を捨象することに疑問を呈した。現在も、ヤンソンがフィンランドにおける言語マイノリティであることを前提とする研究姿勢は変わらない。しかし、フィンランド語やフィンランド文化、フィンランドは、当時のわたしが考えていたよりもずっと、ヤンソン作品と親和するのではないか。本章では、その観点から『ムーミン』とフィンランドについて書いてみたい。

トーベ・ヤンソンは、スウェーデン人の挿絵画家を母に、スウェーデン語系フィンランド人の彫刻家を父に持つスウェーデン語系フィンランド人である。政治風刺雑誌『ガルム』で挿絵画家としてのキャリアをスタートしたヤンソンは、風刺画のサインの横に小さな醜い生き物を描いた。生き物はやがて「ムーミン」という名前を持ち、小説、コミック、舞台、絵本、立体創作物とその写真、企業のポスター、玩具、文具、テキスタイル、壁画など多様な媒体で展開された。長期にわたって描かれ／書かれ続けた『ムーミン』は、媒体や時期によってイメージやテーマが異なる。たとえば小説は、第

小説版『ムーミン』タイトル一覧

	原作（スウェーデン語）			日本語訳		特徴
	年	タイトル	意味	年	タイトル（訳者）	
1	1945	Småtrollen och den stora översvämningen	小さいトロールたちと大きな洪水	1999	小さなトロールと大きな洪水（冨原眞弓）	夏のムーミン 季節は夏 （冬は冬眠） 楽しい生活、祭、遊び、冒険、良い家族・友人関係
2	1946	Kometen kommer	彗星が来る	1969	ムーミン谷の彗星（下村隆一）	
3	1948	Trollkarlens hatt	魔人のシルクハット	1965	たのしいムーミン一家（山室静）	
4	1950	Muminpappans memoarer	ムーミンパパの回顧録	1969	ムーミンパパの思い出（小野寺百合子）	
5	1954	Farlig midsommar	危険な夏至	1968	ムーミン谷の夏まつり（下村隆一）	
6	1957	Trollvinter	トロールの冬	1968	ムーミン谷の冬（山室静）	冬のムーミン 季節は冬 哀しみ、老い、死、孤独、自我・関係の危機
7	1962	Det osynliga barnet (novellsamling)	見えない子ども（短編集）	1968	ムーミン谷の仲間たち（山室静）	
8	1965	Pappan och havet	パパと海	1968	ムーミンパパ海へ行く（小野寺百合子）	
9	1970	Sent i november	十一月の終わり	1970	ムーミン谷の十一月（鈴木徹郎）	

※第２作は２回、第４作は１回タイトルを改訂。上記は現行のタイトル。

5作までは、（重いテーマを彷彿させる要素もあるが、基本的には）遊びや冒険、祭りなど楽しいことが、良き関係の中で展開される。冬眠の習性により夏だけが描かれる前半5作は、「夏のムーミン」と呼ばれる。第6作『ムーミン谷の冬』でムーミントロールとミイは、突如、冬眠から目覚める。パパとママが眠る傍ら、極夜の世界で展開される本作以降、哀しみや孤独、老いと死、アイデンティティや対人関係の揺らぎがクローズアップされる。本作、人物たちの葛藤や危機を描く第7作、一家がムーミン谷を捨てて絶海の孤島に移住する第8作、一家がいなくなったムーミン屋敷にムーミン一家を求めて集まった者たちが、鬱憤をため衝突を繰り返しながら奇妙な共同生活を送る最終第9作は、「冬のムーミン」と呼ばれる。「冬のムーミン」では、「夏のムーミン」における牧歌的な生活と家族のあり方が解体され、解消する。

第6作では、「夏のムーミン」で当然視されていた屋敷や家族の自明性が揺らぐが、そのキーとなる人物が、同作で初登場するトゥーティッキ（おしゃまさん）である。モデルのトゥーリッキ・ピエティラは、1956年にヤンソンと交際を開始し、終生のパートナーとなったグラフィック・アーティストである。それ以前の交際相手たちがスウェーデン語系フィンランド人であるのに対し、ピエティラはフィンランド語母語話者である。スウェーデン語に堪能なピエティラと、フィンランド語が苦手なヤンソンだが、『ハル、孤独の島』などのドキュメンタリー映画で、二人はフィンランド語が混ざったスウェーデン語で会話をしている。トゥーティッキは、プウッコというフィンランドの伝統的なナイフを腰に下げている。ヤンソンがデビューした雑誌『ガルム』は、純正フィン主義（フィンランド語の権利獲得&スウェーデン語の権利縮小）運動を風刺するスウェーデン語雑誌だった。ヤンソンの前任画家であった母シグネ・ハンマルステン＝ヤンソン（シグネ・ハンマシュテーン＝ヤーンソン）の風刺画では、プウッコを下げた純正フィン主義者が、「文化」と書かれた建物を破壊し、人々を踏みつけている。このプウッコは、文化を解さない「野蛮な」純正フィン主義者が、スウェーデン語話者を脅かすための武器である。こ

シグネ・ハンマルステン＝ヤンソン「革命ロシアの赤軍兵士と純正フィン主義者」（『ガルム』1927年3月15日）
出典：富原眞弓『トーヴェ・ヤンソンとガルムの世界』（青土社）112ページ。

れに対し、トゥーティッキのプウッコは、フィンランド語系の人々が歴史の中で引き継いできた、生活を営むための道具である。

ムーミン屋敷は、しばしば、どんなに変わった人でも温かく迎えられる場所と説明される。確かに、「夏のムーミン」では、一癖（くせ）も二癖もある人物たちが自由に屋敷に出入りし、時に住み着いて、楽しい日常を謳歌する。一方、「冬のムーミン」では、その牧歌がムーミンママの我慢と犠牲のもとに成り立っていたことが示され、ムーミンは、ママを含むムーミン谷の住人たちが排除してきたモランと友好関係を築く。「夏のムーミン」では、フィンランドのスウェーデン語系知識人たちの家父長社会のように、そこに参画できるエリートの特権として多様性が担保されていたのだ。「冬のムーミン」では、家族や友人知人関係が解消し、登場人物たちはこれまでのジェンダー役割や家族やしがらみや思い込みや自分自身から解放される。ムーミン屋敷が、家族・友人知人の親密なコミュニティから、血縁関係がなく、親密でもない者たちの開かれたコミュニティに変貌（へんぼう）する過程は、『ムーミン』シリーズがフィンランドの国民的作品、ヤンソンがフィンランドの国民作家としての地位を確立していく過程とパラレルである。作品や作家と「国民性」が結びつくことの功罪は、今後、検討されねばならないが、ヤンソンとフィンランド的な要素が和解することで、ムーミン谷は、言語マジョリティのフィンランド語話者に開かれ、トゥーティッキのプウッコが生活道具として存在できる、フィンランド文化との共生の場所となったのである。

トゥーティッキの後ろ姿。
ヤンソン『ムーミン谷の冬』（講談社）175頁

（中丸禎子）

50

スウェーデン児童文学の中の子どもと大人

★絵本が伝える「自分らしさ」★

スウェーデンで子どものための本が盛んに出版されるようになったのは19世紀末。初の国産の絵本はイェンニ・ニーストゥルム（１８５４〜１９４６）による『子ども部屋の本』（１８８２）だとされている。19世紀末から20世紀初頭にかけて次々と人気作家が登場して絵本の黄金期を迎えると、それ以降今日に至るまでスウェーデンは絵本大国であり続けている。ここでは、この１００年余りの豊かな絵本文化の中でどのような子どもと大人が描かれてきたのか、筆者が「北欧の児童文学」の授業で取り上げる作家・作品を中心に、その変遷を見てみたい。

日本でもよく知られるエルサ・ベスコヴ（ベスコフ）（１８７４〜１９５３）は、１８９７年のデビュー以来長きにわたって活躍し、スウェーデンの絵本の世界に多大な影響を与えた人物である。『ブルーベリーもりでのプッテのぼうけん』（１９０１）、『ペレのあたらしいふく』（１９１２）などの多くの作品が今日も国内外で読み継がれているが、そこで描かれる子どもたちは概して「よい子」である。母親のためにベリーを摘んでこようとするプッテや、自分が世話をしている羊の毛で新しい洋服を作ってもらう代わりに様々なお手伝いをするペレは、模範的な子ども像を示す主人公である。ベスコフ作品には、スウェーデンの豊かな自然やのどかな農村風景と、絵本の購入が可能であるような生活レベルの家庭とその子どもの姿がしばしば登場する。セルマ・ラーゲルルーヴ（1858〜1940）の『ニルスのふしぎな旅』（1906〜07）がそうであるように、当時の子どものための本は教訓や道徳観を中心としたものが主流であった。よい行いをする（もしくはよくないことをして報いを受ける）子どもとそれを見守る大人という構図は続き、ベスコフは1940年代の作品においても、『おりこうなアンニカ』（1941）という題名のもと、家の手伝いとなることをする主人公を描いている。非常に保守的に見えるベスコフだが、『みどりおばさん、ちゃいろおばさん、むらさきおばさん』（1918）では、女性の立場がまだ弱かった19世紀の情景の中で、自身のおばたちをモデルとする未婚の女性たちが自立した生活を送る姿を描いていることも見逃せない。

大人から見た理想的な子どもの姿を描く児童文学の流れに大きな変化を与えたのが、アストリッド・リンドグレーン（1907〜2002）による『長くつ下のピッピ』（1945）である。第二次世界大戦終結の年に登場したピッピは、既成概念とそれに囚（とら）われた大人に縛られることなく、自分の信念のもとに行動する。また、同じ年には詩人レンナット・ヘルシング（1919〜2015）がデビューし、その後半世紀以上にわたって数々のナンセンス絵本を生み出していく。言葉遊びに満ちたヘルシングの文章と、コンビを組んだ様々なイラストレーターたちのそれぞれに印象的な絵によって、スウェーデンの絵本の世界はより自由に、より豊かになっていく。

1960年代後半から70年代になると、社会全体の変化に歩みを合わせ、それまでの規範や価値観への異議を唱えるような作品が児童文学でも増えていく。社会を批判的にとらえ、家庭・学校・社会において子どもが感じる違和感が取り上げられる一方で、普通の子どもの何でもない日常生活にもフォーカスが当てられるようになる。グニッラ・ヴォルデ（1939～2015）による「トッテ」シリーズや、グニッラ・バリストゥルム（1942～2021）の「アルフォンス」シリーズはその代表格だろう。「トッテ」シリーズは、部屋を片付ける、お風呂に入る、といった日々の生活の中で必要なことと、それらを自分でできることの達成感を描く。スウェーデンを代表する絵本の一つとなっている「アルフォンス」シリーズでも、夜ベッドに入ってから眠りにつくまでや、朝起きてから支度（したく）をして出かけるまでといった、日常生活の一場面が中心となることが多い。ちょっとしたいたずら心や小さなトラブルが話の核となり、それを見守ったり助けたり巻き込まれたりするアルフォンスの父親が登場するが、母親の姿は描かれない。1970年代以降、スウェーデンの絵本では様々な家庭環境が背景とされることはごく当たり前のものになっている。また、アルフォンスの父親は育児に振り回されたり、子どもに話しかけられても新聞を読みながら生返事しか返さなかったりする、現実的な大人の姿を

男の子の一夜の冒険を描く『ぼくはジャガーだ』

擬人化された犬の一家を描く『アストンの石』

表しており、子どもだけでなく大人もまた、理想像ではない、生身の姿で描かれるようになったことが見てとれる。

１９８０年代以降に大きな活躍をした児童文学作家ウルフ・スタルク（１９４４〜２０１７）は、章立ての本と絵本のいずれにおいても多数の名作を世に送り出したが、『おじいちゃんの口笛』（１９９２）や『おねえちゃんは天使』（１９９６）など、画家アンナ・フーグルンド（１９５８〜）とのコンビで生み出した絵本が日本でもよく知られる。このコンビによる初期の作品『ぼくはジャガーだ』（１９８７）は、幼い男の子がある晩ジャガーになって夜の街を体験するという話だが、主人公の母親はハイヒールを履き、シンクで髪を染めようとしている姿で登場する。ほんのわずかな描写かもしれないが、絵本の世界が画一的な母親像や家族像から脱していることがよく伝わる場面でもある。そして、ジャガーになって外に出ていく主人公の姿は、いずれは自立して家を出ていく子どもの姿を暗示的に示すものだとも受け取れる。スタルク作品に限らず、多くの絵本の中で子どもが自身の内的世界と向き合うようになり、自ら考え行動する存在として描かれるようになっているが、そういった作品に授業で触れた学生の多くは、自身の持つ「絵本」のイメージとギャップがあることが印象に残るようである。

スウェーデンでは映像や演劇の形でも広く親しまれているロッタ・ゲッフェンブラード作の『アストンの石』（２００５）は、母親との買い物の帰り道に冷たく凍（こご）える石を見つけた犬の男の子アストンが、次から次に様々な石を家に持ち帰りお世話をしていくという物語である。家中が石だらけになる中、どの石もやさしく温めてあげようとするアストンを両親は困りながらも見守るが、絵を見ると母親はギターを弾き、父親は編み物をする姿が描かれている。家族３人がそれぞれに自分の好きなことを大事にしている様子が伝わる情景である。絵本という媒体（ばいたい）には、子どもの読者が一人で読むというよりは、大人と一緒に読むことが多いという特徴があるが、読み聞かせをする大人の側は対象年齢から外れているということばかりではないのではないだろうか。

（上倉あゆ子）

51

築かれ、覆された スウェーデン近代美術史

★フルテーン、アーヴ・クリント、ストリンドバリ★

1970年、スウェーデン人キュレーター（美術展を企画する学芸員）のポントゥス・フルテーン（Pontus Hultén、1926～2006）が館長を務めていたストックホルム近代美術館（Moderna Museet i Stockholm）に、ある抽象絵画のコレクションの寄贈が申し込まれた。無名の女性画家が遺した1300点におよぶものだった。画家は1944年10月、92歳の誕生日の五日前に、自動車事故で亡くなっていた。遺されたものは所持金292クローナと、絵を売ることのなかった彼女の膨大な作品と125冊のノートブックであり、遺言にはその作品は没後20年間公開してはならない、とあった。その期限は過ぎていて、遺族である甥（おい）が、一番ふさわしく、また理解してもらえると思った国立のストックホルム近代美術館に寄贈を申し込んだのである。

1971年1月の『*ART news*』に掲載された美術史家リンダ・ノックリンによる論文「なぜ偉大な女性芸術家はいなかったのか」で、アート業界では〝男性〟の視点が優先される傾向にあり、優れた女性アーティストが多数いたにも拘わらず、平等に評価されず埋（う）もれていったと指摘したことはフルテーンは

まだ読んでいなかっただろう。

フルテーンはストックホルムで生まれ、ストックホルム大学で美術史を学び、1950年代には小さなアートギャラリーのキュレーターを務めていた。一躍注目されたのは、1958年、パリのギャラリー・ランベールヴェイルで、それまで顧みられていなかった「ロシア構成主義デザイン」展をキュレーションしたことだった。同年ストックホルム近代美術館が開館すると彼は同館に移り、早くも1960年に館長に就任する。そして、近代ではなく現代に比重を置いた美術の紹介をし、この美術館を世界に先駆けて、世界的に知られる現代美術館に作り変えていった（図1）。

図1　ストックホルム近代美術館　外観
出典：Emmawickstrm, CC BY-SA 4.0, via Wikimedia Commons

1960年代に同館で企画された展覧会には、19世紀末ポスト印象派のフィンセント・ファン・ゴッホに始まり、20世紀の抽象絵画の創始者と称えられるワシリー・カンディンスキーやパウル・クレー、シュルレアリスムのルネ・マグリットなど、スウェーデンにとっては外国（ヨーロッパ）の現代の著名な大画家が並ぶ錚々（そうそう）たるラインナップがみられる。当時はまだ注目されていなかった現代アートも積極的に登用した。欧米の近代産業構造物をタイポロジー（類型学）としてとらえたドイツの写真家ベルント・ヒラ・ベッヒャーなど

図2　ポントゥス・フルテーン

コンセプチュアル・アートを拓く作家たちもフルテーンは見出している（図2）。

1968年には、フランスの現代作家ニキ・ド・サンファルとそのパートナーのジャン・ティンゲリー、さらにフルテーン自身が共作した「She – A Cathedral」展で、美術館全体を横たわる巨大な女性の立体作品で覆い、館内を子宮に見立てて入館するという、当時としては考えられない企画で、世界的な注目を集めた。

さらに、力を入れたのがアメリカの現代アートで、衝撃的な死を迎えたばかりのジャクソン・ポロック、1962年にはロバート・ラウシェンバーグとジャスパー・ジョンズなど、いわゆるアメリカのポップアートをいち早く取り上げ、フルテーンがゲスト・キュレーターとしてニューヨーク近代美術館に招待されてキュレーションをするきっかけとなり、アメリカとの強い関係が結ばれた。なかでもアンディ・ウォーホルとは、1968年に世界で最初の回顧展を開いて親密となり、作品の再制作の管理を任されるまでになっていた。

ストックホルム近代美術館は、そもそもスウェーデンの19世紀から20世紀初めの近代美術を収集や企画の対象とする美術館として創立されている。したがって、実際にはこうした外国から作品を借用する「華やかな」企画のほかに、フルテーン館長時代にもスヴェン・エーリックソン、ブロール・ヨース、シーグリッド・ヤッテーンなど、スウェーデンの芸術家による数多くの展覧会も開催されていた。しかし自国の画家は「地味」であり、館としては集客力もなく、国内外のメディアに大きく取り上げるものではなかったのである。そして、同館が取り上げる（フルテーンが企画を認可する）自国画家は、現在から振り返るならば、どちらかというとフルテーンが再評価の立役者となったロシア構成主義やドイツのバウハウスなどの傾向の近い「構成主義」作家だったといえる。

美術館のコレクション構築でもフルテーンは功績を残している。「私たちの希望の美術館（Önskemuseet）」展で収集の方向性を示したフルテーンは、1966年スウェーデン政府から5万クローナの助成金を獲得し、キルヒナー、エルンスト、ミロ、ダリ、モンドリアン、ピカソなど綺羅星（きらぼし）のような国際作家の作品を収集することに成功し、コレクションが再編され国際的なモダンアートの系譜が形成された。こうして世界（欧米）的なリーダーとなる現代美術館とキュレーションがスウェーデンに確立したのである。「他の人よりもずっと早く良い芸術が何であるかを理解していたため、時代をはるかに先取りしていた」（作家で美術評論家のカール・ヨーハン・マルムバリ）と評価されるフルテーンは、まぎれもなく現代の芸術界でのスウェーデンの地位を築いた、スウェーデンの知性の代表者といえる。

フルテーンはリーダーシップ抜群で、抽象美術、現代美術の伝道者と誰もが思っていた。そのフルテーンが館長をするスウェーデン随一の近現代美術館、ストックホルム近代美術館に、冒頭に書いたように無名の抽象画家の大規模な寄贈が申し込まれたのだった。

その画家の名は、ヒルマ・アーヴ・クリント（Hilma af Klint, 1862〜1944）といい、19世紀に女子学生を受け入れたストックホルム王立美術学校の第一世代、つまり草創期の女性の画家のなかの一人だった。ヒルマは美術学校で学んだ人物や風景を描く写実的な作風から「5人（de fem）」という

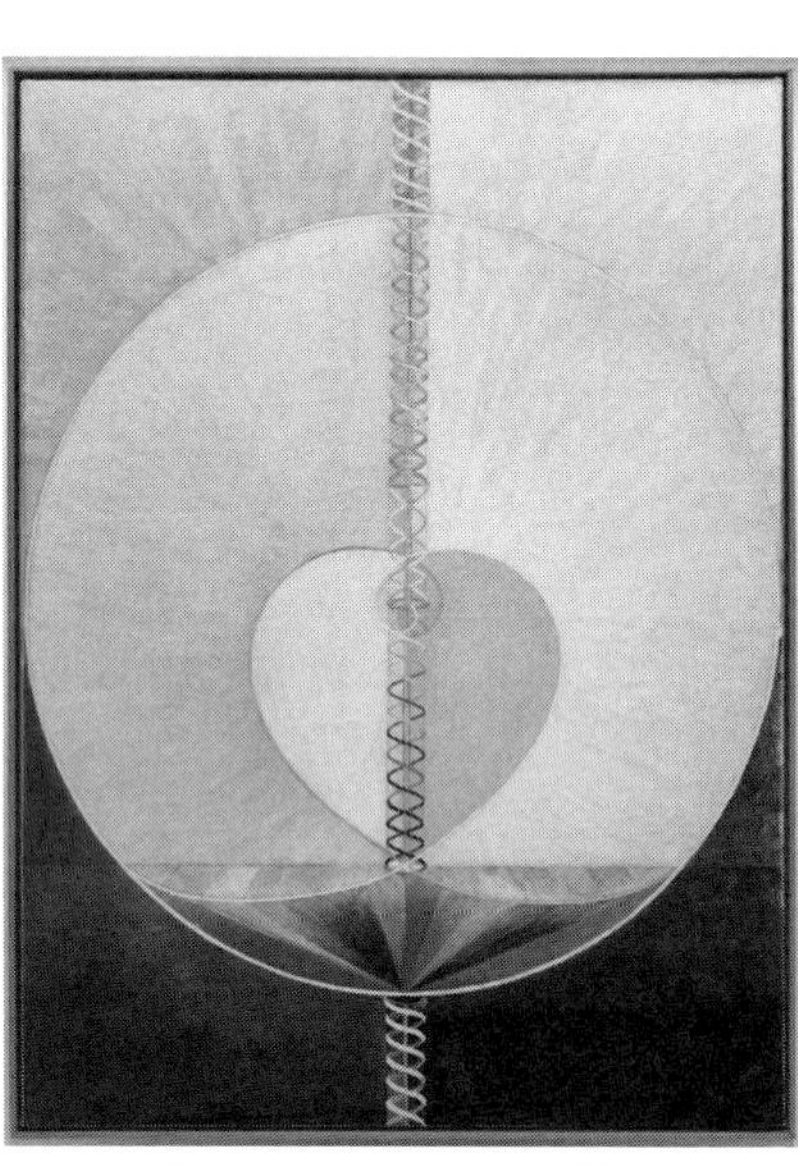

図３　《グループ IX/UW, No.25, 鳩 , No.1》
アーヴ・クリント（1915 年）

女性画家による前衛的な芸術画家グループを結成したパイオニアである。図形にも似たその絵は複雑な哲学的思考を描写したものであった。スウェーデンの画家でも、彼女の絵は最初期の抽象絵画のなかに含まれており、スウェーデン近代美術史では無視できない存在だったが、没後20年以上過ぎ、沈黙のなかで忘れられていたのである（図３）。

しかし、その申し出は断られた。館長のフルテーンが、スピリチュアリズムとの関連性を理由に彼女の作品の受け入れを拒絶したといわれている。

スウェーデン海軍士官の子として生まれたヒルマは幼少期、夏に一家で過ごしたメーラレン湖に浮かぶアーデルスウー島（Adelsö）の農場で過ごし、この牧歌的な環境で自然とふれあい、父からは数学に対する興味を植え付けられたことが、のちの彼女の作風に通じることになる。１８８０年に妹が死去し、宗教に接近するなか、１８９２年、より高い次元の霊的存在からのメッセージという形を取った神秘主義に関する全く新しい考えを、１冊の本に記すというプロジェクトに「５人」グループとともに参加した。生活のために描いていた植物画の制作と光学研究からも、神秘と抽象を着想したと考えられている。

アーヴ・クリントは、抽象画の祖とされるモンドリアン、マレーヴィチ、カンディンスキーらと同時期に抽象絵画を開拓していた。そしてブラヴァツキーが創設した神智学協会の影響を受けていたのだが、それは同時代の抽象画家たちとも共通していたと言えよう。すなわち、彼女の排除をスピリチャリズムとの関係性において問題視することは理由にはならないということである。アーヴ・クリントは抽象絵画よりさらに現代的なシュルレアリスムのオートマティスムによる実験的な描画を1896年という早い時期におこない、内面と外面の両方から不可視なものを概念化することに成功したとする評価も、今日、得ている。

フルテーンは、1973年にパリに開設されるポンピドゥーセンター（パリ国立近代美術館が含まれる）の初代館長にスカウトされ、スウェーデンでの成果をもとにその後の世界の現代美術界を牽引していった。現代アートにおいてはいわばスウェーデンモデルがグローバル化されたのだった。いっぽうアーヴ・クリントの作品は遺族が設立した財団で管理され、数名の美術史家の連携により1980年代に彼女の絵は国際的に紹介されることになる。ファントが1984年にヘルシンキで開かれたNordik（北欧諸国の美術史家の組織）の会議で最初に彼女の作品を紹介しており、1986年のロサンゼルス・カウンティ美術館では企画者が「偶然」に彼女を発見し、「The Spiritual in Art: Abstract Painting 1890–1985」展に彼女の大型の作品16点が展示された。

そして、死後30年近くが過ぎた2013年、ついにヨーロッパ6か国において「アーヴ・クリント、抽象絵画のパイオニア」と副題がつけられた回顧展が実現し、ストックホルム近代美術館にも巡回されたが、現在もなお同館にアーヴ・クリントの作品は収蔵されていない。また、2018年には抽象美術の聖地であるニューヨークのグッゲンハイム美術館で彼女の回顧展（副題は「明日への絵画」）が開かれ、開館以来の入館者を数えた。一方、かつてフルテーンが関わったニューヨーク近代美術館では、抽象美術の企画展では彼女は除外されている。その際立った相克性は『見えるもの、その先にヒルマ・アーヴ・クリントの世界……』と題したドキュメンタリー映画に見ることができ、2022年、日本でも映画は公開された。

アーヴ・クリントの生涯と作品の物語は、「単なる並外れた女性の物語ではなく、美術史が伝統的にどのように描かれてきたのか、率直に言えば、男性によって市場を反映してきたという研究でもある」とジェンダーの観点でも論じられる。しかし、美術、アートというものがいかに、キュレーターの主観と感性、そして先見的な識見とともに、そのいっぽうでは偏見に基づくかという実例でもあるだろう。

2015年、フルテーンの遺族は「ストックホルム近代美術館」に美術品コレクションを約800点、ライブラリーに約7000冊、そしてアーカイブを寄贈した。そして、キュレーター並びに館長としてのフルテーンの活動を掘り下げ、伝説的な1960年代の遺産と今日の美術館への示唆を探るプロジェクトも始まっている。

今や、かつて近代美術史から除外されていた美術作品が、世界的にも劇的に見直されている。2023年3月、東京の国立西洋美術館は新しく購入したスウェーデンの作品を展示したのがその表れといえる。

著名な作家、劇作家でありながら、画家ムンク、ゴーギャンらと親しく、１８９０年代に実験的な絵画、写真を制作したアウグスト・ストリンドバリが「私のインフェルノ絵画」と呼んだ油彩の最重要作品「インフェルノ（地獄）」（１９０１）が、１００年以上ののちに再評価され、市場でも高価なものとなり、日本の大美術館にも収蔵されることになったのである。「パレットナイフを用いた厚塗りの大胆なタッチ、偶然の効果を取り入れた即興性や抽象性を特徴とする彼の実験的な絵画は、後に20世紀の様々な前衛芸術運動を先駆するものとみなされ、今日までめざましい再評価が続いて」いると同館の展示では解説がつけられている２０２０年代、ストリンドバリはスウェーデンの国立美術館の代表的なコレクション（図４）であるとともに、日本でも重要なコレクションとして展示されている。

図４《不思議の国》
アウグスト・ストリンドバリ（1894年）
〔油彩、紙 ストックホルム国立美術館〕

１９７０年代、多くの学問の基本的枠組み、すなわち近代的モデルやイデオロギーが確立していた。近代美術史もその一つである。しかし、半世紀を過ぎた現在、その枠組みは、もう一度見直す必要がある。少なくとも50年前の常識は、すでに覆（くつがえ）されている。

（岡部昌幸）

52

映画遺産を通じての歴史・文化・芸術教育

★過去の映画の再利用が、新たな知識を生む★

映画は誕生100年を超えた頃から、その存在の在り方を急速に変化させている。媒体(ばいたい)はアナログのフィルムから、現在においてはほぼデジタルに変わった。世界中で相変わらず映画は大衆的スペクタクルとして、多くの観客によって映画館で享受(きょうじゅ)されてはいるが、一方でその100年以上の歴史は映画遺産として、また別の形でも使われ始めている。スウェーデンはこの方面において、世界的にも先駆けて、実験的な方法で蓄積された過去百数十年の自国映画を未来に残そうとしている。

私企業で作られた映画は当初は何らかの金銭的な利益を得るという目的をもって製作され、製作された後は著作権によって利益保護された。だが数十年単位あるいはそれ以上の長期にわたる映画保存となると、私企業の能力を超え、国家レベルでの保存事業が不可避になる。まさしく映画遺産の国家的な保存事業だ。スウェーデンではスウェーデン映画協会がこうした映画遺産の保存に早くから積極的に取り組んでいた。だが、スウェーデンで作られたあらゆる映画を未来永劫(えいごう)保存して、それを一体何に使うのか。この問いに本格的にこたえようとする事業は、近年になってやっと始まったばかりだ。

国家的に保存されているスウェーデン映画を、いつかは使うだろうという消極的な保存ではなく、映画遺産、別の言い方をすれば、過去百数十年間の記憶遺産として、スウェーデン映画アーカイブのオンライン上で利用するという目的が明確化されている。ここでいう映画とは、もちろん通常映画館で上映される商業劇映画も含まれるが、著作権上の関係で、今のところはそうした商業映画が全体としてオンライン公開されてはいない。実際に映画アーカイブの当該ページを見ながら、この新しい映画遺産受容の在り方を見てみよう。filmarkivet.se のページを開く。「カテゴリー、テーマ、映画の地図、学校の教室向け、私たちのこと」という文字が上に並んでいる。「カテゴリー」はこのページで見られる映画の種類のことだ。ここには、アマチュア映画、アニメーション、実験映画、フィクション映画、児童と若者向け映画等々、12のカテゴリーが分類されている。ふつうの商業用劇映画はこのカテゴリーではフィクション映画に分類されるだろうが、今のところは著作権の関係なのだろうが、ここにはその他の、非劇場用に作られた劇映画――多くは短編映画――などが入っている。

「テーマ」をクリックすると、民主主義とか、戦争とか、スウェーデン王室といった項目が出てきて、それぞれの項目をクリックすると、そうしたテーマに関連する映画が出てくる。また、この映画アーカイブによる先駆的な事業の独自性が見られるところとしては、次の「映画の地図」があげられよう。ここをクリックすると、スカンディナヴィアの地図が現れる。スウェーデンは、北部、中部、南部の3部分に分けられ、主要都市が記載されている。そしてそれぞれの都市に数字が書き込まれているが、これはこのページで目下みられる、それらの都市で撮影された映画の本数を指し示している。例えば現在までのところ、ストックホルムは410本と、当然のことだが他の都市と比べて圧倒的に多い。我々はこれらスウェーデンの様々な地域で過去に撮影された動画を、地図上から選んでみることができる。

「学校の教室向け」という項目があるのは、映画アーカイブの仕事の大きな目的に、教育ということがあるからであろう。すなわち、このページを使いながら、学校のクラスで授業をすることができるのだ。ここをクリックすると、スウェーデンの福祉社会とか、難民といった項目が出てきて、それぞれにそれらのテーマに関連する映画が見られるようになっている。

このような映画をコンピュータ上で見ながら思うことは、スウェーデン映画アーカイブのあらゆる種類の映画に対する理想的ともいえる愛情である。多くは小規模の製作会社によってかつて作られたこうした映画は、何の国家的ケアもなされなければ、数年にして消滅してしまったであろう。しかしこのような国家的プロジェクトによって、これらの映画は適切に保存され、それらが本来作られた目的に沿った形で、多くの人々に再利用されているのだ。もちろん社会教育という利用の仕方に限定されているのではない。多くの場合、これらの映画は当然のことながら娯楽としての質をも備えており、映画そのものとしても十分楽しむことができる。また、筆者のような映画芸術史の研究者にとっても、大変ありがたい素材を数多く提供してくれる。

『子どもを殺すこと』

例えば、今開いているこのページにおいて「今月のもっとも人気のある映画」の筆頭に、イエスタ・ヴェルネルの『子供を殺すこと』（1953）が出ている。スウェーデン古典映画の研究において筆者が個人的にも大変お世話になったイェスタ・ヴェルネル先生の監督作品だ。作家スティーグ・ダーゲルマンが書いた同名の短編小説（小説の邦訳題名は『子どもを死なせる』）を基にして、ヴェルネルが監督・脚本・編集を行った、スウェーデン映画史上著名な非常にすぐれた短編映画だ。若くして自死したダーゲルマン――彼は映画の製作にも大変興味を持っていたという――自身が、生前に見た唯一の自作の映画化作品でもある。映画は原作に忠実だ。登場人物たちは言葉を発しない。言葉はすべて、小説のように一人のナレーターによって語られる。従って、映画を見る私たちは、最初から間もなくこの映画に登場する少女が死ぬことを知らされる。この劇映画の構成において、これは特徴的だ。すなわち観客は初めから少女が自動車に轢（ひ）き殺されることを知りながら、展開される朝の二つの事象――ひとつは少女の家、その父と母、もうひとつはこれから海を見るためにドライブに行こうとする二人の若い男女――を追う。映画は非常に静かに、スウェーデンの田舎の夏の朝の出来事を見せる。イエスタ・ヴェルネルの作る画面構成は、静寂を強調するかのように絵画的だ。この静寂は少女が自動車に轢き殺される悲鳴――我々にはその悲鳴しか聞かされない――で乱される。しかし映画はその後も静寂を乱すことはない。風景は変わらず、起こったことは一人の少女の死だけだ。もともと保険会社の広報用に作られた映画だが、私たちは今高画質に復元されたこの映画の豊かな芸術性をコンピュータ上でいつでも味わえるのだ。

（小松　弘）

53

スウェーデンの子ども映画の変遷

★その興隆とジャンルとしての確立★

本章ではスウェーデンの子ども映画の変遷について、とりわけ、アストリッド・リンドグレーンの児童書を原作とする映画が劇場を席巻する1950年代までに、それらがどのように議論され、映画ジャンルとして確立されたのかを論じる。

1920年代 ― 子ども映画のはじまり

スウェーデンにおいて、子どもを主人公とした最初の長編映画は、1922年に公開された『アンデション夫人のカッレ』と言われている。1901年に出版された同名のいたずら喜劇小説（busstreck）を原作とした本作は、制作費を大幅に上回る興行収入を記録し、このジャンルにおいて大きな成功を収めた。しかしながら、劇中において、近所の婦人へと悪戯（いたずら）をする主人公カッレの姿が、同時代の論客たちから大きな批判を集めた。スウェーデンの日刊紙「スヴェンスカ・ダーグブラーデット」は、スウェーデン王立工科大学の教授であったアンデシュ・ロースバリから寄せられた厳しい抗議の手紙を受け、本作品に対する評価を当時の教育者に依頼した。この要請を受けて、教育委員会の長であったカール・ノードルンドは、「本作品はグロテスクで誇張されており、子どもたちが直ちに真似すべきものではない」との所感を示している。

しかし、こうした厳しい批判をよそに、その翌年には子どもや若者が登場する映画がいくつか制作される。例えば、スウェーデン最大手の出版社であるボニエル社は、『カッレ』の成功にならいシナリオ部門を立ち上げ、その最初の作品のひとつとして『アンナ＝クラーラとその兄』（1923）を手がけている。エルサ・ダーニエルソンが1924年の日刊紙「ダーゲンス・ニーヘーテル」において、「昨今における子ども映画の流行は『アンデション夫人のカッレ』から始まる」と明確に書いていることから、同時代的な認識の中でもこれらはまさにスウェーデンの子ども映画の起こりを示すものであったといえるだろう。

1930年代——低迷の時代

ところが、その流行も儚く、1930年代は不作の時代と呼ばれている。この原因として、1929年に世界を襲った恐慌によって、スウェーデンの映画産業が解体されたこと、それに伴って設立された新興会社が大衆喜劇（folklustspel）を制作し始めたことが挙げられる。こうした喜劇ジャンルは野外演劇（friluftsteater）をもとにした作品も多く、映画監督らは、しばしば演劇版と同じキャスト、あるいは熟練された映画俳優を主役に迎えたため、子どもを主人公とした映画の制作が減少したと推測される。

映画内でピルスネル（pilsner）と呼ばれる安価なビールを消費するシーンが頻繁に描かれたことに

その名を由来する「ピルスネルフィルム」というサブジャンルは、同時代の名だたる評論家たちから〝低俗〟であるとの批判を浴びたが、興味深いことに、トーキー版『アンデション夫人のカッレ』（1934）においては、カッレがこのビールを建設現場の労働者へ届けるシーンが追加されている。このことは、子ども映画が当時の流行ジャンルの象徴的なモチーフを描出していたといえるだろう。

1940年代――そして映画ジャンルへ

1940年代はスウェーデンの子ども映画史において、もっとも重要な時代とされる。実際に、体系的な子ども映画の制作・評価が開始されたことから、多くの子ども映画にまつわる言説が、この時期を「真の」子ども映画の始まりと論じている。また、リンドグレーン映画に代表されるような、いわゆる「スウェーデン的」な子ども映画の基盤が築かれたのも、この時代であった。

例えば、子ども映画の研究者アンデシュ・オーバリは『スカンディナヴィア映画史事典』（2012）の中で、「本当の意味でのスウェーデンの子ども映画はラグナル・フリスクの『貧困街の子どもたち』（1944）の公開を機とした1940年代中頃からはじまる」と説明している。1944年に公開されたこの作品は、貧困街に住む車椅子の少女ニッニと養父のファリーン、そして近隣の子どもたちの物語を描いている。オーバリは自身の論文の中で、本作品は民族的戦略――すなわち、1930年代に制作されたスウェーデンの大衆喜劇がしばしばモチーフとした、コミュニティ内における和解、ステレオタイプ的な他民族の表象、そして郷愁を誘う牧歌的なスウェーデンの自然や風景の描出（世紀の変わり目に国家言説として現れた「新しいスウェーデン的感性」としばしば称される）――を通して民族的均質性を示し、すべて国民は平等であるといった「国民の家」という理想を、階級間の障壁を解決する形で体現していたと述べている。同様に、マリーナ・ヤーンソンは1945年に公開された『雪わり草』（1945、タイトルは日本公開時（1970年）の邦題）が、脚色や音楽、編集などの映画的技法を通して、まさに子ども観客へと向けられていることから、スウェーデンで初めての真の子ども映画であると論じている。山深くに住む、母親に先立たれた7人の子どもたちが、養家を求めて山を下るといった内容の本作は、この時代のあらゆるメディアにおいて登場していた「主体的、能動的、かつ純真」な子どもを描くことによって模範的な国民像を観客へ提示したのである。

『アンデション夫人のカッレ』（1934）
©Svea Film

また、この文脈において、いわゆる主流の映画とは別に、教育を主たる目的とした子ども映画が制作されていたことにも言及すべきだろう。スウェーデン最大手の映画会社スヴェンスク・フィルムインダストゥリ社は、映画と公教育の理想的な調和を達成すべく、教師であったマルガレータ・ローセンクランツと協力し、多くの短編映画を制作した。こうした作品は学校内外での上映を目的とした学校映画（skolfilm）として紹介される一方で、多くの言説で「子ども映画」としても宣伝されていた。このような映画の制作と上映を通して、子ども映画の教育的側面が、より強調されるようになっていったのだ。

こうした流れの中、体系的な評価制度というものも確立されていった。例えば、1948年には、子ども映画委員会が設立され（前身となる婦人会の実質的な活動が開始されたのは、その前年であった）、教育学者や心理学者などの専門家で構成された子ども映画評議会をその実務機関として、実践的かつ実験的な活動が行われた。具体的には、子ども向けマチネーの視察や、上映作品や上映中の子どもたちの様子を記録した調査結果を日刊紙で発表することによって、子ども映画の制度的なラベリング戦略を、一般言説を通じて広く国民に示していたのであった。

これらを象徴する事実として、1950年に出版されたスウェーデン・アカデミー語彙リストの第9版において、「子ども」のカテゴリー内に初めて「子ども映画 barnfilm」という単語が出現した（1923年に出版された第8版には「子ども映画」という単語は登場しない）。このことからも、1940年代に現れた多くの子ども映画と、それらを巡る言説は、そのジャンルを確たるものに仕立て上げたといえるだろう。

（新堀太一）

54

ABBA世代の選択とスウェーデン

★福祉国家転換の半世紀★

ABBA（スウェーデン語読みはアッバ）は、日本でも世代を超えて支持されているスウェディッシュ・ポップのグループである。ABBAのメンバーたち（アグネータ・フェルトスコーグ、ビューン・ウルヴェーウス、ベンニ・アンデション、アンニ＝フリード・リングスタード）は、4人で活動を始める1972年以前から個々の音楽活動で高い評価を得ていたが、1973年にABBA名義で発表された最初のシングル曲『恋のウォータールー』が1974年のユーロヴィジョン・ソング・コンテストで大賞を獲得したことで広く世に知られることとなった。ABBAは数多くの世界的なヒット曲を送り出すことで「スウェーデン最高の輸出品」と称された。1976年に全米チャートで初めてトップを獲得した『ダンシング・クィーン』が同年のカール16世グスタヴ王とシルヴィア王妃の成婚に捧げられたなど、その活動がスウェーデン現代史の記憶に深く刻まれているという点で数あるスウェーデンのミュージシャンのなかでも傑出（けっしゅつ）した存在である。

ABBAと生まれ育った時代を共にしABBAを最初に支持した世代は、日本では「団塊の世代」と呼ばれるベビーブーマーたちである。スウェーデンでは、1940年代の後半から1970年代の石油危機に至る高度経済成長が見られた時期を「記録の時代」と呼ぶ。この時期の文化行政の中核にあって数々の評論でも知られたローランド・ポールソンは、「記録の時代」に原子力に代表される技術の進歩を得た人びとは、産業化された社会から求められていた労働や家族、性差などの規範から解放され、様々な形で解放された感情を主張するようになると論じた。原子力への楽観的な態度はヒロシマ／ナガサキの後に第五福竜丸事件を経験した日本と大きく異なるとはいえ、実際に1960年代に若者として生きた人たちは、ポールソンが評したように「快楽の原理の扉」を開いて創造的なエネルギーを解放させていった。

例えば「1968年」は、若者たちの主張が社会運動という形で可視化された年である。2年前に始まった中国の「文化大革命」後、フランスの「五月革命」、チェコスロヴァキアの「プラハの春」など、世界に広がった「1968年」の波はスウェーデンにも及び、ベトナム戦争からの脱走兵問題に端を発した反戦運動、第三世界での人種差別に反対するデモ活動、高等教育の民主化を求める学生運動など、既存の権力に対抗する若者たちの主張が表明された。「1968年」の命脈は、「記録の時代」が終息した1970年代以降も、家父長制を批判して女性の社会進出を主張した「グループ8」などの女性運動、反原発を主張した「地球の友」や「緑の党」などの環境運動、住民本位の都市開発を目指して都市行政に反対した「もう一つの都市」運動など、自らが求めるライフスタイルに合致した環境を築こうとする社会運動のなかに保たれていく。「快楽の原理の扉」を開いた若者たちは、「1968年」の系譜に連なる社会運動の主張を選択肢としながら、自らのライフスタイルに最適な社会改革を求めて選択する者たちになっていった。

　音楽は「モッズ」と称された若者たちの新たなライフスタイルを支える柱であり、若者たちの選択を端的に示す領野でもある。スウェーデンの「1968年」を象徴する音楽は"Progg"と言われる。それは世界的に言う「プログレッシブ・ロック」とは異なり、当初はスウェーデン固有の音楽と言語を踏まえたフォーク音楽の革新を目指すものだった。「1968年」の雰囲気を受けた「プロッグ」はスウェーデン語で反権力を歌う政治的志向の強い音楽へ変貌を遂げ、ABBAが世界的な人気を博した1970年代半ば以降に支持を失っていく。スウェーデンの若者たちは、スウェーデン語の世界に引き籠もった「プロッグ」を教条主義的な音楽として拒否する一方で、「愛」のような日常的な感情を英語の歌詞で歌い上げ、国際的な音楽市場と結びつくABBAを選択した。これは、「記録の時代」が終焉した1970年代以降、「快楽の原理の扉」を開いた世代が、グローバル化する市場との共存を前提としながら自らが共感できる対象を主体的に選択した事実を物語っている。

ストックホルムのユールゴーデンにある ABBA 博物館にて［筆者撮影］。ABBA 博物館は 2013 年に開館された。

　ABBA世代は、個人の自由に至上の価値を置く環境の実現という観点から政治への関心も失うことはなかった。

それは、この世代の主張と共鳴する地点にオーロフ・パルメが登場したことも幸いした。1960年代半ばからストックホルム郊外に集った「グループ222」と呼ばれる者たちによって議論されていた夫婦別課税や保育拡充など男女共同参画を切り拓いていくことになる政策の先鞭は「1968年」に反米運動の先頭に立ち、若者との対話に臨むことで支持を集めたパルメの政権によってつけられた。パルメの時代は共産主義陣営における人権弾圧への批判や第三世界の自立への支持などに耳目を集め、「人権の守護者」へのスウェーデン・イメージの転換もこの時代に始まった。こうしたスウェーデンの転換は、1980年の住民投票を踏まえながら原発の段階的廃止が決定されたように、ABBA世代の主体的な選択があればこそなし得たものだった。

1982年のABBAの活動停止と1986年のパルメ暗殺から今日に至る40年弱の間に、福祉国家の姿は当局が定めた幸福実現の糧を一方的に住民へ授ける形から、個人が考える多様な幸福実現の選択を支援する姿へと明らかに転換した。それは、教条主義を批判し、自己決定の権利を重視したABBA世代が個人本意のライフスタイルを重視した選択の結果でもある。このようなスウェーデン現代史の展開を踏まえるならば、ABBAが2021年に活動を再開した現在、中東情勢に端を発する移民問題やウクライナ戦争に端を発する安全保障問題を巡って歴史的な転換点を迎えているスウェーデンでは、ABBA世代とそれを継ぐ世代の選択が再び注視されるべき局面にあると言えるのだろう。

（古谷大輔）

VIII

スウェーデンの暮らし

55

Swishを利用した電子決済の世の中

★進むキャッシュレス化が明らかにした現金の重要性★

スウェーデンのキャッシュレス化の進展は著しい。街中では現金を利用できない店舗やレストランも数多く存在しており、また公共交通機関の多くも現金での支払いを受け付けていない。スウェーデンの通貨に両替せずとも、スウェーデン旅行を楽しむことは十分に可能であろう。

電子決済はとりわけ２０１０年代に急速に進展した。そして、電子決済を加速させたのがＳｗｉｓｈ（スウィッシュ）という決済手段である。Ｓｗｉｓｈは携帯電話を利用した電子決済サービスのことであり、そのアイディアの始まりは、個人間での容易かつ速やかな決済を可能にするためにスウェーデン国内の複数の銀行の代表者が集結した２００９年とされている。当時の携帯電話の約半数にキャッシュカードを入れることが可能となっていたため、構想当初から携帯電話を利用した即時の電子決済が想定されていた。携帯電話番号と支払い金額を入力することで、その携帯電話に入っているキャッシュカードから直接の支払いを可能とすることが目標だった。

３年間の調整を経て、２０１２年にスウェーデン国内の六つの銀行間での即時決済を可能とするオペレーターとしてＳｗｉ

ｓｈは誕生した。その後、Ｓｗｉｓｈの利用者は着実に増え、２０２２年には８００万人を突破した。またＳｗｉｓｈサービスを利用する銀行も増えている。そしてＳｗｉｓｈの利用者が増加するにつれ、現金での支払いは激減した。決済手段に関する政府の報告書によれば、２０１４年から２０２１年の間で現金の引き出しは70％減少したとのことである。

Ｓｗｉｓｈはどのような場面で利用されるか

多くの店舗でＳｗｉｓｈによる支払いを受け付けているが、実際はカード払い（デビットカード又はクレジットカード）を利用する者が多い。２０２２年では、店舗においてＳｗｉｓｈを利用した支払いは僅か1％で、カード払いは86％にもなる。カード払いはワンタッチで利用可能である一方で、Ｓｗｉｓｈはアプリを起動して番号の入力又はバーコードの読み取り、そしてデジタル認証が必要である点で一手間かかることがカード払いを選ぶ理由であろう。

それでもＳｗｉｓｈによる支払いを可能とする店舗は増加している。その理由としては、より小規模な小売店においては、店舗側としてカード払いを可能にするよりも、Ｓｗｉｓｈのサービスを利用する方が容易だという点が挙げられる。実際、スウェーデン北部を旅行した友人から、カード払いが不可能で、現金又はＳｗｉｓｈでの支払いを求められた店舗があったとの話を耳にした。

個人間での支払いや送金の場面でＳｗｉｓｈを利用する者が多い。政府の調査によると、個人間の送金の場面では、84％がＳｗｉｓｈを利用するとのことである。そして個人間の売買であるフリーマーケットでは、Ｓｗｉｓｈ又は現金払いが基本である。わざわざフリーマーケットでの販売のため

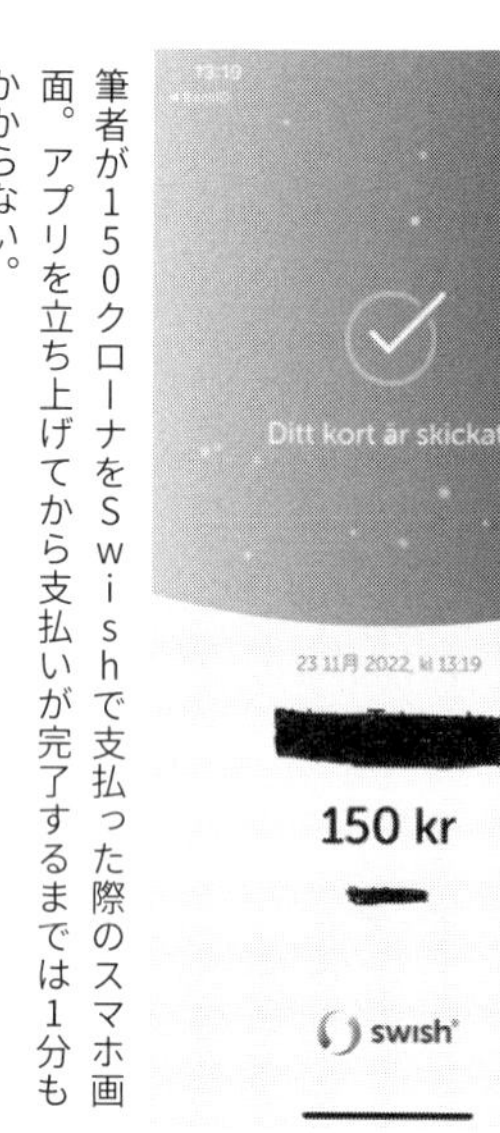

筆者が１５０クローナをＳｗｉｓｈで支払った際のスマホ画面。アプリを立ち上げてから支払いが完了するまでは１分もかからない。

に、出店者はカード払いを可能にする労力をかけないことが理由だろう。

誰がＳｗｉｓｈを利用できるか

ここまでＳｗｉｓｈの利便性について述べてきたが、スウェーデンを訪問する全ての人がＳｗｉｓｈを利用できるわけではない。Ｓｗｉｓｈの利用者は、Ｓｗｉｓｈサービスと連携するスウェーデン国内の銀行に口座を所有していることが前提である。そして銀行口座を開設するにはパーソナル・ナンバー（日本でのマイナンバー）が基本的には必要であり、そのパーソナル・ナンバーの取得には最低でも1年以上のスウェーデンの滞在が必須となる。そのため、短期の旅行者や滞在期間が1年未満の留学生は、パーソナル・ナンバーを取得することができず、その結果、Ｓｗｉｓｈを利用することはできない。とはいえ、店舗ではカード払いが基本のスウェーデンでは、Ｓｗｉｓｈを利用することがなくても十分に生活はできよう。

Ｓｗｉｓｈの利用を開始する手順は以下のとおりである。まずスウェーデンのパーソナル・ナンバーを取得し、銀行口座を開設しなければならない。口座開設者は、デジタル上での自身の身分証明を行うため、銀行から提供された文書に従いながら、民間のデジタル認証サービスであるバンクＩＤ（ＢａｎｋＩＤ）の利用登録を行う。その後、Ｓｗｉｓｈのアプリをダウンロードし、携帯電話番号と

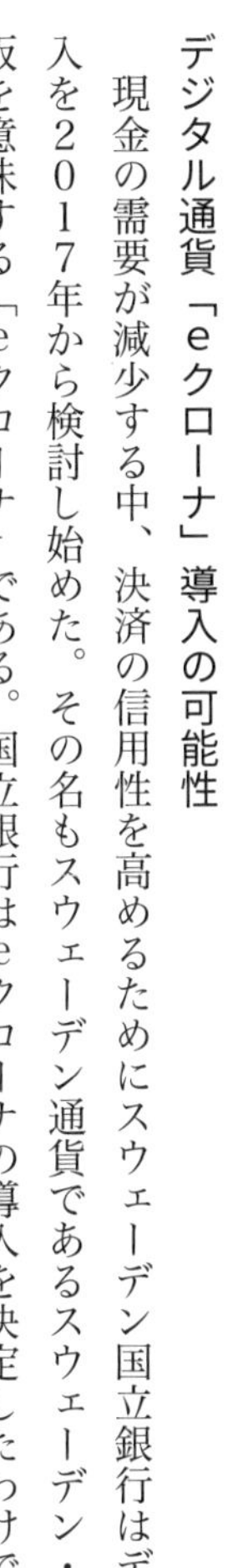

銀行口座を連携させることで、Ｓｗｉｓｈによる速やかな決済や送金が可能となる。

デジタル通貨「ｅクローナ」導入の可能性

現金の需要が減少する中、決済の信用性を高めるためにスウェーデン国立銀行はデジタル通貨の導入を２０１７年から検討し始めた。その名もスウェーデン通貨であるスウェーデン・クローナの電子版を意味する「ｅクローナ」である。国立銀行はｅクローナの導入を決定したわけではないが、複数の段階（フェーズ）に分けながら導入の検証作業を２０２１年から開始した。

国立銀行による検証作業は非常に慎重に進められている。２０２１年のフェーズ１では、ブロックチェーン技術を用いたトークンとしてのｅクローナの技術的問題や法的課題の分析等が、２０２２年のフェーズ２では、オフラインでの決済や他の決済手段にｅクローナを組み込む方法の検証等が行われた。２０２３年のフェーズ３では、既存の即時の決済手段との調整や

Näringsliv

Ny utredning säger nej till e-krona – förenat med för stora risker

Att införa en digital e-krona är förenat med stora risker. Frågor om finansiell stabilitet måste besvaras först, anser Anna Kinberg Batra, ansvarig för Betalningsutredningen. "Vi befinner oss i en ny makromiljö", säger hon.

2023年４月１日付のスウェーデンの日刊紙スヴェンスカ・ダーグブラーデット紙（デジタル版）より。本文中の政府による調査を主導したアンナ・チーンバリ・バートラ（Anna Kinberg Batra）のインタビュー記事。同調査の結論の一つは、デジタル通貨に対する社会的な需要は、導入するには十分なほど大きくはないというものだった。

国境を超える決済に関しても検証される。

SwishやBankIDという信用性の高い民間の決済手段やデジタル認証方法があるなか、国立銀行がデジタル通貨を導入する必要があるかどうかは検討の余地がある。国立銀行がデジタル通貨の導入の是非を決定していないのはこうした背景もある。キャッシュレス化が進むスウェーデンの選択は、他の先進国がデジタル通貨を導入する際にも注目されるだろう。

現金は消えてなくなるのか

決済手段に関する政府の調査によれば、2020年での現金による取引の割合は、スウェーデンが9%で、日本の54%を含む他国との比較においてもその割合は低い。決済の電子化について大多数のスウェーデン人が好意的に捉えているとの調査結果もある。

しかし前述の政府の調査による結論は、近い将来に現金がなくなることはないというもので、むしろ、現金サービスを保証する法律を2025年までに制定するよう政府に対して提案している。2023年の現状では、約100万人がデジタル決済の市場から取り残されている。また、危機や戦争の勃発に備える市民のためのマニュアルには、一定程度の現金を持っておくことが勧められている。実際、2022年2月のロシアによるウクライナ侵攻直後、スウェーデンでは現金の引き出しが増加した。キャッシュレス化の進展を加速させつつも、現金を含む決済方法の多様性の維持を求めるスウェーデン社会の取り組みは、興味深い事例といえよう。

（鈴木悠史）

56

スウェーデンのCOVID－19への対応

★他の北欧諸国との比較から★

２０２０～２２年にかけて世界を席巻したＣＯＶＩＤ－19、いわゆるコロナ・ウイルス感染症の対応において、国際的に注目を浴びた国の一つがスウェーデンであった。ロックダウンを実施せず緩やかな規制に留まり、社会的活動を継続させた結果、特に当初の感染者数は群を抜いた。ここでは、スウェーデンの対応を他の北欧諸国と比べながら外観し、その後の評価も含めて考えたい。

２０２０年２～７月の北欧各国のＣＯＶＩＤ－19関連データや携帯電話の位置情報データをもとにした調査研究によると、４月までのスウェーデンにおける住民の活動率の抑制は他の３か国と比べて半分ほどであった。それは、他国の街並みがゴーストタウンのようになる中で、賑（にぎ）やかな人の流れを保つスウェーデンの繁華街という対照的な映像として人々の脳裏に焼き付けられた。その後も政府の緩やかな規制策が維持され、国民は自主的にステイホームへと生活を切り替えたが、感染状況の悪化は食い止められず、特に高齢者施設における死者の増大は際立（きわだ）った。当初、スウェーデン政府が秘密裏に集団免疫力獲得を目的にしているのだという憶測や、国民の自由を重んじる社会民主主義の弊害であるという報道が諸外国によってなされた。さらにアメリカのトランプ大統領からの批判を受ける事態にまで発展し、スウェーデン外相アン・C・リンデ並びにスウェーデンの医療関係者は、「我々は一度も集団免疫力を目標にしたことはない」と火消しに追われた。スウェーデンでは、憲法で定められた感染症対策として公衆衛生局の専門家が指揮を執ることになっており、公衆衛生局等の関係省庁の代表、あるいは首相が、以下の点を繰り返して、国民の理解に努めた。(1)他国で実施しているロックダウンの効果はエヴィデンスに欠け、またその影響についても不明である、(2)病床数を確保し、医療体制を崩壊させない範囲で社会経済活動を保障することが、社会経済的に持続可能な対策である、(3)憲法の保障する自由移動を守るためにも社会活動の制限は極力避けなければならない。

状況の悪化を受けて、2020年11月に国王カール16世グスタヴが政府の緩やかな対応策は失敗であったと発言し、ステーファン・ルヴェーン首相（社会民主党）もそれを認めた。こうした反省からスウェーデン政府も2020年12月末にはCOVID－19の対応のために、新たな危機管理法を国会で審議し、人流の法的抑制へと乗り出した。他方、他の北欧諸国は、スウェーデンとは異なり素早く法的な規制措置へと踏み出したため、感染者は極力抑えられ、コロナ感染者の死亡率は過去5年間の各国の死亡率を下回る結果となった。

北欧5か国は同じ社会民主主義的な伝統を抱き、近年では同じく自由経済を重視する傾向に舵（かじ）取りを行い、これまで公衆衛生分野の政策も類似していると考えられていた。しかしここで、他の4か国の対策がスウェーデンと大きく異なることとなった。とりわけヨーロッパ内でも規制の強かったのが

北欧5か国とEUのCOVID-19関連データ（2023年7月20日）

	スウェーデン	デンマーク	フィンランド	ノルウェー	アイスランド	EU
感染者数	2,712,743	3,182,038	1,482,842	1,486,041	209,191	691,770,929
人口10万人あたりの感染者数	25.6	53.9	27	27.2	55.8	93.2
死者数	24,536	8,764	10,047	5600	229	6,901,646
人口10万人あたりの死者数	231	148	183	102	61	929

WorldOMeters（https://www.worldometers.info/coronavirus/）より筆者作成

ノルウェーであった。また、市民向けの広報活動に関して、スウェーデンが情報提供の要素が強かったのに対して、デンマークが最も危機管理の観点を強く打ち出していたと言われる。こうした各国政府の対応の違いの背景には、それぞれの歴史や文化の違いがあり、さらに政府と閣僚の関係をめぐるガヴァナンス構造の違いも存在したと指摘される。すなわち、スウェーデンは政府の諸機関に対する閣僚の影響が制限されており、その結果、今回に関して言えば公衆衛生局が自立した政策執行を行う範囲が大きかった。こうした北欧諸国の社会政策の比較に関する議論は、さらに今後のデータの出現や分析を待たなければならない。

しかし、2020年から3年が経過し、ウイズ・コロナが日常化した現在の時点で北欧各国の感染者、死亡者のデータを見直すと、実はその違いはあまり大きくない。むしろ表の示すEU諸国の平均と比較では、北欧5か国の感染者数、死者数は共に低く抑えられている。さらに、感染者の累計グラフを見ると、2021年3月に

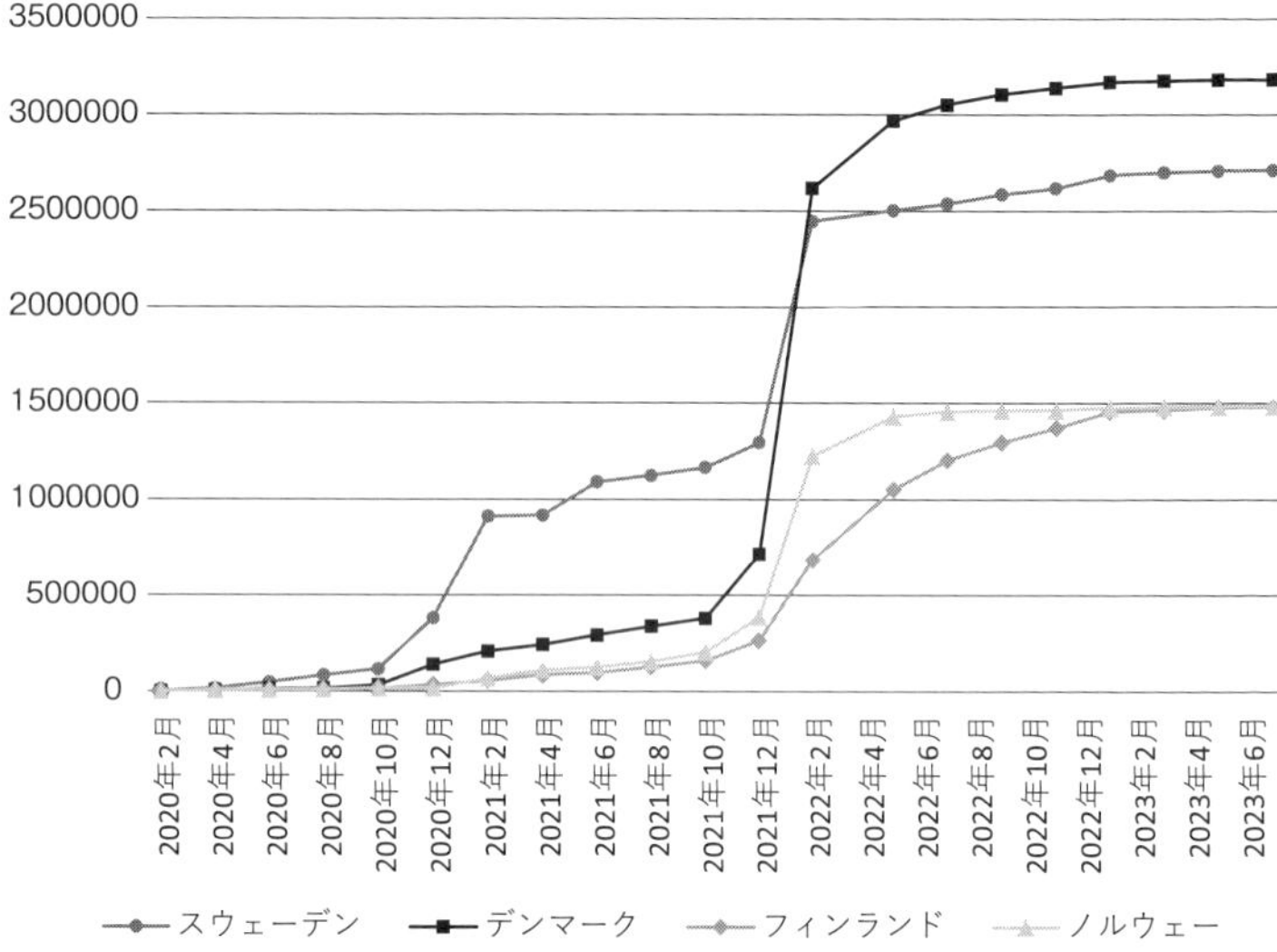

WorldOMeters（https://www.worldometers.info/coronavirus/）より筆者作成

はデンマークの感染者がスウェーデンを上回り、人口10万人あたりでは２０２３年にはスウェーデンの２倍になっている。また死者数も北欧各国で大きく増大し、人口10万人あたりの死者数では、フィンランドがスウェーデンの80％にまで迫っているのも注目される。こうした数値から、強い規制を敷かなかったスウェーデンの対応が、結果として当初より規制の厳しかった４か国とあまり大きな違いを産まなかったのではないかという疑問も生じる。

最後にスウェーデンで危惧されていたロックダウンによる市民のメンタルヘルス面での影響について触れたい。２０２３年夏に出されたノルウェーの報告書によるとスウェーデンとノルウェー間で大きな違いはなく、特に学校閉鎖による児童、若者への精神的影響は、うつ病やＡＤＨＤなどの統計を見る限り、コロナ禍を挟んでも大きな変動はないという。つまり、両国で若年層にメンタルヘルス面で問題を抱える者が増えていることは確かであるが、それはコロナ禍以前の２０１８年以前から始まっている現象であり、それ以前からの継続として理解するのが正しいのではないかという指摘である。ＣＯＶＩＤ－19は世界を震撼させた大きな出来事だったが、その当時言われていたことを再度検証することと、さらに北欧諸国間の違いと同質性を見直す契機になるのではないだろうか。

（大島美穂）

57

フィーカの作法

★スイーツを食べるにも順番がある★

日本で「フィーカ（fika）する」という言葉が広まったのは2000年以降だろう。日本の「お茶する」とは必ずしも一致しない。フィーカという言葉の発祥の地はもちろんスウェーデンであるが、フィーカ自体にも歴史があり、はぐくまれてきた一定のマナーもある。それを知ると、日本とスウェーデンの文化の違いにも踏み込むことができる。

まずなぜフィーカというのであろうか。スウェーデンにコーヒーが入ってきたのは17世紀後半で、当時は一種の薬とみなされた。しかし18世紀になるとこれを嗜好することが広まるが、これを案じた時の植物学者カール・フォン・リネー（1707～1778年：発音表記「リンネ」は誤り）はコーヒーについて「確かに怠け者を元気にさせ、愚か者をシャッキとさせるが、これは脳や神経系統を衰弱させ、肉体を退化させ、老化を早める」という警告を発している。にもかかわらずコーヒー嗜好は広まり、19世紀末あたりからは、農民たちの間でも農作業の休憩時に飲まれるようになった。ただ今とは違って、コーヒーの粗い粉を直接水に入れて沸かす淹れ方だった。今でもこの淹れ方を好む人がいる（西部劇でよくカウボーイたちが荒野で飲むコーヒーがこ

第57章
フィーカの作法

れに相当)。そんなコーヒーを19世紀後半のスウェーデンの行商人(物売りばかりでなく修理も請け負う)たちもたしなみ始めるが、自分たちの顧客の前で一服するときは先方に意味が知られてしまう通常のdricka kaffe〈コーヒーを飲む〉という表現を憚(はばか)って、仲間内だけで通じる、いわゆる業界用語としてkaffe(カッフェ)を逆さ読み(倒語)にし、母音をiに変えてfika(フィーカ)とし、1910年頃から広まっていったとされる。そもそもこうした逆さ読みは、第三者に悟られない業界の隠語として使われることが多く、日本語でもネタ(←種)、ダフ(←札)屋、とうしろ(←素人)などがあり、これらを耳にするとそれを使う特殊な集団がイメージされる。とはいえ、fikaという言葉がスウェーデンで本格的に広まったのは、1970年代後半からで、おそらく職場のコーヒーブレークの呼び方からであったろう。スウェーデン人はコーヒーが大好きで、年間消費量はフィンランドに次いで世界2位である。1日に8杯ぐらい飲む人はざらにいて、全国民の80%はコーヒー派と言われている。

それでは今のフィーカにつながるコーヒーの楽しみ方はどのように始まって広まっていたのだろうか。そもそもフィーカは通例一人でというよりは、複数の人が一緒になって楽しむのが原点である。20世紀初めに女性たち、特に近隣の主婦たちが誰かの家に縫物・編物(日本も同様であったが、針仕事は、当時の女性たちが身に付けなければならない技能であった)を持参して手仕事にいそしみながら、お菓子とコーヒーそして〝おしゃべり〟をするのが大きな楽しみだった。集まる目的は、おしゃべりを通して今の言葉で言う「情報交換」である。スウェーデンでは1970年代前半までは、とりわけ地方では大きな凶悪事件も猟奇事件もなくごくごくのどかな日常であったので、話の内容はいきおい自分たち周辺の事柄やご近所の話、世間話、男女関係の話、日頃の不満などで、今もテーマはさほど変わらない。つまりフィーカの主目的は（編物持参などは時と共に少数派となっている）コーヒーやお菓子を楽しみながらも、こうした話題を取り上げて楽しく話すことにあり、それがしばしば噂話に転じ、時にはこちらが主役となって華を咲かせることも多いのである。そうした話のネタを収集できる便利グッズが昔からあった。「ゴシップミラー」（skvallerspegel）と呼ばれる鏡である。ちなみにこの語の前半部 skvaller は〈［ぺちゃくちゃ話す］噂話〉で、この噂話のしゃべり声をオノマトペとして反映する skvall- が音声・綴りもほぼそのままに英語の squall〈わめき声、［雨・雪・みぞれを伴う］突風〉となって借用され、これが「スコール」となって日本語に入って来た。ところで、この鏡は今でも街を歩くと見られ、ネットでも購入できる。窓の外に取り付け、リビングに座ってそれこそコーヒーを飲みながら外の往来をゆったりと眺めることのできる、いわば世間を見渡せる鏡である。この鏡の出現と単語 fika の誕生は共に20世紀初頭で、ほぼ同時期であったことは相互に無関係ではないであろう。

ゴシップミラー［清水謙氏撮影、ユーテボリにて］

フィーカはコーヒーとクッキーもしくは菓子パンだけというような簡単な場合も多いが、フォーマルなフィーカとなると趣がだいぶ違う。そのような席では、クッキー、菓子パン、ケーキなどあらゆるスイーツがテーブルの上にずらりと並ぶ。これを各自ヴァイキング形式で皿に取るのだが、ここにスイーツを食べるのに、次のような順番がある。

1. bullar（菓子パン）
2. sockerkaka（甘味を抑制したシフォンケーキに似たスポンジケーキ）
3. småkakor（クッキー（白っぽいクッキーと茶色いクッキーがあったら、白が先））
4. fyllda småkakor（生地の中に果実やナッツ、ジャムなどの入ったクッキー）
5. bakelser（果実やクリーム類などをまぶしてあるタルトやショートケーキ）
6. tårta（大型の円形ケーキ）

黄緑のマジパンでコーティングされた「プリンセスケーキ」［筆者撮影］

ただし、スイーツがすべてこのようにそろっているとは限らない。途中抜けているものがあるにしてもこの順番は遵守(じゅんしゅ)される。

なぜこんな順番があるのだろうか。いくつかの説がある。①甘くないものから一番甘いものへという説、②材料費が安いものから高いものへという説、③お腹いっぱいになって帰ってもらうため、まず菓子パン、そして最後のクライマックスで一番豪勢なケーキで満足して帰ってもらうため等々。どれが正解かはわからないが、大事なのは、フィーカとはお菓子やコーヒーを味わうことはもちろんであるが、何よりもまずその場の会話を楽しむことにある。

ところでこの順番から感じ取れるのはヨーロッパの食に関して食べる順序があるのではないだろうか。たとえばフランス料理では、ウエイターが順番に料理をもってきてくれるので、ゲストは食べる順を間違えることはない。顧みて、日本では、日常の食事をする際、各皿を順番に完食してゆく慣習はない。むしろ、出されたものを、誰に教えられることもなく適度に自分で量や順序を調整しながら、最後に「ごちそう様」となって完食、ではないだろうか。学校給食でよく言われる「三角食べ」を日常実践している。もっと言えば、私たちはおかずを口に入れる量や味に合わせて、頰張るお米の量を調整しながら毎日食事を楽しんでいるのではないだろうか。毎日の飲食の仕方からみえてくるのは、どうも日本人は調和を第一に考え、ヨーロッパはまず順序（英語：order）を、その先には秩序を念頭においているように思われる。

（清水育男）

58

「ヤーンソンの誘惑」にみるスウェーデン料理の来歴

★歴史的な経験が反照する料理★

「ヤーンソンの誘惑」という名前で知られているジャガイモとアンチョビのキャセロールは、拍子木状に切り揃えたジャガイモを敷き詰めた耐熱皿に、タマネギとスウェーデンで言う「アンチョビ」を加え、脂肪分の少ない生クリームを和えた上にパン粉をまぶしてオーブンで焼くという単純なレシピから、初学者向けのスウェーデン語教本でも「スウェーデン料理」を代表する一品として紹介される料理である。そのような「ヤーンソンの誘惑」の来歴を腑分けするならば、ひとつの「スウェーデン料理」に結びついていくことになる様々な時代の「食をめぐる経験」を見いだすことができるだろう。

「ヤーンソンの誘惑」の由来は様々に議論されている。代表的な説のひとつは19世紀後半に活躍したオペラ歌手のパール・アードルフ・ヤーンソンに由来するというものである。彼は、夕食の宴席にビール、アクアヴィット、アンチョビを加えたジャガイモのキャセロールを饗することで知られ、それが名前の由来になったと言う。もうひとつの説は作家グンナル・スティーグマルクが紹介した話で、彼の母親であるエルヴィーラが、俳優エードヴィン・アードルフソンが主演し1928年に公開された映画『ヤーンソンの誘惑』に因み、お抱えの料理人だったソフィー・ポリーン・ブローゴーデ夫人が作るジャガイモのキャセロールにその名前を付けさせたと言う。諸説が拮抗するなかでその由来を確定することはできないが、19世紀後半にはアンチョビを加えたジャガイモのキャセロールがスウェーデンの食卓に並び始め、同名の映画作品が公開された後の1930年代以降、この名前を冠した料理のレシピが全国的に普及したことを推測することはできる。

実際のところ、スウェーデンの食文化の歴史を紐解くならば、スウェーデン史上最後の飢饉をもたらした1867年から1869年の凶作の時期に、限られた食材で客人をもてなす料理としてジャガイモ、アンチョビ、タマネギに牛乳を加えた「ヤーンソンの誘惑」の原型となるキャセロールが提供されていた記録が残されている。そして、1911年に初版が刊行され、「スウェーデン料理」の骨格を作った料理本として知られるエリーサベット・ウストマンの『イードゥンの料理帳』にも、アンチョビを加えたジャガイモのキャセロールのレシピが掲載されている。ここで掲げられている『イードゥン』は1887年から1963年にかけて発行されていた「女性と家庭」のための週刊誌である。ウストマンは女性や家庭を巡る有益な情報を発信した『イードゥン』の編集者として活躍し、『イードゥンの料理帳』は彼女が死去する前年の1932年までに15版を重ねた。各々に異なる自然環境の差によって個性的な食の姿が併存していたスウェーデンにおいて、『イードゥンの料理帳』のようなレシピ本はスウェーデン全土を包括する「スウェーデン料理」を形作るうえで決定的な役割を果たした。

南米原産のジャガイモは、17世紀の半ば以降に観賞用の植物として導入され、18世紀以降、寒冷な気候の痩せた地勢であっても収穫を望むことのできる作物としての有用性が着目され、栽培が推奨されていった。19世紀前半を代表する文学者エサイアス・テグネールは「平和、ワクチン、ジャガイモこそが人口の増加を可能にした」と述べているように、19世紀にはジャガイモの耕作面積が急増し、時折訪れる凶作でも確保できる食材となっていた。スウェーデンで普及しているアンチョビは、日本で言われているカタクチイワシを原料とした塩漬けとは異なり、ヨーロッパキビナゴを原料としている。（日本で言うアンチョビは、スウェーデンでは「サデッル」という別の名前で普及している。）ニシン目に属する魚は古来塩漬けされ保存食とされてきたが、19世紀に発明された缶詰技法を用い、植物油と食塩でヨーロッパキビナゴを漬け込む新たな保存食として今日で言うアンチョビが作られていった。「ヤーンソンの誘惑」を特徴づけるふたつの食材は、いまだスウェーデンが貧困だった時代に人びとが確実に手に取ることのできる食材だったのである。

夏至祭の宴会向けにスウェーデン男性が作ったヤーンソンの誘惑。魚種や製法の異なるスウェーデンのアンチョビは小ぶりで、甘くまろやかな風味が特徴ある［筆者撮影］

「ヤーンソンの誘惑」が「スウェーデン料理」として全国的に普及するには、スウェーデンの家庭における調理環境の変化にも注目すべきだろう。キャセロールをつくる耐熱皿を焼くためには、オーブンの普及は欠かせないからである。スウェーデンの家屋には、調理と暖房を同時に行う意味でオーブンと囲炉裏を煙突で繋ぐ暖炉が供えられ、19

世紀以降は鋳鉄製の暖炉も普及したものの室内火災と煤煙中毒の危険性が伴っていた。薪を燃料とすることに起因するこれらの問題を回避すべく、19世紀末以降、ガスを用いる調理環境の技術開発が進められ、暖炉からオーブンを分離させオーブンとコンロを一体化させた調理システムが発明されていく。『イードゥンの料理帳』を執筆したウストマンは、ストックホルム・ガス製造所と協力しながら、家庭へのガスコンロの普及に努めたことでも知られているが、１９３０年代以降の福祉国家建設期に規格化され全国に普及した集合住宅に、こうした調理システムが導入され備え付けられていったことも、「ヤーンソンの誘惑」が「スウェーデン料理」となった大きな要因である。

スウェーデンの食文化に触れる時、そこに本質的な意味で「スウェーデン料理」といったものを見いだすことは難しい。なぜならば、今日のスウェーデンの食卓を飾る料理には、スウェーデンが長い歴史のなかで得ることになった「食をめぐる経験」の数々がひとつに掛け合わされていることが多いためである。一例として「ヤーンソンの誘惑」の来歴を紐解けば、厳しいスウェーデンの自然を生き抜き、貧困を克服しようとした19世紀末以来のスウェーデンの経験を垣間見ることができるのである。

（古谷能子・古谷大輔）

59

食の季節感

★ストックホルム地方での12か月★

スウェーデンは南北に長く、各地方に独特の食文化があるのでスウェーデンにおける食生活について一般論を述べることは難しい。一つ例を挙げてみよう。とても臭いということで有名なスウェーデンのシューシュトゥルンミング（魚の発酵食品）だが、実はスウェーデン人が皆食べる（あるいは食べたことがある）訳ではない。これは元々スウェーデン北部地方の食品で、スウェーデン中南部の地方では食べたことがない人も多いのだ。ストックホルム大学に勤務する筆者は、日本学科の新入生に対し、食べたことがあるか毎年のように尋ねているが、食べたことがある人は滅多にいない。

現在、季節を問わず買い求めることができる食材や食品は多いが、それでもスーパーには、季節の食材や食品が並ぶコーナーがある。この章ではストックホルム地方において、季節感が豊かに感じられる食材・食品そして料理について、年の初めから順に紹介したい。

まずは1月と2月。クリスマスの余韻（よいん）が残る1月初旬、パン屋や菓子店の店頭に並ぶパン菓子がある。それはセムラという、カルダモンが入ったほのかに甘い丸いパンの上部を薄く切って中身をくりぬき、甘いアーモンドペーストとホイップクリームを詰めたものだ。本来は、復活祭前の断食に入る前に卵と乳製品を豊富に使った食品を摂(と)る伝統に結びついていたものだが、現在ではおよそ、まだ遠い春を想いながら食べるパン菓子という感覚だ。

スウェーデン気象庁によると暦(こよみ)上の春は3月から5月だそうだが、春の気配を感じ始めるのは復活祭を迎える頃だろう。スウェーデンにおいて復活祭は、夏至祭、クリスマスと並んで、家族・親戚が集まる重要な祝日である。復活祭というと卵を連想する人が多いと思うが、皆が集う食卓にはゆで卵のほか、ニシンのマリネ、ゆでたジャガイモ、鮭料理（およそグラーヴァッド・ラックス gravad lax という、新鮮な生鮭を塩・砂糖・胡椒・ディルに漬けて熟成させたもの）が出てくる。復活祭の食事を締めくくる特別なデザートはないが、復活祭のイメージの色が薄い黄色なので、クリームを使った菓子やキャンディ、チョコレート類が食される。

スウェーデンでは春と夏が一度にやってくる。ストックホルム地方では5、6月の間にあっという間に果樹の花が咲き、緑が濃くなる。6月は学校の終業式・卒業式のシーズンであるほか、ナショナルデー、夏至祭の祝日がある。夏至祭は家族・親戚の他、友人も集まる機会で、そのテーブルに並ぶのは復活祭の料理とほぼ同じだが、この季節、ディルを加えて茹(ゆ)でた少し小粒の新ジャガイモが欠かせない。そしてもう一つ欠かせないものにイチゴがある。夏至祭を迎える頃からイチゴがスーパーだけでなく、道端のスタンドで売られるようになると夏が来たと感じる。また、この時期よく出回るものにルバーブがある。これは家に庭がある人は片隅に植えているかも知れない。ルバーブはそのままでは酸っぱくて食べることができないが、砂糖を加えてコンポートやパイのフィリングにすると爽(さわ)やかな甘酸っぱさがやみつきになる。イチゴと共に、夏のデザートである。

スウェーデンの夏は短いが、この5月・6月の間に郊外の住宅地の庭ではりんご、梨、さくらんぼ、プラム、すぐり、ラズベリーなどの果樹、そして森では野いちご、ブルーベリー、そしてコケモモ（リンゴン・ベリー）の花が咲き、7月頃に実を結ぶ。（ただし、コケモモ、すぐり、りんご、梨のシーズンはもう少し遅く8月以降。）少し変わった夏の味には、セイヨウニワトコ（エルダーフラワー）の花から作った良い香りの飲み物もある。ブルーベリーは森に自生しており、7月の半ば頃に熟する。スウェーデンでは自然享受権のおかげで、森に自生するベリー類とキノコはほぼ自由に採ってもよく、夏中、手を紫色に染めてブルーベリーを摘み、その味を楽しむことができる。コケモモは、火を入れず砂糖と混ぜておいておいたものを、ミートボールなどの肉料理の付け合わせとして食べる。

森で摘んだブルーベリー［筆者撮影］

白夜の時期が過ぎ、夜の暗さを感じ始める8月の初めからおよそ1か月間がザリガニのシーズンだ。伝統的には自分で捕獲したものをディルの花と共に茹でて食べるのだが、捕獲には色々な規則があるので調理したものを求める人が多い。近年はトルコなどからの輸入ものが店に並ぶが、やはりスウェーデン産にこだわる人も多い。また同じく8月、第3木曜日は冒頭で述べたシュールシュ

オーブンに入る前のサフランパン［筆者撮影］

トゥルンミングの伝統的な「解禁日」である。8月下旬からおよそ1か月間がシューシュトゥルンミングのシーズンだが、実は味の好き嫌いについて意見が真向に分かれる食べ物で、先に述べた通りスウェーデン人なら誰でも食べたことがあるという訳ではない。

9月、木々の葉が色づく頃、スウェーデンでは狩猟シーズンに入り、ヘラジカなどのジビエ肉がスーパーに並ぶ。この頃、セイヨウナナカマドの実が朱色に色づくが、この酸味と少し苦味とを持つ実はジャムとして加工され、ジビエ肉の料理に添えられる。また、この時期はキノコ狩りのシーズンである。食用キノコとして初心者でも判別しやすいものにカンタレルとカールヨーハンがあり、これらは美味しいので人気がある。ストックホルム市郊外には沢山の林や森があり、10月の半ば頃まで多くの人がカゴを片手にキノコ狩りに出かける。

10月の終わりのハロウィーンはここ20年程の間に広まった行事だが、広まるにつれて色々な種類のかぼちゃが店に並ぶようになった。この時期、ルタバガやビーツは昔からスウェーデン人にとって馴染みが深く、よく食べられる野菜だろう。

11月は1年で最も暗く感じられる月だが、この月が過ぎるとクリスマスに向けてのカウントダウンであるアドヴェントやルシーア祭があり、人々の心は少し浮き立ってくる。11月の終わり頃から、最初のアドヴェントやルシーア祭に合わせて、多くの家庭ではスパイスがきいたグルッグ、ペッパルカーカ（ジンジャークッキー）、そしてサフラン入りの菓子パンを用意する。

そしてクリスマス。クリスマスのディナーはユールボードというビュッフェ形式で食べる。メニューは、復活祭や夏至祭のそれに似ているが、異なるのはクリスマス用のハムとヤーンソンの誘惑とよばれるジャガイモのグラタンがあることで、他にもソーセージ、スペアリブやリュートフィスク（白身魚を干した後灰汁につけて保存食とし、それを調理したもの）が食卓にのぼる。クリスマス・ディナーのデザートは、甘くクリーミーなミルク粥（がゆ）にマンダリンオレンジを添えて食べるのが習慣だ。

ペッパルカーカ［筆者撮影］

クリスマスが終わると今度は大晦日のパーティの準備で忙しい。クリスマスが家族・親戚と一緒に過ごす時間だとすると新年を迎える大晦日のパーティは友人達と賑（にぎ）やかに過ごす時間なのだ。新年は真夜中の花火と、良い1年を願うシャンパンの乾杯で始まる。

Skål och Gott Nytt År! 新しい年に乾杯！

（リデーン充代）

60

スウェーデンの四季

★祭りと生活から辿る★

スウェーデンの国土は北緯55度から70度ほどにかけて南北に連なる。それゆえ、北緯20度から45度ほどに連なる日本から見て遙か北方に位置するスウェーデンの四季は日本とは大きく異なる。確かにスウェーデンにも気象学的な定義から見た気温帯での春夏秋冬は存在する。しかし、中世のスウェーデンでは夏の初日を4月14日の聖ティブルティウスの日、冬の初日を10月14日の聖カリクストゥスの日として1年が夏と冬のふたつの季節で分けられていたように、日本とは異なる自然のなかで育まれてきた独特な四季の感覚がある。

夏は自然が息吹く季節である。夏の始まりは、聖ティブルティウスの日のほかにも5月1日の聖ワルプルギスの日、5月15日の聖ウルバーヌスの日など、地域により様々な見方があった。それは、農作業を始める人びとの移動と種蒔き（ま）の時期が南北で異なるためである。農作業で大事となる自然の運行が重視されなくなっても、5月1日を夏の始まりと見なすことが一般的だろう。4月30日のワルプルギスの夜（ヴァールボリスメッソアフトン Valborgsmässoafton）に「冬は過ぎ去った」の一節で始まる『田舎への憧れ（あこが）』が歌われる伝統が、それを象徴している。その夜には篝火（かがりび）が焚（た）かれる。これは冬眠から目覚めた肉食獣から農場の家畜を守るための農作業上の慣行に起源があり、冬の終わりを象徴する。ゲルマン語圏には新たに芽吹いた草花を飾ることで新年を祝う古代ローマの習慣を受け入れ、5月1日に草花で飾り立てた樹木（「五月柱」）を立てて夏の到来を祝う五月祭の習慣があった。「五月」はスウェーデン語では「マイ（maj）」である。「五月」の二次的な派生語として北ドイツあたりで現れた「新緑の葉で飾る（meien）」という動詞は、15世紀末頃にスウェーデン語に“mäja”で借用され，現在では古風な感じをまとう一方、“maja”という方言的な表現にも連なっている。ゲルマン語圏には、ギリシアを舞台としたシェイクスピアの『夏の夜の夢』が五月祭前夜の話でありながら、原題が“A Midsummer Night's Dream”とされた例もある。北国のスウェーデンには季節が遅れて到来するのだから、「五月柱（マイストング）（majstång）」が6月後半の夏至祭で立てられのも宜（むべ）なるかなである。陽光の最も恵まれた夏至の日を、人びとは、ニシンの酢漬けやサワークリームを添えたジャガイモ、イチゴで彩られた食卓を家族や友人たちと囲みながら、“majstång”の周りに繰り出して踊り明かす。

夏至祭で立てられた“majstång”に集い、踊る老若男女［筆者撮影］。女性の頭には「これを置いて寝ると将来の伴侶が枕元に立つ」と言い伝えられる花輪の冠が見られる。

　秋は自然の実りを祝う季節である。秋の始まりはタマネギやホップなどの収穫やヤギの屠殺（とさつ）などが始まる8月下旬と意識されているが、作物の収穫時期の違いによって地域差がある。おおよ

夏至祭の宴会での自家製スムルゴスボード［筆者撮影］。夏至祭の頃のニシンの酢漬けなど、食卓は季節の食材で作られた料理で彩られる。各自が好みの料理を取り分けるスムルゴスボードは、日本では「バイキング」と呼ばれる形式のモデルとなった。

そ8月24日の聖バルトロメウスの日が秋の初日、9月29日の聖ミカエルの日の頃が秋の盛期とされ、古来より収穫祭が行われてきた。収穫物の取引から始まった聖ミカエルの市の習慣は、現在でもスウェーデン中央部や南部で行われている。森に分け入り、キノコや各種のベリーを摘んで、自然の実りを実感できる秋は短い。近年では経済的な利益目当てで10月31日にハロウィーンが祝われるようになったが、本来、墓所に蝋燭を灯して死者を弔う日は11月1日の万聖節とされていた。この日は、冬を迎えるためのブタの屠殺や干し草運びなどの農作業が一段落する頃で、冬の始まりの日ともされている。

冬は自然の復活を祈る季節である。11月1日の万聖節以降、12月後半の冬至に向けて陽光は限られ、暗さと寒さが増す時期となる。11月末以降の待降節の時期にスウェーデン中の家屋の窓辺は「待降節の灯火」と呼ばれる山型の燭台と「待降節の星」と呼ばれる星形の装飾で飾られ、子ども達は「待降節のカレンダー」と呼ばれる24枚の日付扉が付された絵を開けながらユールの日を心待ちにして過ごす。陽光と生命への渇望は12月13日の聖ルシーアの日の祭に独特な姿を見せている。ドイツにおいて「幼子キリスト」に扮した子供達が飴やケーキを渡した習慣は、聖ルシーアを模したルシーア姫と星の子ども達によってジンジャークッキーやサフランで着色されたロールパンが配られる姿へ変化し、今日でもルシーア祭は12月10日のノベッル賞授賞式とともに暗い待降節の時期に明るさを添える大事な行事である。

待降節が終わりを迎えるユールは古来冬至を祝う宴を意味していた。確かにキリスト教信仰の流入以降は12月25日のクリスマスに転化したが、キリスト教信仰と異なる独特な習慣が今でも生きている。ユールの食卓を飾る主菜は塩漬けブタである。アース信仰で豊穣を司る神フレイに仕えるブタは、秋の終わりに屠殺され長い冬を生き抜く保存食として大事な食材だった。クリスマスツリーは常緑針葉樹のトウヒで用意されるが、雷神トールに仕えるヤギや農場を守る妖精トムテなどのミニチュアで飾られる。古来、1年の務めに報いる意味でトムテに乳粥を用意する習慣があるが、アメリカ由来のクリスマスの習慣が普及して以降、「ユールトムテ」がサンタクロースの代わりとなっている。

春は自然の復活を予感させる季節である。冬を生き延びるための食材には限りがあるため、古くは2月初旬から中旬にかけて年々移動する灰の水曜日から、3月後半から4月中旬にかけて移動する復活祭の間の四旬節の時期に断食が求められていた。今では断食の習慣は失われたが、かつてこの時期に食することが認められていたアーモンドペーストと生クリームを挟んだカルダモン入りのパンは今でも春の到来を予感させる食の風物詩である。春の始めも2月24日の聖マティーアスの日や3月13日の聖グレゴーリウスの日、3月25日の聖母マリーアの受胎告知日など、地域によって違いがあるが、復活祭の頃には全国的に春の到来が意識されている。復活祭は、生命とキリストの復活を象徴する卵が大事である。スウェーデンの人びとは四旬節の時期に食されなかった卵と肉を使った料理で食卓を彩り、卵から孵った鳥たちの羽で軒先の木々を飾りながら、自然の息吹く夏の到来を祈るのである。

（古谷能子・古谷大輔）

61

ボルボとサーブ

★国民に愛されたスウェーデン産の自動車メーカー★

2015年に公開された映画『オーヴェという男』（邦題『幸せなひとりぼっち』）で次のようなシーンがある。

ルールに基づく秩序をこよなく愛する主人公のオーヴェは、同じ理想を持つ隣人のリューネと意気投合し、友人となる。二人は協働してルールを違反した者を捕まえ、注意し、そしてルールの徹底を近隣地域に呼びかけた。

しかし、些細（ささい）なことが二人の考え方の違いを浮かび上がらせる。オーヴェはスウェーデン国産のサーブ（Saab）車を運転し、もう一方のリューネは、同じく国産だがボルボ（ヴォルヴォ Volvo）車を運転していることが分かった。

それからというと、両者の考えや立場の違いが目立つようになる。子どもがいるリューネと子供に恵まれなかったオーヴェ。両者はそれぞれサーブとボルボの新車を購入しては、互いの目に触れるように競い合った。そして二人は決定的な対立を起こしてしまい、疎遠になる。しかし、リューネの子どもが海外に住み始めたのを機に、考えを改めて友人に戻る決心をしたオーヴェはリューネに歩み寄った。和解が成立しようとした矢先、リューネがオーヴェに見せた新車は、まさかのドイツ製のＢＭＷの車だった。オーヴェは車を乗り換えるのは究極の裏切りだと思い、その場を立ち去った。こうして二人の関係は完全に断絶してしまったのだ。

第61章
ボルボとサーブ

ボルボとサーブは、スウェーデンの国産車の代表だった。頑丈で安全なボルボの車は、幸せな家庭を築く上での必需品だったのかもしれない。他方、故障が多くても強力なエンジンを搭載したサーブ車でドライブすれば、夏のスウェーデンの風はより一層心地よく感じるだろう。それもまた幸せな人生なのだ。

しかし、ボルボは２０１０年に中国の吉利汽車が買収しており、もう一方のサーブは自動車販売事業でサーブの名前を使用していない。本稿は、スウェーデン人にとって思い入れのある国産車を生産してきた二つの会社の変遷を描いてみたい。

ボルボ

ボルボの始まりは、１９２４年8月のストックホルムのレストランだった。自動車や鉄道の車軸といった回転軸と軸受の間の摩擦を減らすために必要なボールベアリングは、１９０７年に設立された通称エス・コー・エフ（ＳＫＦ）と呼ばれるスウェーデン・ボールベアリング工場（Aktiebolaget Svenska Kullagerfabriken）で多く生産されていた。この工場で同僚だったビジネスマンのアッサル・ガーブリエルソン（Assar Gabrielsson）とエンジニアのグスタヴ・ラーション（Gustav Larsson）は、ストックホルムのレストランで晩夏の風物詩であるザリガニを楽しんでいた。その折、両者はスウェーデン製の自動車を生産するというアイディアを共有した。そして、１９２５年末には正式に自動車生産の事業を開始させ、社名はラテン語で「私は廻る」を意味するボルボ（Volvo）に決まった。

ボルボの本社はスウェーデン西部の港町であるユーテボリに置かれた。ユーテボリにはエス・コー・エフの工場があり、また、かつてはスウェーデン東インド会社が存在していたなど、この町は産業と交易の中心地でもあった。さらにユーテボリから約150キロ北東に進んだところにある町、シュヴデ（Skövde）には、高性能の海事用エンジンを生産するペンタヴァルケン（Pentaverken）社が本社を構えていた。ボルボの車のエンジンは、当初からこのペンタヴァルケン社が生産し、1935年に同社はボルボの子会社となった。スウェーデンの技術と交易の歴史が重なり合うユーテボリをボルボが拠点としたことは自然の成り行きだったのかもしれない。

1927年に販売が開始されたウー・ヴェー・4（ÖV4）を皮切りに、ボルボの自動車生産は発展した。1955年には米国への輸出が開始され、米国市場でも成功を収めた。

ボルボ車の特徴はその安全性にある。1959年にボルボのエンジニアが開発した3点式シートベルトは、未だに世界中のドライバーの命を守っている。また1974年に米国政府が実施した衝突実験においてボルボ車の結果は良好で、米国での自動車生産における安全基準の指標となった。

しかし、自家用車生産のグローバルな競争は厳しく、1999年に自家用車生産を行っていたボルボPV（Volvo Personvagnar Aktiebolaget）社は、米国のフォード傘下（さんか）に加わることとなった。さらに、2010年にフォード社は中国の吉利汽車（Zhejiang Geely Holding Group）へボルボPV社を売却した。

新興企業の吉利汽車にとって、長年の自動車販売実績を誇るボルボというブランドの魅力は大きい。吉利汽車はこのブランドの評判を活かしつつ、ボルボが培ってきた安全に対する取り組みも継続させた。そのため、吉利汽車によるボルボ買収はスウェーデン国内でも好意的に受け止められている。

２０３０年には電気自動車生産へ完全移行することにむけ、ボルボは挑戦を続けている。こうしたボルボの方針を受け、リチウム電池を生産するスウェーデン企業のノースヴォルト（Northvolt Aktiebolaget）社は、２０２５年の操業開始を目指し、巨大な電池生産工場をユーテボリに設立することを決定した。こうして海外企業に買収された今も、ボルボはスウェーデン西部の発展に貢献しているのである。

サーブ

１９３７年、スウェーデン製の戦闘機を生産するために設立されたのがサーブ社である。当初サーブの名前は、スウェーデン航空機株式会社を意味するスヴェンスカ・アエロプラーン・アクツィエボラーゲット（Svenska Aeroplan Aktiebolaget）の略称だったが、１９６５年にサーブは正式な社名となった。戦闘機はユーテボリから車で1時間ほど北に進んだところにある町、トロルヘッタン（Trollhättan）と、ウステルユートランド県のリンチューピングで生産された。サーブ社が初めて生産した爆撃機であるサーブ17は、１９４２年からスウェーデン空軍で使用され始めた。他方、自動車部門は１９４７年にサーブ・オートモービル（Saab Automobile）社として生産を始め、１９４９年に最初のモデルであるサーブ92の販売が開始された。

サーブの車の特徴は、航空機生産のノウハウに裏打ちされた機能的なデザインと技術力だ。１９７０年代終盤にはターボエンジンを搭載した世界初の量産型の市販車であるサーブ９００を販売し、世界でも注目を集めた。２０２１年に公開された日本映画である『ドライブ・マイ・カー』での主人公の愛車が、このサーブ900である。

独自の技術を持つサーブ・オートモービル社だが、小規模の会社で生産台数も少ないことから、自動車市場では厳しい競争を強いられた。1990年から米国のゼネラル・モーターズ（General Motors）社の出資を受け、2010年にはオランダのスパイカー・カーズ（Spyker Cars）社に買収された。それでも業績低迷は続き、2011年末に破産を申請し、2012年には日本と中国の投資会社であるナショナル・エレクトリック・ヴィークル・スウェーデン（National Electric Vehicle Sweden：NEVS）社へと売却された。そして、軍需企業として継続していた元親会社であるサーブ社がNEVSに対してサーブの名称を用いることを禁止したため、サーブの名がついた自動車の生産はすでに生産されていない。

おわりに

国産の自動車を生み出したボルボとサーブは、スウェーデン国内に雇用や技術をもたらしただけでなく、両社が生産する自動車への国民の愛着心をも形成した。その愛着心は、冒頭に述べた映画のシーンにも表れている。リューネがドイツ製の車に乗り換えたことを裏切りに感じたオーヴェが抱いていたのは、まさにスウェーデンの国産自動車に対する愛着心だった。

現在、外国企業の傘下にある両社だが、その技術力を活かしながらグローバル市場での競争に挑戦する姿勢は昔と変わらない。スウェーデン発の技術は、今日も世界のどこかで人を運んでいる。

（鈴木悠史）

62

En Svensk Klassiker

★スヴェンスク・クラシッケル★

新型コロナによる様々な規制が緩和され始めていた2021年9月4日秋晴れの午後、筆者はスウェーデンで2番目に大きな湖、ヴェッテンの湖畔にある小さな街モータラに設けられたゴールを自転車で走り抜けた。ヴェッテン湖の周囲315キロをおよそ17時間かけて完走し、スヴェンスク・クラシッケルEn Svensk Klassikerに含まれる4種目のスポーツ競技会を全て終えたのだった。

スヴェンスク・クラシッケルEn Svensk Klassiker（以下、略してSKとする）とは何か？　これは、簡単に言うとアワードプログラム（表彰制度）で、このプログラムに登録後、四つの異なるスポーツの競技大会（クロスカントリースキー、自転車走、遠泳、トレイルラン）に出場しすべてを12ヵ月以内に終了するとディプロマがもらえるというものである。多くの人が冬のクロスカントリースキーから始めて秋のトレイルランでもってSKを終了するが、どの種目から始めてもよく、18歳以上であれば誰でも参加できる。このプログラムに含まれる大会は通常、クロスカントリースキー競技に関してはヴァーサロッペット（セーレンからモーラまでの90キロ）、自転車走はヴェッテンルンダン（モータラ

4競技の開催地

筆者作成

を拠点に、ヴェッテン湖を1周する315キロ）、遠泳はヴァーンスブロシムニンゲン（ヴァーンスブロを流れる川を3キロ）、そしてトレイルランはリンディグウーロッペット（リンディグウーという島をほぼ半周する形で30キロ）で、それぞれ出場する大会とレース・カテゴリーが決まっていて、どれもかなりの長距離レースである（場所については地図を参照いただきたい）。1967年レンナット・ホーカンソンが着想し、1971年から始動したこのプログラムは、季節の変化に富むスウェーデンで通年運動をするためのインスピレーションとモチベーションを与えてくれる。近年、より多くの人が挑戦できるよう、この四つの種目においてもう少し短い距離のレースの完走（完泳）でディプロマがもらえるものも出てきた。ここではコロナ禍での元祖SKへの参加について、印象に残ったレースを思い出とともに綴りたいと思う。

筆者がSKへの登録を決めたのは五十路の坂にさしかかろうとしていた2019年秋のことで、この機会に何か挑戦してみたいという思いつきからだった。そこで、2020年7月のヴァーンスブロでの遠泳から始めて、2021年ヴェッテンルンダンで締めくくる計画を立てたのだが、2020年は新型コロナが猛威を振るった年で、レクリエーション的なスポーツ大会は次々に中止となったのだった。大きなイベントの主催者側はそれでも、「ホームエディション」という形をとり、出場予定

ヴァーサロッペットのコースにて、朝日を見ながら［筆者撮影］

だった人のモチベーションを維持しようとした。ホームエディションとは、大会出場予定だった人が、主催者側が指定するアプリを使用して指定期間内に各自競技に挑み、距離と時間を記録し、それを申請することで記録が認められるというものであった。同年の遠泳とトレイルランの大会も中止となったが、密集しないよう気をつければ運動すること自体は推奨されていたので、筆者は、遠泳は自宅近くの湖で、トレイルランは本来大会が実施される場所で、それぞれホームエディションの形で「参加」し、記録を登録した。

翌年2021年はクロスカントリースキー（ヴァーサロッペット）と、自転車走（ヴェッテンルンダン）の大会に出場予定で、早くコロナが収束し本来の形で出場できることを願うばかりだったが、年頭にヴァーサロペットの大会イベントは現地で、異例な方法で実施されることが発表された。ダーラナ地方のセーレンからモーラにかけての90キロをスキーで滑る、歴史的に有名なこの大会は、元々3月最初の日曜日に行われているが、1970年代後半、出場者数が1万人を超えてからは、同じ90キロコースを滑るがレクリエーション要素の濃いヴァーサ・オープンコース大会が開催されるようになり、1988年には女性のためだけの大会が、そして、1990年代後半にはハーフコースや30キロコースの大会などが開催されるようになった（他にも近年、夜に滑るナイトヴァーサもある）。

これらの大会は、通常2月の終わりから3月最初の日曜日まで設けられる「ヴァーサ・冬のイベント週間」の間に開催されているが、同年は、ヴァーサロペットは、競技会としては出場者数をエリート400人のみに限定して実施すること、そしてヴァーサ・オープンコース等の他の大会は「冬のイベント週間」を3週間に延長し、出場希望者が走行日と時間を予約することで人数制限をし、開催可能としたのだった。筆者は、クロスカントリースキーはまったく経験がなかったが、冬の夕方、家の近くのクロスカントリースキーのコースで毎日のように練習したおかげで、2月26日無事完走した。滑っていて驚いたのが、同日、平日にも拘らず、氷点下の中エイドステーションに沢山のボランティアがいて、密集しないように、また衛生に気をつけながら、出場者のために温かいブルーベリーの飲み物やスープ、ブッレ（菓子パン）を出してくれたことだ。この年のイベント週間中、各エイドステーションに毎日のように人がいてこのような供給をしてくれたことを考えると、感謝してもしきれない。

6月の夏至祭を間近にした1週間、モータータラは「自転車週間」中で、毎年ヴェッテンルンダンをはじめ、ハーフ大会や100キロコースの大会などがあって賑（にぎわ）うが、2021年は、6月に実施のレースがすべて9月に移行することで現地での開催が決まった（前年の2020年は中止だった）。また、それまでは300キロのコースだったのが、ルート変更で315キロとなったこともあり、これまでにない大会となった。筆者は9月3日午後9時過ぎ、辺りが闇に包まれた頃モータータラを出発。6月の開催であれば白夜の季節で薄明るいはずだが、とにかく真っ暗な中を走行した。初秋、気温が零下まで下がる真夜中にずっと走行していたのだが、この大会でもエイドステーションには多くのボランティアがいて飲み物や食べ物を供給してくれたほか、道を間違えそうな要所要所には大会中、夜

第62章
En Svensk Klassiker

中も人が立っていて走行者を誘導してくれたのだった。これもボランティアのおかげでなりたつ大会なのだ。315キロの距離を速い人は7時間ほどでゴールするらしいが、制限時間は28時間30分なので、計算上、時速11キロ強で走行すればゴールできることになる。315キロと聞くと怖気付(おじけ)いてしまうかもしれないが、ある程度トレーニングをすれば誰でも自分のペースで十分達成できる距離といえるだろう。

出発地点に戻り、筆者はモーターラのゴールに入り、かつてない達成感を味わった。SKのうち、クロスカントリースキーも長距離自転車走もそれまでまったく縁がなかったスポーツだが、達成できたのだ。こうして、コロナ禍のSK参加は幕を閉じたわけだが、SKのホームページによると、2023年現在、SKを1回達成した人は男女共に5万7983人。5回達成した人は1351人で、30回達成した人が18人いるそうだ。最高記録は45回で、達成した男性が1人いるということだ。

読者の方でもしスウェーデンに1年以上滞在する方がいらっしゃればぜひSKに挑戦してみてはいかがだろうか。

（リデーン充代）

参照ホームページ
https://ensvenskklassiker.se/en/
https://www.vasaloppet.se/en/
https://vansbrosimningen.se/
https://vatternrundan.se/en/

63

スウェーデン・サッカーの社会的基盤

★クラブと移民と★

スウェーデンがサッカーの盛んな国であることは、日本でもよく知られている。1936年に開催されたベルリン・オリンピックにおいて優勝候補の一つと考えられていたスウェーデン代表チームを日本代表が破った「ベルリンの奇跡」をご存じだろうか。テレビを通じてサッカーのアーカイヴ・フィルムが紹介される際に、皆さんも一度は見たことがおありかもしれない。スウェーデン国営放送のS・ヤッリングが「ヤパーネル、ヤパーネル、ヤパーネル！」と日本人を連呼したこのときの実況放送は、スウェーデンでも歴史的なサッカー中継として記憶されている。近年のワールド・カップやヨーロッパ選手権におけるスウェーデン代表チームの活躍についても、ここであえて紹介する必要はなかろう。しかしながら、人口1022万人程度の小国が、サッカーというワールドワイドな種目において、いったいなぜ、これほどの注目を浴びるほどの活躍ができるのだろうか？

スウェーデンではサッカーの他にも、アイスホッケー、卓球、テニス、ゴルフなどのスポーツが人気だが、男女を問わずサッカーはスウェーデンで最大の競技人口をもつ競技である。

第63章

スウェーデン・サッカーの社会的基盤

その競技人口の数は一説では50万人以上で、アマチュアも含めると３０００以上のスポーツクラブに3万以上ものサッカー・チームが属して活動していると言われている。

もとはと言えばサッカーは、１８７０年代にイングランドからスウェーデンに入ってきた新しい競技である。19世紀末以降、ストックホルムやユーテボリといった都市部において学生たちを中心に普及し、やがて各地に形成されていったスポーツクラブの活動を通じて広くスウェーデン国民に普及した。スウェーデン・サッカーを全国的に統括する組織は19世紀末に設立されたスウェーデン・スポーツ連盟だったが、この組織から１９０４年にサッカーとホッケー部門が独立し、現在に至るスウェーデン・サッカー連盟が創設された。スウェーデン・サッカー連盟は１９０４年に国際サッカー連盟の創設にも参加し、スウェーデンは国際サッカー連盟の原加盟国となった。

スポーツが教育政策の一環として学校や自治体に主導される一方で、企業をスポンサーとしてその宣伝活動を目的とするチーム運営がなされてきた日本と異なり、スウェーデンのサッカー・チームは、他のヨーロッパ諸国と同様にスポーツクラブに属するクラブチームとして運営されている。多くの場合、スポーツクラブは所属するクラブ会員による自主運営団体であり、サッカーだけではなく、アイスホッケー、ホッケー、テニス、トラック競技、体操、水泳、スケート、オリエンテーリングなど、さまざまな競技種目のチームを所有している。

スウェーデンのプロ・サッカー選手が所属するクラブチームの名前にＩＦＫやＡＩＫといった略称が伴う場合が多いが、ＩＦＫならば「スポーツ友の会」(Idrotsföreningen Kamraterna)、ＡＩＫならば「全スポーツクラブ」(Allmänna Idrotsklubben) といった名前のスポーツクラブのことである。そうしたクラブチームのうちとりわけ有名なサッカー・チームは、ＩＦＫユーテボリ、ＡＩＫソールナ、マルムーＦＦ（ＦＦはサッカー連盟［Fotbollförening］のこと）、ユールゴーデンＩＦ（ＩＦはスポーツ連盟［Idrottsförening］のこと）などであろう。所属会員が平等に競技と運営に参画するクラブチームは、19世紀末以来のスウェーデン・サッカーの全国的普及の母体となってきたのである。

これらのクラブチームのうち現在３００チームが、スウェーデン・サッカー連盟が統括するリーグ制のもとで競技活動を行っている。スウェーデンのリーグ制は、５つのレベルで22リーグから構成されている。リーグの頂点には全国レベルで戦われるアルスヴェンスカン全スウェーデン・リーグ）、その下にスューペルエッタン、その下で全国を南北に分割するディヴィションーン1、その下で全国を6地区に分割するディヴィショーン2、その下で全国をさらに12地区に分割して戦われるディヴィショーン3というリーグ制のヒエラルキーが存在している。このヒエラルキーには、さらにその下部に地方のサッカー連盟が運営するディヴィショーン4から8まで存在する。それぞれのレベルでは、毎年成績の優劣に応じてクラブチームの入替えが行われるため、地方のクラブチームが全国トップのアルスヴェンスカン・リーグにまで登り詰める可能性もある。こうしたリーグ制のヒエラルキーを通じて、スウェーデンは地方レベルのサッカー活動を全国レベルにまで引き上げ、地方に登場した優秀なサッカー選手を全国レベルにまで育成する仕組みをもっている。いわばスウェーデン・サッカーの実力は、地方社会の草の根レベルの活動を汲み取ることによって支えられているとも言えるだろう。

こうしたクラブチームとリーグ制を通じて名をなし、スウェーデン代表チームに属する選手のなかには、昨今のスウェーデン社会の事情を反映して移民の血筋をひくスウェーデン市民が活躍している。1990年代から2000年代初めにスウェーデン代表のフォワードとして活躍したヘンリック・ラーションはスコーネ地方のヘルシングボリ出身であるが、彼の父は西アフリカ沖の大西洋上に位置するカーボ・ヴェルデ諸島の出身だった。また、世界的なスタープレイヤーとして人気を博し、2023年に引退を表明したズラタン（スラータン）・イブラヒモヴィッチもやはりスコーネのマルムー出身であるが、彼の父は旧ユーゴスラヴィアのボスニア・ヘルツェゴヴィナの出身、母は同じくクロアチアの出身であった。

とりわけイブラヒモヴィッチの来歴は、第二次世界大戦後のスウェーデン福祉国家が直面した歴史的状況を反映している。イブラヒモヴィッチは、マルムー郊外の「バラの園」を意味するローセンゴードと呼ばれる集合住宅街に生まれた。マルムーのローセンゴートは、1960年代半ばから70年代半ばにかけてスウェーデン社会民主党政権が進めた「百万戸計画」に基づいて開発された新興の集合住宅街である。この計画に基づいて造成された住宅街は、ほかにもストックホルム郊外のリンケビー、ユーテボリ郊外のハンマークッレンなどが知られている。この計画は、スウェーデンにおける高度経済成長の末期にあって海外から流入した労働者などに住居を提供することを目的としていた。イブラヒモヴィッチの両親も、こうした時期にスウェーデンへ到来した移民だった。このときに急造された集合住宅はコンクリートの外壁をもつ外観ゆえに、大方のスウェーデン人からは都市景観の悪化をもたらしたと評価され、入居は敬遠された。加えて冷戦終結以降はイスラーム圏、旧ユーゴ、アフリカなどから流入した移民の多くがこの「計画」で開発された集合住宅に居を構えることになった。その結果、ローセンゴートをはじめとする「百万戸計画」の地区は他のスウェーデンの地域と比べて移民の割合と失業者の割合が高い地区となっている。

サッカーは世界で共有されるルールをもつからこそ、こうした新興住宅街に生活の拠点を置かざるを得なかった移民たちとスウェーデン出身者とを結びつける共通言語のような機能を果たしてきたと言えよう。先に紹介した自主運営によるクラブチームを基盤に地方のサッカー活動をくみ上げるスウェーデンのサッカー制度のなかで、イブラヒモヴィッチも幼い頃から実力が認められ、弱冠14歳にしてスウェーデントップのアルスヴェンスカンに属する地元の強豪クラブであるマルムーFFと契約を結び、19歳にしてスウェーデン代表チームの一員として招聘(しょうへい)された。

サッカーのワールド・カップやヨーロッパ選手権は、ナショナリズムの表出の場のようによく語られる。しかしながら、スポーツはそれに参加する世界中のすべての者がルールを共有せねば、競技は成立しえない。ある意味、普遍言語たるルールが共有されていれば、出自の異なる者同士が同じチームに属し一つの戦略の実現にむけて結び合うことが可能になる。この点こそがサッカーをはじめとするスポーツのもつ包容力である。スポーツクラブのような社会団体を通じて外からの移民系市民や内からの地方社会を取り込みつつ、総体として実力を発揮しているスウェーデン・サッカーの姿は、現在のスウェーデンがそうした包容力をもって異者を取り込みながら「スウェーデン」を構成している一つの例証と言えよう。

（古谷大輔）

64

スウェーデンの女子サッカー事情

―★スウェーデンで「さえ」進まない男女平等と日本・スウェーデン関係の新たな可能性★―

２０２１年夏に開催された東京五輪での女子サッカーの決勝戦のカードは、カナダ対スウェーデンだった。準々決勝で日本を、準決勝でイングランドを倒して決勝に臨んだスウェーデン代表は激闘の末にＰＫ戦で敗れたものの、２０１６年のリオデジャネイロ・オリンピックに続いて銀メダルを獲得したことで、女子サッカーは成功しているとスウェーデン国内で認識されている。

２０２２年６月にストックホルムで開催されたブラジル女子代表との一戦は、史上最多の３万３２１８人の観客を記録した。この試合は、欧州選手権の壮行試合という位置づけであり、代表選手の多くが他の欧州諸国のリーグでプレーしていることから、普段は国内で目にすることのない一流の選手たちがプレーする機会だったこともある。とはいえ、国際大会で成功を収める代表チームの活躍がスウェーデン国内での女子サッカーの人気を支えているのは間違いない。

また、スウェーデン国内ではサッカーをする女性の人口も増加している。スウェーデン・サッカー連盟（ＳｖＦＦ）に登録された15歳以上の女性サッカープレーヤーは、２０２２年で

9万7898人となり、2003年の4万4306人から倍増した。サッカーは、女性の間でも最も人気のあるスポーツの一つとして挙げられている。

ただ、男子の代表チームの人気と比較すると、スウェーデンの女子サッカーリーグの人気はさほど高くないかもしれない。スウェーデンの1部リーグであるダーム・アルスヴェンスカン（Damallsvenskan）の平均観客数は、800人程度の状態が長期にわたり続いている。2022年の平均観客数で男女を比較してみるとその人気の差は歴然だ。2022年の平均観客数は、ダーム・アルスヴェンスカンでは825人だったのに対し、男子一部リーグのアルスヴェンスカン（Allsvenskan）は9958人だった。

ダーム・アルスヴェンスカンで観客動員に最も成功しているのが、ストックホルム南部のスーデルマルム島に本拠地を置くハンマルビーIFだ。2022年の平均観客数は2391人で、リーグ平均を大きく上回っている。男子サッカーでもハンマルビーIFは1部に属しており、男子の2022年の観客動員数は平均2万6372人で、男女ともにリーグ最多の平均観客動員数を誇っている。試合開催日にストックホルム市内で地下鉄に乗れば、緑と白のユニフォームを着たハンマルビーIFファンを必ず目にするだろう。

スウェーデン国内の女子サッカーリーグはよく整備されている。1部リーグにダーム・アルスヴェンスカンと2部リーグのエリートエッタン（Elitettan）までがプロリーグに属しており、その下にディヴィショーン1から5までのアマチュアリーグが存在する。プロリーグは全国区のリーグで、その下のディヴィショーン1は全国を3地区に、それ以下のリーグではより細かく分かれた地域でリーグが開催されている。また、２０２３年のリーグ制度の改定により、ディヴィション1の勝者とエリートエッタンの下位チームによる入れ替え戦が廃止された。その結果、ディヴィション1の各地区の勝者3チームは自動的にプロリーグであるエリートエッタンでプレーすることが可能となった。この制度改革でプロリーグへの参入の可能性を高め、スウェーデンの女子サッカーリーグ全体の競争力が高まることが期待されている。

サッカー選手の男女格差

他方、スウェーデンの女子サッカーが抱える問題も存在する。とりわけ女子サッカー選手の扱いに関するものだ。２０１９年、スウェーデン・ナショナルチームに参加する選手に対してスウェーデン・サッカー連盟が支払う報酬に男女格差があるとして、同連盟は差別オンブツマン（ＤＯ）に通報された。実際、２０１８年及び２０１９年の2年間で女子代表選手が得た報酬は、同じ期間に男子の代表チームのサッカー選手が得た報酬の僅か24％だった。

２０２０年8月にＤＯは、男女の格差の原因が固定額ではなく、観客動員数等によって額が左右する変動部分によるものであり、女子サッカーよりも男子サッカーを好む観客の嗜好にはサッカー連盟が関与できないとして、報酬の男女格差が差別ではないと結論付けた。同時に、現行の報酬モデルでは、性別に関係なく同一労働同一賃金を遵守するという原則が代表チームでは守られていない点もＤＯは指摘した。

スウェーデン国内リーグの選手の給与も男女格差が大きい。２０１９年に労働組合は男女のサッカー選手に対して収入に関するインタビュー調査を行い、半数近くの女子プロサッカー選手がサッカーで得た収入では生活できないと回答したことを明らかにした。男子サッカー選手で同様に回答した者の割合は1割程度だった。男女平等が進むスウェーデンでもこうした格差が存在する。

スウェーデン国外に目を向けると、女子サッカー選手の地位を向上させる動きが見られる。2018年よりノルウェーの女子サッカー代表は、男子の代表と同等の報酬を得ることとなった。また、ワールドカップに出場するような一流の選手の給与は上がっている。さらに男子チームの収入が高ければ、女子チームへの補助が増えて女子選手の給与が高いクラブも英国やフランスに存在する。スウェーデンもこうした国外の流れに追いついていかなければならない。

ストックホルム・ダービーではホームチームのファンが必ず発煙筒を焚く。AIK ソールナ時代の林選手とハンマルビー IF ファンによる発煙筒［筆者撮影］

スウェーデン・リーグでプレーする日本人

2020年代初頭、スウェーデンでプレーする日本人選手が目立っている。2022年では、ダーム・アルスヴェンスカンでプレーしたのは3名で、AIKソールナの林穂之香選手（2022年9月にイングランドのウェストハム・ユナイテッドFCウィメンに移籍）、リンチューピングFCの籾木（もみき）結花選手と宝田沙織選手だ。また、３部のディヴィショーン１に属し、ゴットランド島を本拠地とするP18には、大井美波選手、佐藤比香理選手、山本麻裕選手が所属した。さらに、夏休みを利用して早稲田大学の三谷和華奈さん（２０２４年に日本のWEリーグ、INAC神戸レオネッサに加入）が４部のＩＦＫストックスンドで約２か月間プレーした。

２０２３年にはリンチューピングＦＣの２人、P18の大井選手の他に１部のハンマルビーＩＦで浜野まいか選手がプレーしている。浜野選手はイングランドのチェルシーＦＣからのレンタル移籍でスウェーデンにやってきた。その後、22試合で11ゴールを挙げるなど活躍したが、肩の負傷のため、２０２３年９月にチェルシーＦＣへ復帰した。

彼女らが口を揃（そろ）えて述べるスウェーデン・女子リーグの特徴は、プレーの激しさとスピードだ。ただ、パワーやスピードを前面に出したサッカーをするチームは少なく、基本的には、パスを繋ぎながら攻撃を組み立てるチームが多い。なお、練習では実戦形式が中心で、技術の基礎的な練習が日本と比べると少ないとのことだ。

スウェーデンと日本の女子サッカーリーグにおける違いとして籾木選手が挙げるのは、スウェーデンのクラブが町や地域に根付いていることだ。例えば、２０２３年５月に開催されたリンチューピングＦＣとＩＦＫノルチューピングとの一戦は、同じウステルユータランド県内の主要都市同士のダービー戦となり、観衆は７０００人を超えた。クラブと町が強く結びついている一例といえるかもしれない。また、男性の観客が多い日本と比べると、スウェーデンの女子サッカーでは男女問わず試合観戦に訪れている。リーグ戦を訪れると、クラブチームの少年団に所属する少女たちが熱心に応援している様子を窺えるだろう。彼女たちにとって、トップチームでプレーする選手たちは憧れの存在だ。この他にも、選手会の発言権の強さや他の欧州諸国でのプレーの機会を手に入れやすいため、選手の入れ替わりの多さを日本との違いとして挙げられる。なお、粂木選手はダーム・アルスヴェンスカンで活躍し、２０２３年のミッドフィルダーのベストプレーヤー（Årets mittfältare）に選出された。

日本人選手にとってスウェーデンは、よりレベルの高い他の欧米諸国でプレーするための試金石と言えよう。実際、ＡＩＫソールナで活躍した林選手や、リンチューピングＦＣの粂木選手と宝田選手がイングランドのリーグに移籍したのは良いモデルである。スウェーデンでは英語が通じることも日本人選手の移籍を後押しする要因とのことだ。２０２４年シーズンのダーム・アルスヴェンスカンでは、ユールゴーデンＩＦで小山史乃観選手が、またＦＣローセンゴードで門脇真依選手と谷川萌々子選手がプレーする。スウェーデンを経由して世界で活躍する日本人女子サッカー選手がこれから増えるかもしれない。

２０２３年8月11日に行われた、女子サッカーのワールドカップ、オーストラリア・ニュージーランド大会の準々決勝で日本代表は優勝候補の一角であるスウェーデン代表と対戦した。試合は序盤からスウェーデン代表の攻勢が続き、後半の途中で0対2となったが、後半42分に元ダーム・アルスヴェンスカンでプレーしていた林穂之香選手が得点し、1点を取り返した。その後も日本代表は攻勢を続けるも、惜しくも1対2で敗れ、ベスト8で敗退となった。

試合後、スウェーデン代表選手が歓喜の輪を作る中、一人の選手がその輪に加わることなく、涙を流していた浜野まいか選手を慰め続ける選手がいた。ハンマルビーＩＦでチームメイトのヨンナ・アンデション（Jonna Andersson）選手だ。アンデション選手が見せたスポーツマンシップは、スウェーデンのメディアでも大きく取り上げられ、また日本でも話題となった。女子サッカーもまた、日本とスウェーデンの間を結ぶ懸(か)け橋となっている。

（鈴木悠史）

スウェーデンをもっと知るためのブックガイド

このブックガイドは各章執筆者が書き記した文献リストに、編者が本書作成にあたって、基本的情報として書名を書き足したものである。

◉総合

村井誠人編著『スウェーデンを知るための60章』明石書店、2009年。

東海大学文学部北欧学科編『北欧学のすすめ』東海大学出版会、2010年。

岡澤憲芙編著『北欧学のフロンティア――その成果と可能性』ミネルヴァ書房、2015年。

北欧文化協会・バルト＝スカンディナヴィア研究会・北欧建築・デザイン協会（編）『北欧文化事典』丸善出版、2017年。

岡澤憲芙監修・日瑞一五〇年委員会編（＊）『日本・スウェーデン交流150年――足跡と今、そしてこれから』彩流社、2018年。

◉地理・歴史

立石友男『スカンディナヴィア――白夜・極夜の国ぐに』古今書院、1987年。

百瀬宏『北欧現代史』、岩波書店、1980年。

石原俊時『市民社会と労働者文化――スウェーデン福祉国家の社会的起源』木鐸社、1996年。

ビルギッタ・ティングダール著・村井誠人監修・ヒースマン姿子訳『スウェーデン史速歩き』ビネバル出版、1999年。

石原俊時「スウェーデン近代と信仰復興運動――身分制社会解体の一局面」望月幸男・村岡健次監修『近代ヨーロッパの探求③：教会』ミネルヴァ書房、2000年。

入江幸二『スウェーデン絶対王制研究』知泉書館、２００５年。

根本聡「海峡都市ストックホルムの成立と展開――メーラレン湖とバルト海の間で」歴史学研究会編『港町と海域世界』青木書店、２００５年。

レオス・ミュラー著、玉木俊明・根本聡・入江幸二訳『近世スウェーデンの貿易と商人』嵯峨野書院、２００６年。

小澤実・薩摩秀登・林邦夫『辺境のダイナミズム』岩波書店、２００９年。

山本健兒・平川一臣編『中央・北ヨーロッパ』（朝倉世界地理講座―大地と人間の物語―9）浅倉書店、２０１４年。

谷澤毅「中世後期・近世のドイツの商業と北海・バルト海」斯波照雄・玉木俊明（編）『北海・バルト海の商業世界』悠書館、２０１５年。

フィリップ・ドランジェ著、高橋理監訳『ハンザ12―17世紀』みすず書房、２０１６年。

古谷大輔・近藤和彦編『礫岩のようなヨーロッパ』山川出版社、２０１６年。

古谷大輔「混合政体の更新と「ジャコバン」の王国――スウェーデンにおける「革命」の経験」中澤達也編『王のいる共和政　ジャコバン再考』岩波書店、２０２２年。

百瀬宏・熊野聰・村井誠人編『北欧史　上・下』山川出版社、２０２２年。

村井誠人編著『デンマークを知るための70章【第2版】』明石書店、２０２４年。

◉言語

エリーアス・ヴェセーン著、菅原邦城訳『新版 北欧の言語』東海大学出版会、１９８８年。
Ivar Wallensteen, Gunnar Brusewitz: *Våra namn*. Västerås: ICA bokförlag, 1988.
Lars Vikør: *The Nordic Languages. Their Status and Interrelations*. Oslo: Novus, 1995.
K．ハストロプ編、菅原邦城・熊野聰・田辺欧・清水育男訳『北欧社会の基層と構造3 北欧のアイデンティティ』東海大学出版会、１９９６年。
千野栄一・石井米雄編『世界のことば100語辞典　ヨーロッパ編』（スウェーデン語関係の項）三省堂、１９９９年。

梅田修（★）、『ヨーロッパ人名語源事典』大修館書店、２０００年。

清水育男『スウェーデン語発音概説』大阪外国語大学、２００２年。

千野栄一・石井米雄編『世界のことば・出会いの表現辞典』（スウェーデン語関係の項）三省堂、２００４年。

千野栄一・石井米雄編『世界のことば・辞書の辞典「ヨーロッパ編」』（スウェーデン語関係の項）三省堂、２００８年。

Colette van Luik: *Stora boken om namn*. Stockholm:Alfabeta Bokförlag, 2009.

清水育男・當野能之・ヨハンナ・カールソン・梅谷綾『スウェーデン語初級ｅラーニング』http://et.minoh.osaka-u.ac.jp/wl/sv/、２０１０年。

梅田修（★）、『世界人名物語　名前の中のヨーロッパ文化』講談社、２０１２年。

岩波書店辞典編集部編（★）、『岩波　世界人名大辞典』岩波書店、２０１３年。

庄司博史編『世界の文字事典』「スウェーデン語」、丸善出版株式会社、２０１５年。

北欧文化協会、バルト＝スカンディナヴィア研究会・北欧建築・デザイン協会『北欧文化事典』（スウェーデン語関係の項）。丸善出版株式会社、２０１７年。

當野能之『スウェーデン語トレーニングブック』白水社、２０２１年。

21世紀研究会編（★）、『カラー新版　人名の世界地図』文藝春秋、２０２１年。

庄司博史編『世界の公用語事典』「スウェーデン語」、丸善出版株式会社、２０２２年。

清水育男・ウルフ・ラーション・當野能之著『世界の言語シリーズ12 スウェーデン語』（第３刷）大阪大学出版会、２０２３年。

◉政治・経済・社会

大阪外国語大学デンマーク語・スウェーデン語研究室編『スウェーデン・デンマーク福祉用語小事典』早稲田大学出版部、１９９８年。

イェスタ・エスピン＝アンデルセン編、埋橋孝文訳『転換期の福祉国家――グローバル経済下の適応戦略』早稲田大学出版部、２００３年。

吉武信彦（＊）『日本人は北欧から何を学んだか――日本・北欧政治関係史』新評論、２００３年。

イリス・ヘルリッツ著、今福仁訳『スウェーデン人　我々は、いかに、また、なぜ』新評論、２００５年。

イーヴァル・ロー＝ヨハンソン著、西下彰俊・兼松麻紀子・渡辺博明編訳『スウェーデン：高齢者福祉改革の原点――ルポルタージュからの問題提起』新評論、２０１３年。

五月女律子『欧州統合とスウェーデン政治』日本経済評論社、２０１３年。

岡澤憲芙・斉藤弥生編著『スウェーデン・モデル――グローバリゼーション・揺らぎ・挑戦』彩流社、２０１６年。

スウェーデン大使館（＊）『スウェーデンと日本　その長年にわたる友好関係』スウェーデン大使館、２０１８年。

清水謙「変わりゆく世界秩序のメルクマール――試練のなかのスウェーデン」『アステイオン92』アステイオン編集委員会、２０２０年。

大島美穂「ＣＯＶＩＤ－19への北欧諸国の対応――福祉国家の試練」『国際法外交雑誌』第１２０巻　第1・2号、２０２1年

下条芳明「第二章　スウェーデンの憲法政治」下条芳明・東裕編『世界の憲法政治』（講座　臨床政治学　第9巻）、志學社、２０２1年。

高橋美恵子編「ワーク・ファミリー・バランス――これからの家族と友働き社会を考える」慶應義塾大学出版会、２０２1年。

廣瀬方美「ＥＵの紛争防止における理念と実践――マリへの支援の事例から」『Tsuda College IICS monograph series』no. 39、津田塾大学国際関係研究所、２０２1年。

大島美穂「トルコの「外交的勝利」といえるのか　スウェーデン・フィンランドがＮＡＴＯ加盟巡りトルコと覚書」『週刊金曜日』１３８６号、２０２２年。

渡辺博明『ポピュリズム、ナショナリズムと現代政治――デモクラシーをめぐる攻防を読み解く』ナカニシヤ出版、２０２３年。

●文化

石原俊時『市民社会と労働者文化――スウェーデン福祉国家の社会的起源』木鐸社、１９９６年。

Johan Söderberg, *Våld och civilisering i Sverige 1750-1870*, Stockholm, 1998.

ラーシュ・ヴァリエー著、児玉千晶訳『スウェーデンから見た日本の素顔』メイナード出版株式会社、１９９８年。

石原俊時「スウェーデン近代と信仰復興運動――身分制社会解体の一局面」望月幸男・村岡健次監修『近代ヨーロッパの探求③：教会』ミネルヴァ書房、２０００年。

Christer Winberg, *Hur Västsverige blev västsvenskt*, Göteborg, 2001.

小松弘監修『北欧映画　完全ガイド』新宿書房、２００５年。

村井誠人・大島美穂・佐藤睦朗・吉武信彦編著『映画の中の「北欧」――その虚像と実像』小鳥遊書房、２０１９年。

●定期刊行物

大阪大学言語文化研究科　言語社会専攻　デンマーク語・スウェーデン語研究室『IDUN―北欧研究―』１９７３年〜

バルト＝スカンディナヴィア研究会『北欧史研究』１９８２年〜

北ヨーロッパ学会『北ヨーロッパ研究』２００４年〜

山川亜古（やまかわ・あこ）［4］
東海大学・大阪大学非常勤講師（フィンランド語）。東京外国語大学オープンアカデミー講師（北サーミ語）。主な著作に『ニューエクスプレスプラス フィンランド語』（白水社、2018年）、共著に『北欧文化事典』（丸善出版、2017年）など。

横山悦生（よこやま・えつお）［46］
ストックホルム教育大学客員研究員、ルンド大学経済史研究所客員教授、ケルン大学客員教授を経て、名古屋産業大学現代ビジネス学部特任教授。同大学附属職業教育研究センター長。主な著作に、『制度はいかに進化するか』（K. セーレン著、石原俊時・横山悦生監訳、大空社出版、2022年）など。

吉武信彦（よしたけ・のぶひこ）［26, 47］
高崎経済大学地域政策学部教授。専攻は国際関係論、北欧地域研究。主な著作に共編著『映画のなかの「北欧」——その虚像と実像』（小鳥遊書房、2019年）など。

リデーン充代（リデーン・みつよ）［27, 59, 62］
ストックホルム大学アジア・中東学科専任講師。

渡辺博明（わたなべ・ひろあき）［29］
龍谷大学法学部教授。専門は政治学。編著に『ポピュリズム、ナショナリズムと現代政治——デモクラシーをめぐる攻防を読み解く』（ナカニシヤ出版、2023年）、共編著に『「18歳選挙権」時代のシティズンシップ教育——日本と諸外国の経験と模索』（法律文化社、2019年）など。

西澤清華（にしざわ・きよか）[10]
大阪大学大学院言語文化研究科言語社会専攻博士前期課程修了生。

根本　聡（ねもと・あきら）[15, 19]
旭川工業高等専門学校人文理数総合科准教授。専門は、スウェーデン史。主な著作に「中世スウェーデンの対ロシア政治ーバルト海と北極海の支配をめぐって」（池田嘉郎・草野佳矢子編『国制史は躍動する――ヨーロッパとロシアの対話』刀水書房、2015 年）、「近世スウェーデンの都市計画と商業政策――グスタヴ・アドルフとストックホルムの首都化構想」（斯波輝雄・玉木俊明編『北海・バルト海の商業世界』悠書館、2015 年）など。訳書にデヴィド・カービー、メルヤ - リーサ・ヒンカネン著、玉木俊明他訳『ヨーロッパの北の海――北海・バルト海の歴史』（刀水書房、2011 年）など。

長谷川美子（はせがわ・よしこ）[コラム 3]
元洗足学園音楽大学講師。専攻は西洋近代美術史。訳書にペーター・ラウトマン『フリードリヒ《氷海》――死を通過して、新しい生命へ』（三元社、2000 年）がある。

廣瀬方美（ひろせ・まさみ）[33]
津田塾大学・国士舘大学非常勤講師。専門は国際政治、安全保障（EU とスウェーデン）。

古谷大輔（ふるや・だいすけ）[3, 20, 21, 54, 58, 60, 63]
大阪大学大学院人文学研究科教授、専門はスウェーデン語圏の国家形成史。共著に『礫岩のようなヨーロッパ』（山川出版社、2016 年）、『論点・西洋史学』（ミネルヴァ書房、2020 年）、『王のいる共和政』（岩波書店、2022 年）など。

古谷能子（ふるや・よしこ）[58, 60]
大阪大学経営企画オフィス特任学術政策研究員。

南澤佑樹（みなみさわ・ゆうき）[11]
大阪大学大学院人文学研究科助教。専門は北欧語学、コーパス言語学、認知意味論。共著に『スウェーデン語基本不変化詞動詞リスト』（IDUN 別冊第 4 号、2021 年）。

＊村井誠人（むらい・まこと）[1, 24]
編著者紹介を参照。

保坂三四郎（ほさか・さんしろう）[25]
1979 年秋田県生まれ。上智大学外国語学部及び放送大学院卒業。2002 年在タジキスタン日本国大使館、04 年旧ソ連非核化協力技術事務局、18 年在ウクライナ日本国大使館などの勤務を経て、21 年より国際防衛安全保障センター（エストニア）研究員、タルトゥ大学ヨハン・シュッテ政治研究所在籍。専門はソ連・ロシアのインテリジェンス活動、戦略ナラティブ、歴史的記憶、バルト地域安全保障。17 年ロシア・東欧学会研究奨励賞、22 年ウクライナ研究会研究奨励賞受賞。23 年『諜報国家ロシア』（中公新書、2023 年）で山本七平賞を受賞。

言語シリーズ12　スウェーデン語』（ウルフ・ラーション、當野能之と共著、大阪大学出版会、2023年（第3刷））など。

清水　謙（しみず・けん）［32, 34, 36］
立教大学法学部兼任講師。専門はスウェーデン政治外交史・国際政治学。主な著作に「スウェーデンにおける国籍不明の潜水艦による領海侵犯事件についての分析――「中立」と西側軍事協力と武力行使基準に着目して」（『IDUN －北欧研究－』21号、2015年）、「「表の中立と裏の同盟」――冷戦期における西側軍事協力からロシアによるウクライナ侵攻とスウェーデンのNATO加盟申請まで」（『Human Security』13号、2023年）など。

鈴木悠史（すずき・ゆうじ）［35, 39, 45, 55, 61, 64］
大阪大学・京都ノートルダム女子大学非常勤講師。元在スウェーデン日本国大使館専門調査員。専門は国際政治学、スウェーデン外交・安全保障政策、スウェーデン政治。主な著作に「COVID-19パンデミックとスウェーデン政治」（岩崎正洋編著『コロナ化した世界――COVID19は政治を変えたのか』勁草書房、2024年）。

高橋美恵子（たかはし・みえこ）［41, 44］
大阪大学大学院人文学研究科教授。主な著作に共編著『原文で読むスウェーデン社会』（溪水社 2013年）、共著 *Worklife Balance*（Oxford University Press、2014年）、編著『ワーク・ファミリー・バランス』（慶應義塾大学出版会、2021年）など。

谷澤　毅（たにざわ・たけし）［14］
長崎県立大学経営学部教授。主な著作に『北欧商業史の研究――世界経済の形成とハンザ商業』（知泉書館、2011年）、『世界流通史』（昭和堂、2017年）など。

中嶋瑞枝（なかじま・みずえ）［38］
元外務省海外安全相談センター長、在デンマーク日本国大使館一等書記官、外務省西欧第2課にて北欧担当。主な著作に、「第37章　環境党・緑－タンポポのようにたくましく」（『スウェーデンを知るための60章』明石書店、2009年）、「スウェーデンの原子力政策」及び「スウェーデンの環境党・緑とは」（『北欧文化事典』丸善出版、2017年）など。

中丸禎子（なかまる・ていこ）［48, 49］
東京理科大学准教授。訳・解説書『巨人フィンの物語　北欧・日本　巨人伝承の時空』（三弥井書店、2024）、論文「セドナ×人魚姫　先住民表象の解体と人魚文学研究」（高橋美野梨編著『グリーンランド』所収、藤原書店、2023年）、共編著書『高畑勲をよむ　文学とアニメーションの過去・現在・未来』（三弥井書店、2020年）

新堀太一（にいぼり・たいち）［49］
ストックホルム大学メディア研究科博士課程。専門はスウェーデンの子ども映画史。主な著作に「長くつ下のピッピ」（『映画のなかの「北欧」――その虚像と実像』小鳥遊書房、2019年）など。

小澤　実（おざわ・みのる）［12, 13, 16］
立教大学文学部史学科教授。編著に Minoru Ozawa et al. (ed.), *Communicating Papal Authority in the Middle Ages*（Routledge, 2023）、谷口幸男・小澤実編『ルーン文字研究序説』（八坂書房、2022 年）、小澤実・佐藤雄基編『史学科の比較史』（勉誠出版、2022 年）など。

オストルンド・タズコ［40］
早稲田大学第一文学部卒業。

兼松麻紀子（かねまつ・まきこ）［42］
ストックホルム在住。大学職員。民族学博士。

小松　弘（こまつ・ひろし）［52］
早稲田大学文学学術院教授。専攻は映画史。主な著書に『起源の映画』（青土社、1991 年）『ベルイマン』（清水書院、2015 年）。共訳書に G・サドゥール『世界映画全史』（国書刊行会、全 12 巻）など。

是永かな子（これなが・かなこ）［43］
高知大学教育研究部人文社会科学系教育学部門教授、専攻は特別支援教育学、特別ニーズ教育、北欧の特別教育制度。主な著書に『スウェーデンにおける統一学校構想と補助学級改革の研究』（風間書房、2007 年）、『インクルーシブな学校をつくる――北欧の研究と実践に学びながら』（石田祥代・眞城知己と共編著、ミネルヴァ書房、2021 年）など。

齊藤豪大（さいとう・たけひろ）［17］
久留米大学経済学部経済学科准教授。「18 世紀後半のスウェーデンにおける捕鯨奨励と補助金政策――グリーンランド会社（1774-1787）の支援に注目して」（『西洋史学論集』、第 60 号、2023 年）、「近世スウェーデン漁業政策の展開：魚群到来以前の漁業振興施策の展開を中心に」（『経済社会研究』、第 59 巻第 4 号、2019 年）。

五月女律子（さおとめ・りつこ）［30, 31］
神戸市外国語大学外国語学部国際関係学科教授。著書に『北欧協力の展開』（木鐸社、2004 年）、『欧州統合とスウェーデン政治』（日本経済評論社、2013 年）など。

佐藤睦朗（さとう・むつお）［2, 19, コラム 1, コラム 2］
神奈川大学経済学部准教授。専攻はスウェーデン社会経済史。主な著作に「18 ～ 20 世紀スウェーデンにおける世襲農場の成立過程」（加藤彰彦・戸石七生・林研三編著『家族研究の最前線①：家と共同性』日本経済評論社、2016 年）、「1860 年代のフェーダ教区における土地整理」（『（神奈川大学）商経論叢』第 56 巻第 2 ～ 4 合併号、2021 年）。

清水育男（しみず・いくお）［5, 6, 7, 8, 57, コラム 4］
大阪大学名誉教授。専門はスウェーデン語学、ノルド語史。2015 年 4 月スウェーデン・アカデミー（Svenska Akademien）より特別賞（Extra pris）授与。2016 年 10 月スウェーデン国王より北極星勲章（Kommendör av Kungliga Nordstjärneorden）受勲。主な著書に、『世界の

〈執筆者紹介および担当章〉（＊は編者）

上倉あゆ子（あげくら・あゆこ）［50］
東海大学文化社会学部北欧学科准教授。共著に『新版　北欧学のすすめ』（東海大学出版部、2020年）、『北欧文化事典』（丸善出版、2017年）など。

石野裕子（いしの・ゆうこ）［22］
国士舘大学文学部史学地理学科教授。主な著作に『「大フィンランド」思想の誕生と変遷――叙事詩カレワラと知識人』（岩波書店、2012年）、『物語 フィンランドの歴史――北欧先進国「バルト海の乙女」の800年』（中公新書、2017年）。

石原俊時（いしはら・しゅんじ）［28］
東京大学社会科学研究所助手、立教大学経済学部専任講師等を経て、現在東京大学大学院・経済学研究科・教授。主な著作に、*Faderliga företagare i Sverige och Japan, Stockholm* (Christer Ericsson, 2015, Björn Horgbyとの共著）、グスタフ・カッセル『社会政策』（蒼天社出版、2023年、翻訳）など。

入江幸二（いりえ・こうじ）［18］
富山大学学術研究部人文科学系准教授。主な著作に『スウェーデン絶対王政研究――財政・軍事・バルト海帝国』（知泉書館、2005年）、共編著に『西洋史の扉をひらく――通史とテーマ史でたどる古代から現代』（晃洋書房、2023年）。

梅谷　綾（うめたに・あや）［9］
大阪大学・関西外国語大学・名古屋外国語大学非常勤講師。専門はスウェーデン語、スウェーデン語学。

大島美穂（おおしま・みほ）［37, 56］
津田塾大学総合政策学部教授。北欧、特にノルウェーを中心とした北欧現代史・国際政治を専攻。主な編著書に、『ノルウェーを知るための60章』（岡本健志との共編著、明石書店、2014年）、『国際化する地域研究』（加納弘勝との共編著、文化書房博文社、2009年）、『EU Studies 3――国家・地域・民族』（勁草書房、2007年）など。

大溪太郎（おおたに・たろう）［23］
早稲田大学ヨーロッパ文明史研究所招聘研究員。元早稲田大学文学学術院非常勤講師。専攻はノルウェー近現代史。共訳書にニコリーネ・マリーイ・ヘルムス『デンマーク国民をつくった歴史教科書』（彩流社、2013年）、共同監修書に『一冊でわかる北欧史』（河出書房新社、2022年）。

岡部昌幸（おかべ・まさゆき）［51］
帝京大学名誉教授、群馬県立近代美術館特別館長、東御市梅野記念絵画館館長、畠山記念館顧問、日本フェノロサ学会会長。『スウェーデンの国民画家 カール・ラーション』『フィンランド美術の歩み：大気 水 土』などの展覧会企画を担当。

〈編著者紹介〉

村井誠人（むらい・まこと）
津田塾大学・大阪外国語大学・東京大学等非常勤講師を兼務し、2000 〜 01 年にコペンハーゲン大学歴史学研究所客員教授としてデンマークに滞在。本属は早稲田大学文学学術院教授。北欧史専攻。2017 年定年退職後、早稲田大学名誉教授。2022 年より、王立デンマーク科学・文学アカデミー会員。
主な編著書に、百瀬宏・村井誠人監修『読んで旅する世界の歴史と文化　北欧』（新潮社、1996 年）、村井誠人編著『デンマークを知るための 68 章』（明石書店、2009 年）、村井誠人編・監修『日本＆デンマーク　私たちの友情 150 年』（日本デンマーク協会、2017 年）、百瀬宏・熊野聰・村井誠人編『YAMAKAWA Selection 北欧史 上・下』（山川出版社、2022 年）、村井誠人編『デンマークを知るための 70 章【第 2 版】』（明石書店、2024 年）」など。

エリア・スタディーズ 75
スウェーデンを知るための 64 章【第 2 版】

2009 年 5 月 30 日　初　版　第 1 刷発行
2024 年 5 月 31 日　第 2 版　第 1 刷発行

編著者　村井誠人
発行者　大江道雅
発行所　株式会社 明石書店
〒 101-0021 東京都千代田区外神田 6-9-5
電　話　03-5818-1171
FAX　03-5818-1174
振　替　00100-7-24505
https://www.akashi.co.jp/

装　幀　明石書店デザイン室
印刷／製本　日経印刷株式会社

（定価はカバーに表示してあります）　ISBN978-4-7503-5714-0

エリア・スタディーズ

1 現代アメリカ社会を知るための60章
明石紀雄、川島浩平 編著

2 イタリアを知るための62章【第2版】
村上義和 編著

3 イギリスを旅する35章
辻野功 編著

4 モンゴルを知るための65章【第2版】
金岡秀郎 著

5 パリ・フランスを知るための44章
梅本洋一、大里俊晴、木下長宏 編著

6 現代韓国を知るための61章【第3版】
石坂浩一、福島みのり 編著

7 オーストラリアを知るための58章【第3版】
越智道雄 著

8 現代中国を知るための54章【第7版】
藤野彰 編著

9 ネパールを知るための60章
日本ネパール協会 編

10 アメリカの歴史を知るための65章【第4版】
富田虎男、鵜月裕典、佐藤円 編著

11 現代フィリピンを知るための61章【第2版】
大野拓司、寺田勇文 編著

12 ポルトガルを知るための55章【第2版】
村上義和、池俊介 編著

13 北欧を知るための43章
武田龍夫 著

14 ブラジルを知るための56章【第2版】
アンジェロ・イシ 著

15 ドイツを知るための60章
早川東三、工藤幹巳 編著

16 ポーランドを知るための60章
渡辺克義 編著

17 シンガポールを知るための65章【第5版】
田村慶子 編著

18 現代ドイツを知るための67章【第3版】
浜本隆志、髙橋憲 編著

19 ウィーン・オーストリアを知るための57章【第2版】
広瀬佳一、今井顕 編著

20 ハンガリーを知るための60章【第2版】 ドナウの宝石
羽場久美子 編著

21 現代ロシアを知るための60章【第2版】
下斗米伸夫、島田博 編著

22 21世紀アメリカ社会を知るための67章
明石紀雄 監修　赤尾千波、大類久恵、小塩和人、
落合明子、川島浩平、高野泰 編

23 スペインを知るための60章
野々山真輝帆 著

24 キューバを知るための52章
後藤政子、樋口聡 編著

25 カナダを知るための60章
綾部恒雄、飯野正子 編著

26 中央アジアを知るための60章【第2版】
宇山智彦 編著

27 チェコとスロヴァキアを知るための56章【第2版】
薩摩秀登 編著

28 現代ドイツの社会・文化を知るための48章
田村光彰、村上和光、岩淵正明 編著

29 インドを知るための50章
重松伸司、三田昌彦 編著

30 タイを知るための72章【第2版】
綾部真雄 編著

31 パキスタンを知るための60章
広瀬崇子、山根聡、小田尚也 編著

32 バングラデシュを知るための66章【第3版】
大橋正明、村山真弓、日下部尚徳、安達淳哉 編著

33 イギリスを知るための65章【第2版】
近藤久雄、細川祐子、阿部美春 編著

34 現代台湾を知るための60章【第2版】
亜洲奈みづほ 著

35 ペルーを知るための66章【第2版】
細谷広美 編著

36 マラウィを知るための45章【第2版】
栗田和明 著

37 コスタリカを知るための60章【第2版】
国本伊代 編著

38 チベットを知るための50章
石濱裕美子 編著

39 現代ベトナムを知るための63章【第3版】
岩井美佐紀 編著

40 インドネシアを知るための50章
村井吉敬、佐伯奈津子 編著

41 エルサルバドル、ホンジュラス、ニカラグアを知るための45章
田中高 編著

エリア・スタディーズ

42 **パナマを知るための70章**【第2版】 国本伊代 編著

43 **イランを知るための65章** 岡田恵美子、北原圭一、鈴木珠里 編著

44 **アイルランドを知るための70章**【第3版】 海老島均、山下理恵子 編著

45 **メキシコを知るための60章** 吉田栄人 編著

46 **中国の暮らしと文化を知るための40章** 東洋文化研究会 編

47 **現代ブータンを知るための60章**【第2版】 平山修一 著

48 **バルカンを知るための66章**【第2版】 柴宜弘 編著

49 **現代イタリアを知るための44章** 村上義和 編著

50 **アルゼンチンを知るための54章** アルベルト松本 著

51 **ミクロネシアを知るための60章**【第2版】 印東道子 編著

52 **アメリカのヒスパニック＝ラティーノ社会を知るための55章** 大泉光一、牛島万 編著

53 **北朝鮮を知るための55章**【第2版】 石坂浩一 編著

54 **ボリビアを知るための73章**【第2版】 真鍋周三 編著

55 **コーカサスを知るための60章** 北川誠一、前田弘毅、廣瀬陽子、吉村貴之 編著

56 **カンボジアを知るための60章**【第3版】 上田広美、岡田知子、福富友子 編著

57 **エクアドルを知るための60章**【第2版】 新木秀和 編著

58 **タンザニアを知るための60章**【第2版】 栗田和明、根本利通 編著

59 **リビアを知るための60章**【第2版】 塩尻和子 編著

60 **東ティモールを知るための50章** 山田満 編著

61 **グアテマラを知るための67章**【第2版】 桜井三枝子 編著

62 **オランダを知るための60章** 長坂寿久 著

63 **モロッコを知るための65章** 私市正年、佐藤健太郎 編著

64 **サウジアラビアを知るための63章**【第2版】 中村覚 編著

65 **韓国の歴史を知るための66章** 金両基 編著

66 **ルーマニアを知るための60章** 六鹿茂夫 編著

67 **現代インドを知るための60章** 広瀬崇子、近藤正規、井上恭子、南埜猛 編著

68 **エチオピアを知るための50章** 岡倉登志 編著

69 **フィンランドを知るための44章** 百瀬宏、石野裕子 編著

70 **ニュージーランドを知るための63章** 青柳まちこ 編著

71 **ベルギーを知るための52章** 小川秀樹 編著

72 **ケベックを知るための56章**【第2版】 日本ケベック学会 編

73 **アルジェリアを知るための62章** 私市正年 編著

74 **アルメニアを知るための65章** 中島偉晴、メラニア・バグダサリヤン 編著

75 **スウェーデンを知るための64章**【第2版】 村井誠人 編著

76 **デンマークを知るための70章**【第2版】 村井誠人 編著

77 **最新ドイツ事情を知るための50章** 浜本隆志、柳原初樹 著

78 **セネガルとカーボベルデを知るための60章** 小川了 編著

79 **南アフリカを知るための60章** 峯陽一 編著

80 **エルサルバドルを知るための66章**【第2版】 細野昭雄、田中高 編著

81 **チュニジアを知るための60章** 鷹木恵子 編著

82 **南太平洋を知るための58章** メラネシア ポリネシア 吉岡政德、石森大知 編著

83 **現代カナダを知るための60章**【第2版】 飯野正子、竹中豊 総監修 日本カナダ学会 編

エリア・スタディーズ

84 **現代フランス社会を知るための62章**
三浦信孝、西山教行 編著

85 **ラオスを知るための60章**
菊池陽子、鈴木玲子、阿部健一 編著

86 **パラグアイを知るための50章**
田島久歳、武田和久 編著

87 **中国の歴史を知るための60章**
並木頼壽、杉山文彦 編著

88 **スペインのガリシアを知るための50章**
坂東省次、桑原真夫、浅香武和 編著

89 **アラブ首長国連邦（UAE）を知るための60章**
細井長 編著

90 **コロンビアを知るための60章**
二村久則 編著

91 **現代メキシコを知るための70章【第2版】**
国本伊代 編著

92 **ガーナを知るための47章**
高根務、山田肖子 編著

93 **ウガンダを知るための53章**
吉田昌夫、白石壮一郎 編著

94 **ケルトを旅する52章** イギリス・アイルランド
永田喜文 著

95 **トルコを知るための53章**
大村幸弘、永田雄三、内藤正典 編著

96 **イタリアを旅する24章**
内田俊秀 編著

97 **大統領選からアメリカを知るための57章**
越智道雄 著

98 **現代バスクを知るための60章【第2版】**
萩尾生、吉田浩美 編著

99 **ボツワナを知るための52章**
池谷和信 編著

100 **ロンドンを旅する60章**
川成洋、石原孝哉 編著

101 **ケニアを知るための55章**
松田素二、津田みわ 編著

102 **ニューヨークからアメリカを知るための76章**
越智道雄 著

103 **カリフォルニアからアメリカを知るための54章**
越智道雄 著

104 **イスラエルを知るための62章【第2版】**
立山良司 編著

105 **グアム・サイパン・マリアナ諸島を知るための54章**
中山京子 編著

106 **中国のムスリムを知るための60章**
中国ムスリム研究会 編

107 **現代エジプトを知るための60章**
鈴木恵美 編著

108 **カーストから現代インドを知るための30章**
金基淑 編著

109 **カナダを旅する37章**
飯野正子、竹中豊 編著

110 **アンダルシアを知るための53章**
立石博高、塩見千加子 編著

111 **エストニアを知るための59章**
小森宏美 編著

112 **韓国の暮らしと文化を知るための70章**
舘野晳 編著

113 **現代インドネシアを知るための60章**
村井吉敬、佐伯奈津子、間瀬朋子 編著

114 **ハワイを知るための60章**
山本真鳥、山田亨 編著

115 **現代イラクを知るための60章**
酒井啓子、吉岡明子、山尾大 編著

116 **現代スペインを知るための60章**
坂東省次 編著

117 **スリランカを知るための58章**
杉本良男、高桑史子、鈴木晋介 編著

118 **マダガスカルを知るための62章**
飯田卓、深澤秀夫、森山工 編著

119 **新時代アメリカ社会を知るための60章**
明石紀雄 監修　大類久恵、落合明子、赤尾千波 編著

120 **現代アラブを知るための56章**
松本弘 編著

121 **クロアチアを知るための60章**
柴宜弘、石田信一 編著

122 **ドミニカ共和国を知るための60章**
国本伊代 編著

123 **シリア・レバノンを知るための64章**
黒木英充 編著

124 **EU（欧州連合）を知るための63章**
羽場久美子 編著

125 **ミャンマーを知るための60章**
田村克己、松田正彦 編著

エリア・スタディーズ

126 カタルーニャを知るための50章　立石博高、奥野良知 編著
127 ホンジュラスを知るための60章　桜井三枝子、中原篤史 編著
128 スイスを知るための60章　スイス文学研究会 編
129 東南アジアを知るための50章　今井昭夫 編集代表　東京外国語大学東南アジア課程 編
130 メソアメリカを知るための58章　井上幸孝 編著
131 マドリードとカスティーリャを知るための60章　川成洋、下山静香 編著
132 ノルウェーを知るための60章　大島美穂、岡本健志 編著
133 現代モンゴルを知るための50章　小長谷有紀、前川愛 編著
134 カザフスタンを知るための60章　宇山智彦、藤本透子 編著
135 内モンゴルを知るための60章　ボルジギン・ブレンサイン 編著　赤坂恒明 編集協力
136 スコットランドを知るための65章　木村正俊 編著
137 セルビアを知るための60章　柴宜弘、山崎信一 編著
138 マリを知るための58章　竹沢尚一郎 編著
139 ASEANを知るための50章　黒柳米司、金子芳樹、吉野文雄 編著
140 アイスランド・グリーンランド・北極を知るための65章　小澤実、中丸禎子、高橋美野梨 編著
141 ナミビアを知るための53章　水野一晴、永原陽子 編著
142 香港を知るための60章　吉川雅之、倉田徹 編著
143 タスマニアを旅する60章　宮本忠 著
144 パレスチナを知るための60章　臼杵陽、鈴木啓之 編著
145 ラトヴィアを知るための47章　志摩園子 編著
146 ニカラグアを知るための55章　田中高 編著
147 台湾を知るための72章【第2版】　赤松美和子、若松大祐 編著
148 テュルクを知るための61章　小松久男 編著
149 アメリカ先住民を知るための62章　阿部珠理 編著
150 イギリスの歴史を知るための50章　川成洋 編著
151 ドイツの歴史を知るための50章　森井裕一 編著
152 ロシアの歴史を知るための50章　下斗米伸夫 編著
153 スペインの歴史を知るための50章　立石博高、内村俊太 編著
154 フィリピンを知るための64章　大野拓司、鈴木伸隆、日下渉 編著
155 バルト海を旅する40章　7つの島の物語　小柏葉子 著
156 カナダの歴史を知るための50章　細川道久 編著
157 カリブ海世界を知るための70章　国本伊代 編著
158 ベラルーシを知るための50章　服部倫卓、越野剛 編著
159 スロヴェニアを知るための60章　柴宜弘、アンドレイ・ベケシュ、山崎信一 編著
160 北京を知るための52章　櫻井澄夫、人見豊、森田憲司 編著
161 イタリアの歴史を知るための50章　高橋進、村上義和 編著
162 ケルトを知るための65章　木村正俊 編著
163 オマーンを知るための55章　松尾昌樹 編著
164 ウズベキスタンを知るための60章　帯谷知可 編著
165 アゼルバイジャンを知るための67章　廣瀬陽子 編著
166 済州島を知るための55章　梁聖宗、金良淑、伊地知紀子 編著
167 イギリス文学を旅する60章　石原孝哉、市川仁 編著

エリア・スタディーズ

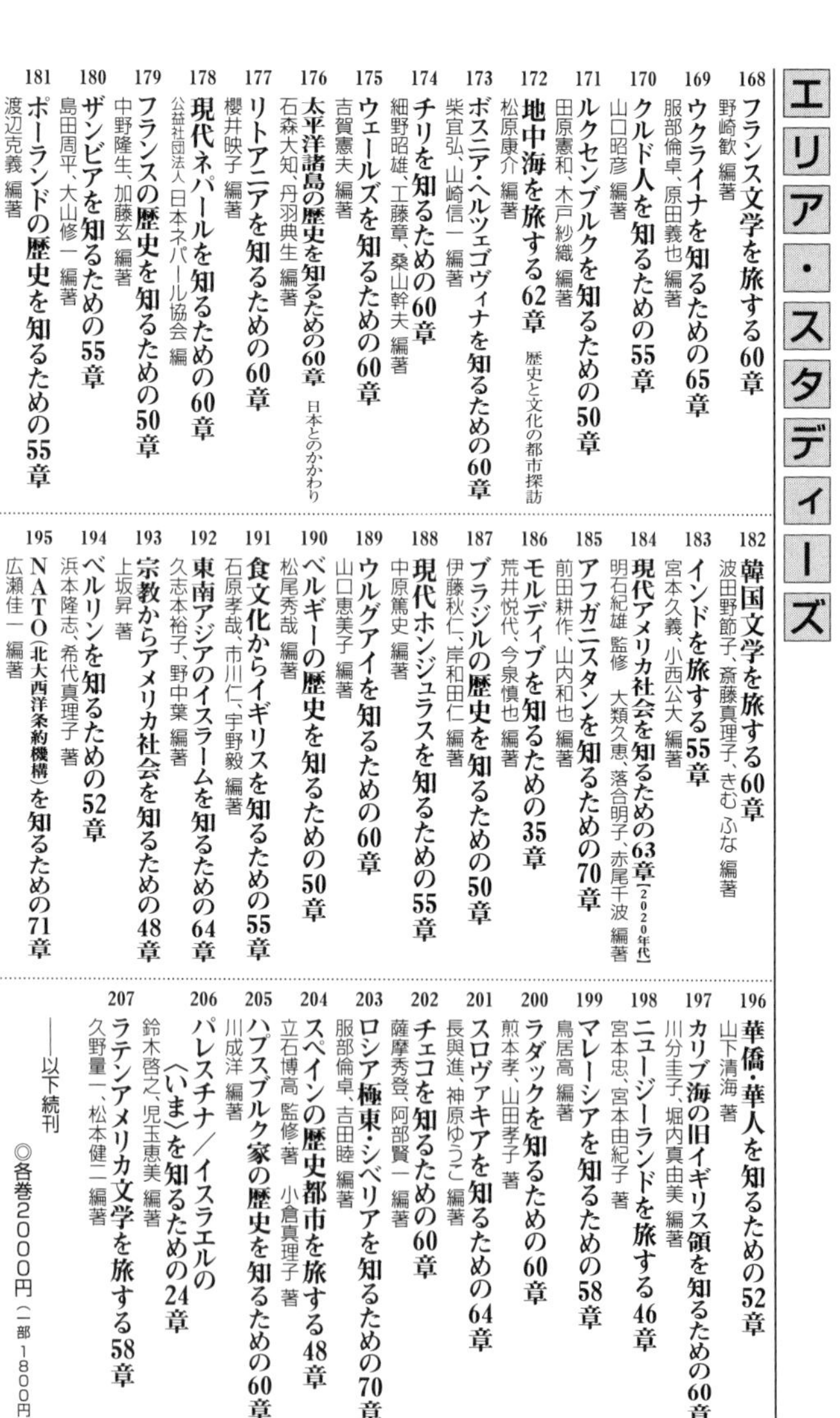

168 **フランス文学を旅する60章**
野崎歓 編著

169 **ウクライナを知るための65章**
服部倫卓、原田義也 編著

170 **クルド人を知るための55章**
山口昭彦 編著

171 **ルクセンブルクを知るための50章**
田原憲和、木戸紗織 編著

172 **地中海を旅する62章** 歴史と文化の都市探訪
松原康介 編著

173 **ボスニア・ヘルツェゴヴィナを知るための60章**
柴宜弘、山崎信一 編著

174 **チリを知るための60章**
細野昭雄、工藤章、桑山幹夫 編著

175 **ウェールズを知るための60章**
吉賀憲夫 編著

176 **太平洋諸島の歴史を知るための60章** 日本とのかかわり
石森大知、丹羽典生 編著

177 **リトアニアを知るための60章**
櫻井映子 編著

178 **現代ネパールを知るための60章**
公益社団法人 日本ネパール協会 編

179 **フランスの歴史を知るための50章**
中野隆生、加藤玄 編著

180 **ザンビアを知るための55章**
島田周平、大山修一 編著

181 **ポーランドの歴史を知るための55章**
渡辺克義 編著

182 **韓国文学を旅する60章**
波田野節子、斎藤真理子、きむ ふな 編著

183 **インドを旅する55章**
宮本久義、小西公大 編著

184 **現代アメリカ社会を知るための63章**【2020年代】
明石紀雄 監修 大類久恵、落合明子、赤尾千波 編著

185 **アフガニスタンを知るための70章**
前田耕作、山内和也 編著

186 **モルディブを知るための35章**
荒井悦代、今泉慎也 編著

187 **ブラジルの歴史を知るための50章**
伊藤秋仁、岸和田仁 編著

188 **現代ホンジュラスを知るための55章**
中原篤史 編著

189 **ウルグアイを知るための60章**
山口恵美子 編著

190 **ベルギーの歴史を知るための50章**
松尾秀哉 編著

191 **食文化からイギリスを知るための55章**
石原孝哉、市川仁、宇野毅 編著

192 **東南アジアのイスラームを知るための64章**
久志本裕子、野中葉 編著

193 **宗教からアメリカ社会を知るための48章**
上坂昇 著

194 **ベルリンを知るための52章**
浜本隆志、希代真理子 著

195 **NATO（北大西洋条約機構）を知るための71章**
広瀬佳一 編著

196 **華僑・華人を知るための52章**
山下清海 著

197 **カリブ海の旧イギリス領を知るための60章**
川分圭子、堀内真由美 編著

198 **ニュージーランドを旅する46章**
宮本忠、宮本由紀子 著

199 **マレーシアを知るための58章**
鳥居高 編著

200 **ラダックを知るための60章**
煎本孝、山田孝子 著

201 **スロヴァキアを知るための64章**
長與進、神原ゆうこ 編著

202 **チェコを知るための60章**
薩摩秀登、阿部賢一 編著

203 **ロシア極東・シベリアを知るための70章**
服部倫卓、吉田睦 編著

204 **スペインの歴史都市を旅する48章**
立石博高 監修・著 小倉真理子 著

205 **ハプスブルク家の歴史を知るための60章**
川成洋 編著

206 **パレスチナ／イスラエルの〈いま〉を知るための24章**
鈴木啓之、児玉恵美 編著

207 **ラテンアメリカ文学を旅する58章**
久野量一、松本健二 編著

――以下続刊

◎各巻2000円（一部1800円）

〈価格は本体価格です〉